PHYSIQUE

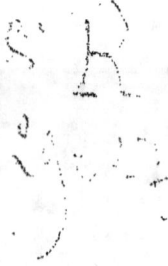

PHYSIQUE

(PESANTEUR, CHALEUR)

A L'USAGE DES ÉLÈVES

DES CLASSES DE SECONDE C ET D

PAR

J. BASIN

PROFESSEUR AGRÉGÉ AU LYCÉE DE LILLE

SIXIÈME ÉDITION

PARIS
LIBRAIRIE VUIBERT
63, BOULEVARD SAINT-GERMAIN, 63

1946

PHYSIQUE

(PESANTEUR, CHALEUR)

CHAPITRE I

NOTIONS PRÉLIMINAIRES

---

1. Différents états des corps. — Les corps se présentent
à nous sous trois états différents : il y a des corps solides
comme le fer, la pierre ; des corps liquides comme l'eau,
l'alcool ; et des corps gazeux comme l'air, le **gaz d'éclairage.**

1º Les corps *solides* ont une forme à eux et sont plus
ou moins durs. Leurs différentes parties gardent les **unes**
par rapport aux autres des positions fixes, et, **pour les**
séparer, il faut exercer des efforts relativement **considé-**
rables.

2º Les corps *liquides* n'ont pas de forme propre : **leurs**
différentes parties peuvent glisser les unes sur les autres
avec la plus grande facilité et couler d'un vase dans **un**
autre. Ces corps prennent la forme du vase qui les contient et se terminent à la partie supérieure par une surface libre.

3º Les corps *gazeux*, ou plus simplement les gaz, possèdent la même mobilité que les corps liquides, mais leur
volume dépend uniquement de la grandeur du vase qui

les contient. Tandis que les corps solides ont un volume
à peu près constant, tandis qu'un liquide peut n'occuper
qu'une partie d'un vase, les gaz tendent toujours à
augmenter de volume ; et quelque petite quantité d'un
gaz qu'on introduise dans un vase fermé, le gaz augmente
de volume et finit par remplir le vase tout entier. Par
suite de cette propriété, les gaz exercent sur les parois de
l'enveloppe qui les renferme un certain effort, une certaine pression. Cette pression s'appelle la *force élastique*
du gaz.

Remarque. — Entre les trois états ainsi définis, on trouve
tous les états intermédiaires. Ainsi le beurre, surtout pendant l'été, se déforme sous la moindre pression ; les sirops
ne prennent que lentement la forme du vase qui les contient, etc.

2. Passage d'un état à un autre état. — Un même corps
peut prendre successivement les états solide, liquide et
gazeux. On sait que l'eau, refroidie suffisamment, se
change en glace. Quand on chauffe de l'eau, elle finit par
bouillir et disparaître dans l'atmosphère à l'état de vapeur,
c'est-à-dire à l'état gazeux.

Tous les corps sont dans le même cas que l'eau. Nous
verrons plus tard qu'on peut amener les gaz à l'état
liquide, les liquides à l'état solide. L'air lui-même a été
liquéfié et solidifié.

3. Constitution des corps. — On admet aujourd'hui que
la matière qui constitue les corps n'est pas continue. Ceux-ci
seraient formés par la réunion d'un très grand nombre de
parties toutes semblables, et ayant un degré de petitesse tel
qu'elles échappent à nos instruments d'observation les plus
perfectionnés. Ces parties ont reçu le nom de *molécules* (de
moles, petite masse). Les molécules ne se touchent pas ; elles
sont séparées par des intervalles aussi petits qu'elles-

mêmes, pouvant augmenter ou diminuer dans différentes circonstances comme, par exemple, lorsqu'on chauffe un corps ou que l'on exerce une certaine pression à sa surface.

4. **Phénomènes physiques et phénomènes chimiques.** — Les corps affectent nos sens de façons très diverses ; ils ont chacun des propriétés spéciales qui nous permettent de les distinguer les uns des autres. Toutes les fois qu'un corps manifeste une propriété, on dit qu'il s'est produit un phénomène : la chute d'une pierre, la formation de la glace, etc., sont des phénomènes.

Les phénomènes sont de deux sortes : les phénomènes physiques et les phénomènes chimiques.

Les *phénomènes physiques* sont ceux qui ne produisent aucun changement dans la nature des corps : la chute d'une pierre, le changement de l'eau en glace, sont des phénomènes physiques. Lorsque le corps ne subit que des modifications passagères, disparaissant avec la cause qui leur a donné naissance, c'est encore un phénomène physique. Ainsi un bâton de verre frotté avec un morceau de drap acquiert momentanément la propriété d'attirer des fragments de papier, des barbes de plume, mais le verre est resté du verre ; une barre de fer chauffée s'allonge et rougit, mais elle reprend bientôt sa couleur et ses dimensions primitives si l'on cesse de chauffer.

Les *phénomènes chimiques*, au contraire, produisent sur les corps des modifications profondes et durables. Les corps changent de nature et donnent naissance à des corps nouveaux, ayant des propriétés toutes différentes. Nous avons un exemple de phénomène chimique dans le fer maintenu à l'air humide ; il se transforme peu à peu en rouille, très différente du fer par son aspect extérieur et par ses propriétés.

5. Objet de la Physique et de la Chimie. — La Physique et la Chimie sont quelquefois appelées *sciences expérimentales*, parce qu'on y fait constamment des expériences.

La Physique a pour objet l'étude des phénomènes physiques. Le physicien observe attentivement ces phénomènes, essaie de les reproduire par l'expérience et cherche à découvrir leurs causes, ainsi que les lois qui les régissent.

La Chimie s'occupe des phénomènes chimiques. Elle étudie les modifications durables que ces phénomènes produisent dans la nature des corps et recherche les circonstances dans lesquelles ont lieu ces modifications.

RÉSUMÉ DU CHAPITRE I

Les corps peuvent exister sous trois états physiques. Les *solides* présentent une résistance plus ou moins grande à la rupture ; leur volume est à peu près constant et leur forme déterminée. Les *liquides* ont un volume à peu près constant aussi, mais ils prennent la forme du vase qui les contient ; leurs différentes parties glissent très facilement les unes sur les autres. Enfin les *gaz* remplissent toujours l'espace qui leur est offert et exercent sur l'enveloppe qui les renferme une certaine pression (force élastique des gaz). Un même corps peut prendre successivement les trois états (glace, eau, vapeur).

Chaque fois qu'un corps manifeste une de ses propriétés, on dit qu'il se produit un *phénomène*. On distingue les phénomènes physiques et les phénomènes chimiques. Les premiers n'altèrent pas la nature des corps et ne leur font éprouver que des modifications passagères ; leur étude approfondie fait l'objet de la Physique. Les phénomènes chimiques changent au contraire la nature des corps ; c'est à la Chimie qu'appartient leur étude.

CHAPITRE II

NOTIONS ÉLÉMENTAIRES SUR LES FORCES, LE TRAVAIL ET LA PUISSANCE

---

6. Inertie des corps. — Les corps sont *inertes* par eux-mêmes ; cela veut dire que *tout corps qui est en repos ne se met pas de lui-même en mouvement*. De même, tout corps qui est mouvement ne s'arrête pas sans cause, et si les corps en mouvement tendent toujours à s'arrêter, c'est que des causes étrangères à ces corps s'opposent sans cesse au mouvement. Si, par exemple, une bille lancée sur un sol horizontal ne continue pas à se mouvoir indéfiniment, c'est parce que le frottement de la bille contre le sol et la résistance de l'air ont pour effet de ralentir peu à peu le mouvement jusqu'à l'annuler.

Toute cause qui est capable de modifier l'état de repos ou de mouvement d'un corps s'appelle une *force*.

FORCES

7. Caractéristiques d'une force. — L'existence d'une force nous est révélée par les effets qu'elle produit. Ordinairement, les effets des forces se manifestent par la production ou par les modifications d'un mouvement ; mais il peut arriver que les points matériels soumis à l'action des forces soient assujettis de manière à rester immobiles ou à ne subir qu'un faible déplacement : ainsi un corps place sur un support produit une dépression plus ou moins forte, et le support se romprait si le poids du corps dépassait une certaine limite, un ressort fléchit plus ou moins lorsqu'on y suspend un corps, etc. Tous ces effets, en même temps qu'ils nous révèlent l'existence des forces, peuvent aussi servir à les mesurer.

8. Composition des forces. — Quand plusieurs forces sont appliquées à un même point matériel, il est généralement possible de les remplacer par une force unique qui, agissant sur le point matériel, produirait le même effet que ces forces réunies. Cette force unique prend le nom de *résultante,* et les forces qu'elle remplace le nom de *composantes.*

Pour simplifier l'étude de la composition des forces, on convient de représenter graphiquement celles-ci par des lignes droites de même direction que les forces, et on prend sur ces droites autant d'unités de longueur que la force contient d'unités de force (*fig.* 1). On indique le sens de l'action par une flèche.

O ————————→ F 4 *unités*

Fig. 1. — Représentation graphique d'une force.

1° Forces concourantes. — Les forces sont dites concourantes lorsqu'elles ont même point d'application.

Fixons à deux supports, dans un plan vertical, deux poulies légères et très mobiles P, P' (*fig.* 2), et faisons

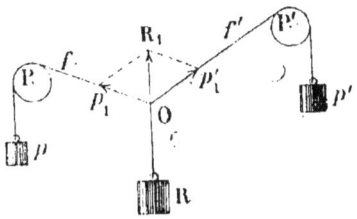

Fig. 2. — Composition de deux forces concourantes.

passer sur les poulies un fil flexible ff' tendu à ses extrémités par des poids p et p'. Suspendons enfin en un
point quelconque O du fil ff' un poids R. Le système
est ainsi soumis à 3 forces p_1, p'_1 et R_1 ; et l'expérience
montre qu'il est en équilibre si R est plus petit que la
somme $p + p'$. Il ne reste plus qu'à mesurer, à l'aide
d'un rapporteur, les angles $p_1 O p'_1$ et $p_1 OR$ et, autour d'un
point O pris sur une feuille de papier de prendre successivement des longueurs Op_1, Op'_1, OR_1, respectivement proportionnelles aux forces p,
p' et R (*fig.* 3). En joignant
ensuite les points p_1 et R_1,
p'_1 et R_1, nous constate-
rions que la figure $Op_1R_1p'_1$
est un *parallélogramme*.

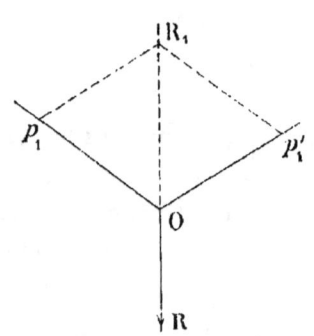

Fig. 3. — Parallélogramme
des forces.

On conclut de cette ex-
périence que les forces p
et p' peuvent être remplacées par une résultante R,
laquelle sera représentée
par la diagonale du parallélogramme ayant pour
côtés adjacents les deux forces. Cette règle, souvent
employée en Physique,
porte le nom de *règle du parallélogramme des forces*.

Réciproquement, étant
donnée une force OR (*fig.* 4),
on peut la remplacer par
deux autres de directions
arbitraires OF et OF'. Les
grandeurs de ces *compo-*

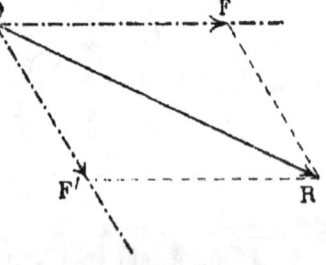

Fig. 4. — Réciproque
du parallélogramme des forces.

santes sont représentées par les côtés du parallélogramme dont OR est la diagonale.

2° **Forces parallèles.** — Considérons un levier AB mobile autour de son milieu C et auquel on peut suspendre des poids en des points divers à des petits crochets. (*fig.* 5). Le levier sera en équilibre si, par exemple, on

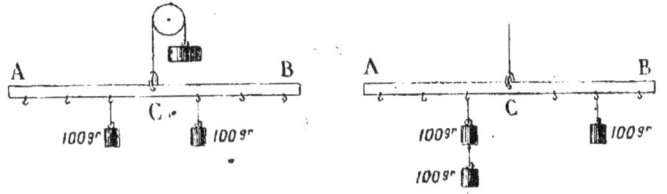

Fig. 5. — Composition des forces parallèles.

suspend deux poids de 100ᵍ chacun à la même distance de part et d'autre de C, ou encore si l'on suspend d'un côté 200ᵍ à une distance 1 du point C et de l'autre côté 100ᵍ à une distance 2 du même point.

En général, si l'on considère deux forces F et F' (*fig.* 6), parallèles et de même sens, leur résultante est égale à leur somme, et son point d'application, situé sur la droite AB, divise cette droite en deux parties inversement proportionnelles aux intensités de ces forces. On a donc

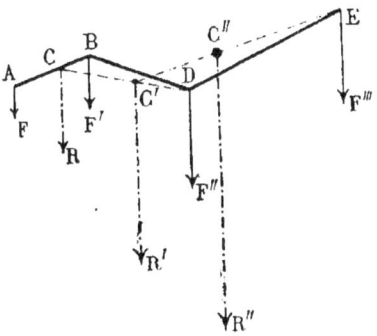

Fig. 6. — Centre des forces parallèles.

$$R = F + F'$$

et $$\frac{AC}{BC} = \frac{F'}{F}.$$

Pour obtenir la résultante d'un certain nombre de forces parallèles F, F', F'', F''', appliquées en des points A, B, D, E d'un corps solide

(*fig.* 6), il suffira de composer d'abord deux de ces forces F, F'
en une seule R d'après la règle précédente ; puis cette résultante partielle avec la force F″, et enfin leur résultante R′
avec la dernière force F‴.

On aura ainsi la résultante finale R″, qui est égale à la
somme de toutes les forces parallèles et dont le point d'application s'appelle le *centre des forces parallèles*.

La position de ce point étant simplement déterminée par
les relations $\frac{AC}{BC} = \frac{F'}{F}$, $\frac{CC'}{C'D} = \frac{F''}{R}$, etc., si la direction
commune de toutes les forces vient à changer, le centre des
forces parallèles conserve la *même position* pourvu que ces
forces conservent leurs intensités et restent appliquées aux
mêmes points.

9. Notions élémentaires sur le travail des forces. —
On dit qu'une force travaille quand elle imprime un déplacement quelconque à son point d'application. Ainsi
un poids qui tombe, une grue qui soulève un fardeau, un
cheval qui tire une voiture, produisent du travail.

Le travail d'une force dépend à la fois de l'intensité de
la force et du chemin parcouru par son point d'application : si un poids d'un kilogramme tombe d'une hauteur
d'un mètre, il produit un certain travail ; si le même poids
tombe de deux mètres, il produit un travail double, et il
en serait de même d'un poids de deux kilogrammes tombant d'un mètre.

Le cas le plus simple de l'évaluation du travail est celui
d'*une force constante qui déplace son point d'application
dans sa propre direction* : le tra-
vail est alors le produit de l'intensité de la force par le chemin
parcouru. Soit une force cons-

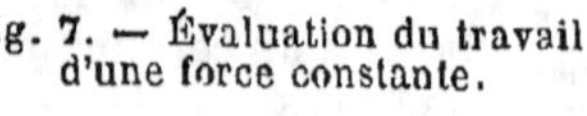

Fig. 7. — Évaluation du travail
d'une force constante.

tante d'intensité F appliquée en O (*fig.* 7) ; si elle imprime à ce point un déplacement OO′ = *e* dans sa propre direction, on a, en représentant, comme on le fait

souvent, le travail accompli par W (initiale du mot anglais *work*, travail),

$$W = F \times e.$$

Examinons le cas où le déplacement du point d'application n'est pas dans la direction de la force. Soit F une force dont le point d'application décrit le déplacement OA (*fig.* 8). La projection de la force est OF', et celle du déplacement sur la force est OA'. Les deux triangles OAA' et OFF' sont semblables et

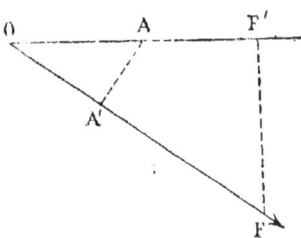

Fig. 8. — Évaluation du travail pour une direction inclinée de la force..

donnent la relation $\dfrac{OF}{OF'} = \dfrac{OA}{OA'}$, d'où on tire

$$OF \times OA' = OF' \times OA,$$

c'est-à-dire que le travail est le *produit de la force par la projection du déplacement sur la direction de la force.*

Enfin si la direction de la force fait un angle droit avec le déplacement du point d'application, le travail est *nul*.

On dit que le travail est *positif* lorsque le déplacement du point d'application se fait dans la direction de la force ; il est *négatif* lorsque ce déplacement se fait dans la direction opposée.

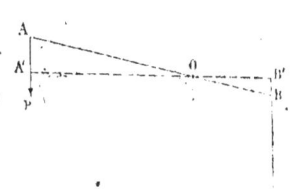

Fig. 9. — Levier du premier genre.

10. Levier. — Un levier est une barre rigide AB (*fig.* 9), mobile autour d'un point fixe O, et à laquelle sont appliquées deux forces P et R, tendant à la faire mouvoir en sens contraircs. L'une des deux forces, P par exemple, s'appelle la *puissance* ; l'autre, R, s'appelle la *résistance*. Les perpendiculaires OA′ et OB′ abaissées du point O sur les directions de la puissance et de la résistance sont les *bras du levier*. Nous supposons que la puissance et la résistance sont deux forces parallèles, ce qui est le cas général.

1° On dit qu'un levier est du *1er genre* lorsque les points d'application de la puissance et de la résistance sont de part et d'autre du point fixe O (*fig.* 9). On a, dans ce cas (8,2°), la relation

$$\frac{P}{R} = \frac{OB'}{OA'},$$

d'où $P \times OA' = R \times OB'$.

Ce levier permet d'équilibrer une résistance avec une puissance plus petite. Si OA′, par exemple, est 10 fois plus grand que OB′, P sera 10 fois plus petit que R.

La *balance ordinaire* et la *balance romaine* sont des leviers du premier genre. La balance romaine se compose d'un fléau AB à bras inégaux (*fig.* 10), supporté en un point O par

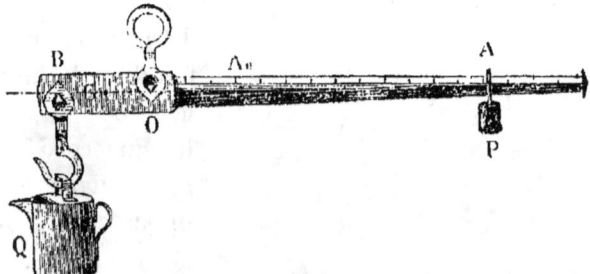

Fig. 10. — Balance romaine.

un anneau. Une masse constante P, appelée curseur, peut être portée plus ou moins loin sur le bras OA. Le corps à peser étant suspendu en B, on approche ou on éloigne le curseur de O jusqu'à ce que le fléau reste horizontal. Si le curseur est alors placé au chiffre 6 de la graduation, le corps accroché en B a une masse équivalente à celle de 6 kilogrammes.

Enfin on emploie des leviers du premier genre pour soulever les pierres (*fig.* 11).

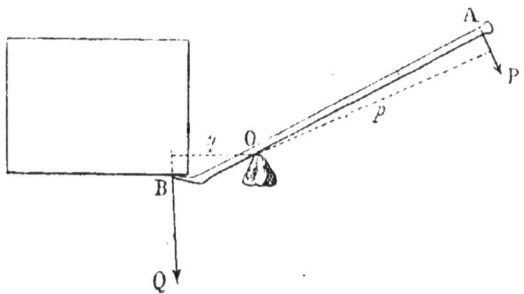

Fig. 11. — Levier du premier genre soulevant une pierre.

2° Un levier est du *2° genre* lorsque la résistance est
entre le point d'appui et la puissance (*fig.* 12). Il est évi-

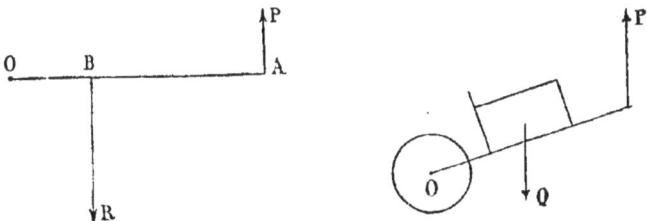

Fig. 12. — Levier du second genre.   Fig. 13. — Brouette.

dent que ce levier est favorable à la puissance, le bras de
levier OA de cette dernière force étant nécessairement
plus grand que le bras de le-
vier OB de la résistance.

La brouette (*fig.* 13), le casse-
noisettes sont des leviers du
second genre. Les pompes, les
presses hydrauliques sont généralement actionnées par des leviers du second genre.

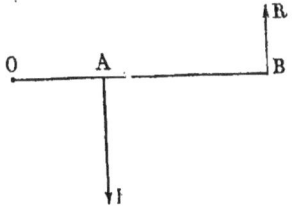

Fig. 14. — Levier du troisième
genre.

3° Enfin, dans le levier du
3° genre, le point d'application de la puissance est entre

le point fixe et le point d'application de la résistance (*fig.* 14).

La résistance a nécessairement l'avantage dans cette disposition.

Dans la pédale du rémouleur (*fig.* 15), pédale qui est un levier du 3e genre, on utilise la force

Fig. 15. — Pédale du rémouleur.

de pesanteur pour surmonter une résistance dirigée de bas en haut ; on perd en force, mais on gagne l'équivalent en vitesse.

11. Treuil. — Le treuil est constitué par un cylindre ou *arbre* pouvant tourner autour de son axe de figure (*fig.* 16). Sur l'arbre est enroulée une corde dont une extrémité est fixée en l'un des points de l'arbre,

Fig. 16. — Treuil.

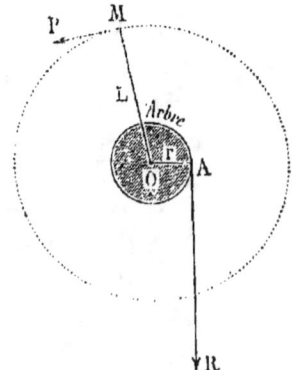

Fig. 17. — Coupe d'un treuil perpendiculairement à son axe.

tandis que l'autre extrémité est sollicitée par la résistance.

La puissance agit à l'extrémité d'une manivelle fixée à l'arbre perpendiculairement à son axe.

Supposons un treuil coupé perpendiculairement à son axe (*fig.* 17). L'extrémité de la manivelle décrit une circonférence de rayon OM. On démontre en Mécanique que le treuil est en équilibre lorsqu'on a la relation

$$\frac{P}{R} = \frac{r}{L},$$

r désignant le rayon de l'arbre, L la longueur de la manivelle.

On pourra donc équilibrer une résistance donnée avec une puissance beaucoup plus faible.

Le treuil est surtout utilisé pour amener à la surface du sol les produits retirés des carrières.

12. Plan incliné. — Considérons un plan incliné de section ABC (*fig.* 18) reposant sur un sol horizontal, et appelons *l* la longueur AC du plan, *h* sa hauteur BC.

Supposons que nous ayions à élever un corps **M** placé sur le sol, à l'altitude *h*. Nous pouvons opérer de deux manières différentes. D'abord, en soulevant le corps direc-

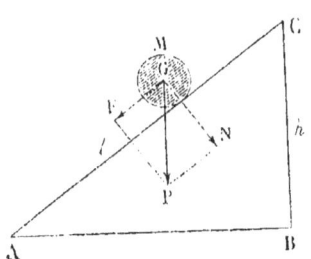

Fig. 18. — Plan incliné.

tement, et alors le travail effectué sera $P \times h$, P désignant le poids du corps. Ensuite, en tirant le corps tout le long du plan incliné par une force parallèle à la longueur du plan. Lorsque le corps est dans la position indiquée sur la figure, par exemple, son poids P peut être décomposé en deux forces : l'une, GN, perpendiculaire à la longueur AC; l'autre, GF, parallèle à cette même longueur. La force GN représente la pression du corps sur le plan incliné;

elle est annulée par la résistance du plan. La force GF est seule efficace et tend à faire glisser le corps vers le point A. Pour faire remonter le corps, nous serons donc obligés d'exercer en sens contraire de GF une force supérieure à GF. Calculons GF. Les **triangles semblables ABC et PFG** donnent la relation

$$\frac{GF}{P} = \frac{h}{l},$$

d'où
$$GF = P \times \frac{h}{l}.$$

Le travail à effectuer pour faire remonter le corps tout le long du plan incliné a pour valeur

$$GF \times l = P \times \frac{h}{l} \times l = P \times h.$$

On voit que ce travail est exactement le même que celui qu'il faudrait dépenser pour élever verticalement le corps à la même hauteur h. L'avantage que présente l'emploi du plan incliné est donc d'exiger un effort moindre que si on élevait les corps directement.

UNITÉS DE FORCE, DE TRAVAIL ET DE PUISSANCE

13. Unités fondamentales C. G. S. — Le système métrique, établi par la Convention en 1795, contient deux unités fondamentales, le *mètre* et le *gramme*, dont on déduit toutes les autres unités par des définitions géométriques. Mais ce système n'a pas été adopté en Physique : l'unité de poids du système métrique varie avec la latitude ; ensuite le système métrique présente l'inconvénient de ne pas avoir été adopté par tous les pays.

Un congrès international de Physiciens eut lieu à Paris en 1881 et adopta définitivement pour les sciences physiques un système de mesures universel, supprimant tous les inconvénients des systèmes arbitraires ou nationaux. Les unités de ce système dérivent de trois unités fondamentales : une unité de longueur, une unité de masse, une unité de temps.

L'unité de longueur est le *centimètre*.

L'unité de masse (22) est la *masse du gramme* ou *gramme-masse* : c'est la masse d'un centimètre cube d'eau distillée à la température de 4°.

L'unité de temps est la *seconde*.

Le système d'unités basé sur ces trois unités s'appelle le système *centimètre-gramme-seconde* et, par abréviation, le système *C. G. S.*

14. Unité de force. — L'unité de force C. G. S. a reçu le nom de *dyne*. Nous ne la définirons pas ici (si ce n'est en note). Disons seulement que le poids du gramme à Paris, c'est-à-dire la force qui le fait tomber, vaut 981 dynes [1]. Le kilogramme-poids, unité de force employée dans la pratique, vaut donc 981 000 dynes.

---

[1] Il n'est pas sans intérêt de montrer l'origine de ce nombre 981 : Quand un corps tombe librement dans un espace privé d'air, il prend un mouvement uniformément accéléré, c'est-à-dire que sa vitesse augmente de quantités égales dans des temps égaux. (Il serait bien difficile d'observer une chute d'une certaine hauteur dans un espace privé d'air ; mais on a imaginé d'ingénieux appareils qui permettent de réaliser dans l'air des chutes qui s'y font suivant les mêmes lois que dans le vide.) Ce qu'on appelle la vitesse à un instant donné, c'est l'espace parcouru pendant la seconde qui commence à cet instant même. Or cette vitesse, c'est-à-dire cet espace parcouru, s'accroît, à Paris, de $9^m,81 = 981^{cm}$ à chaque seconde (c'est cette augmentation de vitesse qu'on appelle l'*accélération* du mouvement ; on la représente habituellement par la lettre *g*, initiale de *gravité*.) D'autre part, on définit la *dyne : la force constante qui, dans un mouvement uniformément accéléré, imprimerait au gramme-masse une augmentation de vitesse de 1^{cm} par seconde.* Pour imprimer dans le même temps une augmentation de vitesse 981 fois plus grande, il faut 981 dynes. Voilà comment ce nombre se trouve rattaché au poids du gramme.

15. Unité de travail. — L'unité de travail C. G. S. a reçu le nom d'*erg ;* c'est le travail effectué par une dyne qui déplace son point d'application de 1^{cm} dans sa propre direction (9).

Le kilogrammètre, unité pratique, est le travail produit par un poids de 1^{kg} tombant de 1^{m} ou 100^{cm} de hauteur : il vaut donc

$$981\,000 \times 100 = 98\,100\,000 \text{ ergs.}$$

L'erg étant une unité très petite, on emploie souvent, en Physique, une unité secondaire, le *joule*, qui vaut $10\,000\,000$ d'ergs ou 10^7 ergs.

16. Unité de puissance. — L'unité de puissance C. G. S. est la puissance d'un moteur qui effectue un erg de travail par seconde ; aussi appelle-t-on quelquefois cette unité *erg-seconde*. Cette unité étant très petite, on emploie souvent une unité secondaire, le *watt*, qui vaut un joule-seconde (travail de 10^7 ergs par seconde).

L'unité de puissance utilisée dans l'industrie est le *cheval-vapeur* (75 kilogrammètres par seconde). Cette unité vaut plus de 7 milliards d'ergs-seconde.

RÉSUMÉ DU CHAPITRE II

Tout corps en repos ne se met pas de lui-même en mouvement (**inertie des corps**). Toute cause capable de modifier l'état de repos ou de mouvement d'un corps s'appelle une *force*.

Étant données plusieurs forces appliquées à un même point matériel, il est généralement possible de les remplacer par une résultante qui, à elle seule, produirait le même effet que toutes ces forces réunies. Quand celles-ci sont *concourantes*, le cas le plus intéressant est celui de deux forces faisant un certain angle : la résultante est représentée en direction et en intensité par la diagonale du parallélogramme construit sur les deux forces. Quand deux forces son *parallèles* et de même sens, la résultante est égale à leur somme son point d'application divise la droite qui joint les points d'applica tion des deux forces en deux segments inversement proportionnel aux intensités de ces forces.

Le travail d'une force qui déplace son point d'application dans sa propre direction est le produit de l'intensité de la force par le che min parcouru.

Un levier est une barre rigide mobile autour d'un point fixe, et à laquelle sont appliquées une puissance et une résistance, tendant à la faire mouvoir en sens contraires. Un levier est du 1er genre lorsque les points d'application de la puissance et de la résistance sont de part et d'autre du point fixe ; il est du 2e genre lorsque la résistance est entre le point fixe et la puissance. Enfin, dans le levier du 3e genre, le point d'application de la puissance est entre le point fixe et le point d'application de la résistance.

Le travail à effectuer pour faire remonter un corps le long d'un plan incliné est le même que celui qu'il faudrait dépenser pour élever verticalement le corps à la hauteur du plan incliné.

Le système C. G. S. a trois unités fondamentales : le centimètre, le gramme-masse et la seconde. L'unité de force est la dyne ; l'unité de travail, l'erg ; l'unité de puissance, l'erg-seconde.

EXERCICES SUR LE CHAPITRE II

1. Deux forces parallèles et de même sens sont appliquées en deux points invariablement liés et distants de 25^{cm} ; l'une des forces, évaluée en dynes, vaut 5 000 dynes ; l'autre force, évaluée en kilogrammes, vaut $0^{kg},200$. Trouver l'intensité de la résultante et son point d'application.

2. Deux forces parallèles et de même direction, égales respectivement à 2^{kg} et 5^{kg}, sont appliquées perpendiculairement aux deux extrémités d'un levier horizontal ayant $1^{m},20$ de longueur. Déterminer l'intensité de leur résultante en dynes. Déterminer aussi son point d'application.

3. Quel est l'effort nécessaire pour traîner sur un plan incliné un corps pesant 125 kilogrammes, sachant que la longueur du plan incliné égale 5 mètres et sa hauteur $1^{m},50$? On ne tiendra pas compte du frottement.

PESANTEUR

CHAPITRE III

NOTIONS GÉNÉRALES SUR LA PESANTEUR

17. Considérations générales. — Tous les corps solides et liquides, portés à une certaine hauteur et abandonnés à eux-mêmes, tombent à la surface du sol ; placés sur un support, ils exercent sur ce support une certaine pression ; on dit qu'ils sont *pesants*, et on appelle *pesanteur la force qui les sollicite à tomber*. Les gaz sont également des corps pesants, et si la plupart des gaz, si la fumée, les aérostats, s'élèvent, cela est dû à ce que l'air, comme nous le verrons plus tard, exerce sur tous ces corps une action de bas en haut supérieure à l'action de la pesanteur ; si l'air n'existait pas, ils tomberaient aussi.

La pesanteur étant une force, il faut, pour qu'elle soit bien définie, connaître : 1° sa direction ; 2° son intensité ; 3° son point d'application.

18. Direction de la pesanteur. — On détermine la direction de la pesanteur à l'aide du *fil à plomb*. C'est un corps un peu lourd, généralement une masse cylindro-

conique en laiton (*fig.* 19) suspendue par **un fil flexible.**
Abandonné à lui-même, le fil se tend sous l'influence de

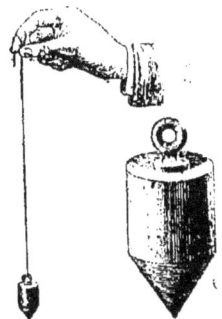

Fig. 19. — Fil à plomb.

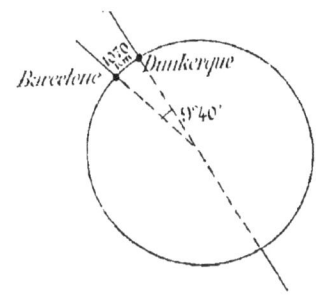

Fig. 20. — Angle des verticales de
Dunkerque et de Barcelone.

la pesanteur, et comme sa tension fait équilibre à cette dernière force, il a nécessairement la même direction qu'elle quand il est en repos.

La direction de la pesanteur en un lieu quelconque se nomme la *verticale.* Cette direction est la même, dans un même lieu, pour tous les corps ; en effet, si l'on dispose plusieurs fils à plomb à côté les uns des autres, on constate que leurs directions sont parallèles quand ils sont en équilibre.

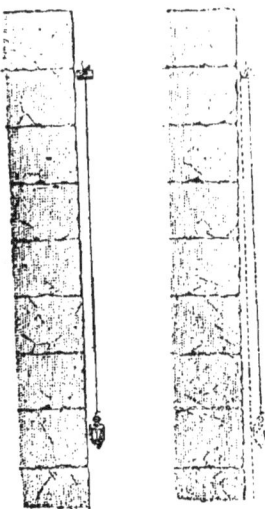

Fig. 21. — Emploi du fil à
plomb pour vérifier si un
mur est vertical.

En réalité, les verticales sont les prolongements des rayons terrestres et elles passent par le centre de la Terre (*fig.* 20). Mais lorsqu'on considère deux points qui ne sont pas très éloignés, on peut, à cause de la petitesse de l'angle formé, considérer les verticales qui passent par ces points comme sensiblement parallèles.

D'après ce qui précède, tout se passe comme si la pesanteur était due à une *attraction* exercée par la Terre sur tous les corps, attraction qui émanerait du centre même de notre globe.

Remarque. — Le fil à plomb est utilisé en maçonnerie pour vérifier si un mur est vertical (*fig.* 21) ou si un plan est horizontal. Pour ce dernier usage, on emploie le *niveau de*

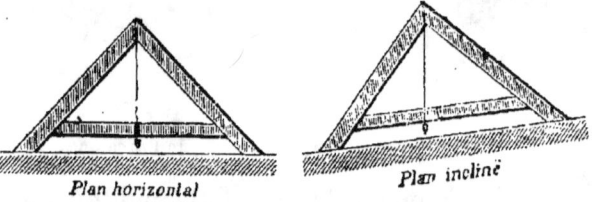

Plan horizontal   Plan incliné

Fig. 22. — Niveau de maçon.

maçon, formé de deux barres de bois portant un fil à plomb suspendu au sommet de l'angle qu'elles forment (*fig.* 22). Le plan est horizontal quand le fil recouvre une marque verticale (ligne de foi) tracée sur une bande transversale.

19. Intensité de la pesanteur. Poids. — Quand un corps est divisé en fragments, chaque fragment, si petit qu'il soit, tombe aussi bien que le corps lui-même. On peut considérer aussi les molécules d'un corps comme soumises chacune à une petite force verticale dirigée de haut en bas. Toutes ces forces sont égales et elles peuvent être considérées comme parallèles à cause de la faible distance de leurs points d'application. Leur résultante est dirigée dans le même sens et égale à leur somme (8). L'intensité de cette résultante est le *poids* du corps. On appelle donc poids d'un corps l'intensité de la résultante de toutes les actions exercées par la pesanteur sur ce corps.

20. Centre de gravité. — Le centre de gravité d'un corps
est le point d'application de la résultante de toutes les actions
exercées par la pesanteur sur ce corps. C'est un centre des
forces parallèles (8), sa position est donc indépendante de
l'orientation du corps.

On peut déterminer approximativement le centre de
gravité d'un corps solide de la manière suivante.

On suspend le corps par un point A de son contour
(*fig.* 23). Quand l'équilibre est atteint, la tension du fil
neutralise la résultante de toutes les actions exercées par
la pesanteur sur le corps; la direction du fil prolongée
passe nécessairement par le centre de gravité. Le corps
est suspendu ensuite par un autre point B, ce qui donne
une seconde direction passant encore par le centre de
gravité. Celui-ci se trouve à l'intersection des deux directions obtenues.

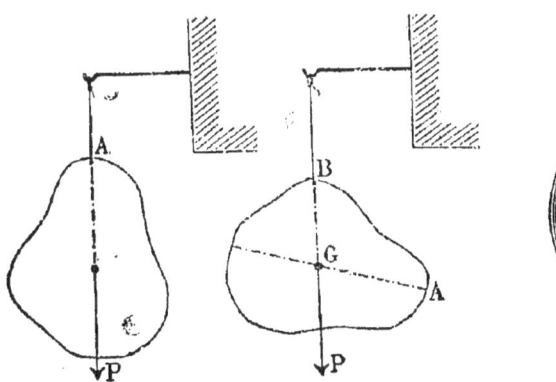
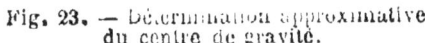
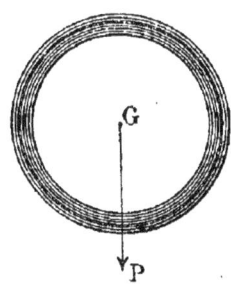

Fig. 23. — Détermination approximative   Fig. 24. — Centre de
du centre de gravité.   gravité d'un anneau.

Il faut remarquer que le centre de gravité d'un corps ne
fait pas nécessairement partie du corps lui-même. C'est ainsi,
par exemple, que le centre de gravité d'un anneau est en
son centre (*fig.* 24).

On doit alors regarder ce point comme invariablement lié

au corps, c'est-à-dire gardant toujours la même position relativement au corps et se déplaçant avec lui.

Enfin, lorsque la forme du corps est géométrique et qu'il
est homogène, c'est-à-dire quand la matière qui le constitue
est uniformément distribuée, on peut déterminer son centre
de gravité par le raisonnement. On trouve ainsi, par exemple, que le centre de gravité est placé : pour un *carré* ou un
parallélogramme, au point d'intersection des diagonales ;
pour un *cylindre à base circulaire*, au milieu de la droite
qui joint les centres des deux bases.

21. Équilibre des corps solides. — Les conditions d'é-
quilibre des solides peuvent être déterminées facilement
par la considération du centre de gravité.

I. Corps mobile autour d'un axe horizontal. — Il faut,
pour l'équilibre, que le centre de gravité soit soutenu,
c'est-à-dire que *la verticale menée par ce point rencontre
l'axe :* la pesanteur est alors contre-balancée par la résistance de l'axe. Cette condition étant remplie, l'équilibre
peut être stable, instable ou in-
différent.

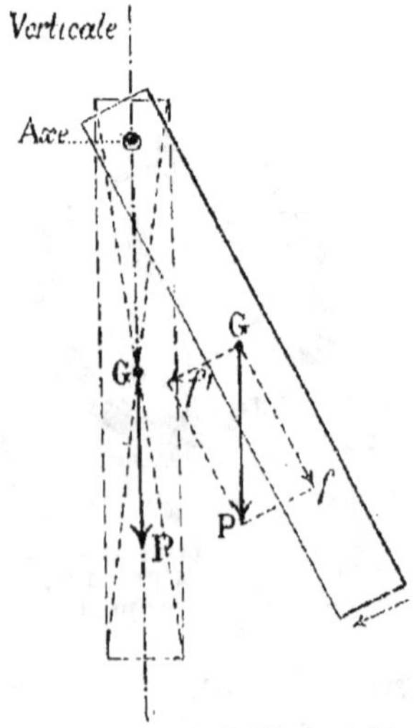

On dit que l'équilibre est *stable*
lorsque le corps écarté de sa position d'équilibre tend à y revenir.
Considérons par exemple une
règle plate à dessin soutenue à sa
partie supérieure (*fig.* 25). Si l'on
écarte cette règle de sa position
d'équilibre, son poids P peut être
décomposé en deux forces dont
l'une, *f*, est détruite par la résistance de l'axe, mais dont l'autre,
f, appliquée en G, tend à ramener la règle à sa position primitive.

Fig. 25. — Équilibre stable.

L'équilibre est *instable* lorsque le corps, même très peu écarté de sa position d'équilibre, tend à s'en éloigner de plus en plus ; tel serait le cas de la règle précédente dont l'axe de suspension traverserait la partie inférieure (*fig*. 26). Le centre de gravité est alors au-dessus de l'axe.

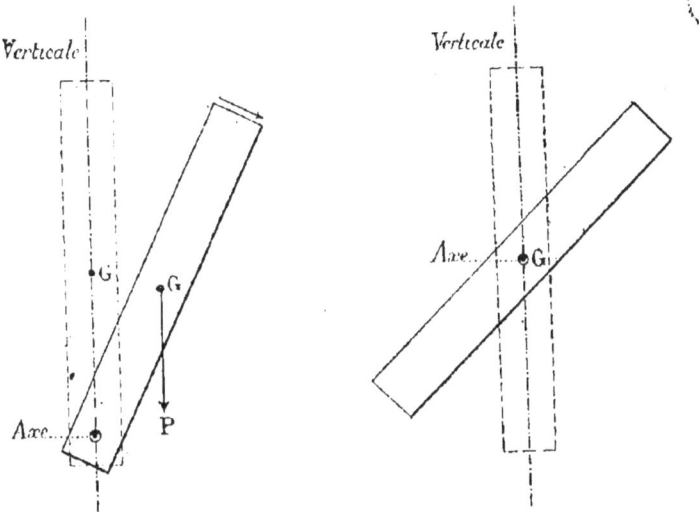

Fig. 26. — Équilibre instable.   Fig. 27. — Équilibre indifférent.

Enfin l'équilibre est *indifférent* lorsque le corps est en équilibre dans toutes les positions qu'on lui fait prendre. L'équilibre d'une règle plate soutenue par un axe passant par le poids d'intersection de ses diagonales est indifférent (*fig*. 27) ; le centre de gravité coïncidant avec l'axe, le poids de la règle est alors détruit par la résistance de l'axe dans toutes les positions possibles. L'équilibre d'une meule montée sur son axe, des poulies des arbres de transmission, des volants des machines à vapeur est aussi indifférent.

II. Corps reposant sur un plan horizontal. — Pour qu'un corps reposant sur un plan horizontal soit en équilibre, il faut que la verticale qui passe par son centre de gravité passe en même temps à l'intérieur de la *base de sustentation*. On appelle ainsi la figure — ordinairement un polygone — que l'on obtient en joignant tous les points d'appui.

L'équilibre peut encore être stable (équilibre d'une table, d'un cône reposant sur sa base), instable (équilibre d'un cône vertical s'appuyant sur sa pointe), ou indifférent (équilibre d'une sphère, d'un cône roulant sur ses

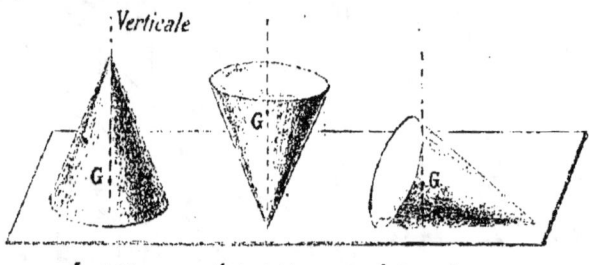

É. stable.   É. instable.   É. indifférent.
Fig. 28. — Équilibre d'un cône reposant sur un plan horizontal.

génératrices). La figure 28 représente les trois genres d'équilibre. En général, l'équilibre est d'autant plus stable que le centre de gravité est placé plus bas ; il faut alors, en effet, un plus grand déplacement du corps pour que la verticale passant par le centre de gravité tombe en dehors de la base de sustentation.

APPLICATIONS. — La considération du centre de gravité est d'une grande utilité. La stabilité des voitures, des navires, etc. est d'autant plus grande que le centre de gravité est placé plus bas ; aussi lorsqu'on les charge, dispose-t-on au fond les objets les plus lourds formant *lest*. Les vieux bâtiments, les cheminées d'usines, etc. restent stables tant que la verticale du centre de gravité tombe dans la base qui les supporte. Dans la célèbre tour penchée de Pise, cette verticale est loin de tomber en dehors, malgré l'inclinaison de la tour.

Dans la locomotion, nous manœuvrons instinctivement de façon que la verticale passant par notre centre de gravité

rencontre toujours le sol à l'intérieur de la base de sustentation formée avec les contours extérieurs des pieds ; c'est
pour cela que nous nous penchons en avant pour monter une
pente raide, que nous nous penchons au contraire en arrière
pour la descendre.

RÉSUMÉ DU CHAPITRE III

La pesanteur est la force qui sollicite les corps à se diriger vers le
centre de la Terre. Elle s'exerce sur tous les corps, et l'ascension de
certains gaz, des ballons, etc. est due à ce qu'ils subissent de la
part de l'air une action supérieure et contraire à l'action de la
pesanteur.

La direction de la pesanteur se détermine par le *fil à plomb*, corps
pesant soutenu par un fil flexible ; on appelle cette direction la *ver-*
ticale. Elle est la même, dans un même lieu, pour tous les corps.
La Terre étant sensiblement sphérique, toutes les verticales se ren-
contrent en son centre.

Chacune des molécules d'un corps est soumise à l'action de la pesanteur ; la résultante de toutes ces petites forces parallèles est
égale à leur somme ; son intensité représente le *poids* du corps.

Le *centre de gravité* est le point d'application de la résultante de
toutes les actions de la pesanteur sur un corps. C'est un centre des
forces parallèles ; il conserve donc une position constante tant que
le corps conserve la même forme. Quand un corps n'a pas une
forme géométrique, on détermine la position de son centre de gravité
en suspendant ce corps successivement par deux points différents.

Un corps solide mobile autour d'un axe horizontal fixe n'est en
équilibre que si la verticale qui passe par son centre de gravité rencontre l'axe. Cet équilibre est *stable* si le centre de gravité est au-
dessous de l'axe ; *instable*, s'il est au-dessus ; *indifférent*, s'il coïncide avec l'axe. Quand un corps repose sur un plan horizontal par
plusieurs points d'appui, il faut, pour l'équilibre, que la verticale
qui passe par le centre de gravité rencontre le plan à l'intérieur de
la figure formée par les points d'appui (base de sustentation); l'équilibre peut aussi être stable, instable ou indifférent.

CHAPITRE IV

MESURE DES MASSES. — BALANCE

---

22. Masse d'un corps. — Le poids d'un corps varie légèrement, comme nous le verrons plus tard, d'un lieu à un autre. Ce fait a amené les physiciens à caractériser un corps, non par son poids, mais par sa *masse*, qui est une quantité invariable, complètement indépendante des actions exercées sur le corps par les forces extérieures. La masse d'un corps dépend essentiellement de la quantité de matière qu'il contient et ne peut varier que si le corps gagne ou perd de la matière, c'est-à-dire s'il ne reste plus le même.

La masse d'un corps s'obtient en cherchant, à l'aide de la balance, combien elle renferme de fois le *gramme-masse*, qui est la millième partie de la masse du kilogramme-étalon en platine déposé aux Archives nationales.

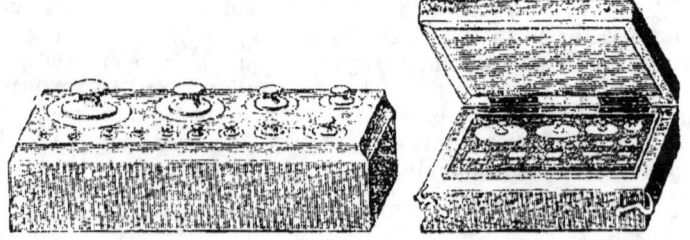

Fig. 29. — Boîtes de masses marquées.

Pour pouvoir comparer les masses des corps, il est nécessaire d'avoir des multiples et des sous-multiples du gramme-masse. Ces multiples et sous-multiples, disposés

ordinairement dans des boites spéciales (*fig*. 29), sont
appelés vulgairement des *poids marqués ;* en réalité, ce
sont des *masses marquées*. On les associe de manière à
pouvoir obtenir tous les nombres compris entre 1 et 10,
10 et 100, etc.; il y a donc, outre le gramme-masse, deux
masses de 2ᵍ , une masse de 5ᵍ ,...; de même pour les
sous-multiples. Les multiples se construisent en laiton
ou en fonte ; les sous-multiples sont en platine ou en aluminium.

Remarque. — Dans le langage courant, on confond généralement la masse d'un corps avec son poids. Ces deux termes ne sont cependant pas synonymes. Le poids d'un corps
représente, comme nous l'avons vu, la force avec laquelle il
est sollicité par la pesanteur, et doit par suite s'évaluer en
unités de force (dynes) et non en grammes-masse. Pour un
même corps, il existe entre le poids et la masse la relation
suivante :
$$P = Mg,$$
g désignant l'accélération imprimée par la pesanteur.

Comme, à Paris, $g = 981$, on voit que le poids d'un
corps dont la masse est de 10ᵍ a pour valeur à Paris
$10 \times 981 = 9810$ dynes.

Le poids et l'accélération g varient tous deux quand
on passe d'un lieu à un autre, mais leur rapport $\dfrac{P}{g}$ restant
constant, la masse d'un corps est une quantité *constante* en
tous les points du globe.

BALANCE

23. Définition et description. — La balance est un instrument qui sert à déterminer la masse d'un corps par une opération
appelée pesée.

La balance ordinaire (*fig*. 30) se compose essentiellement d'une barre mobile appelée *fléau*, aux extrémités
de laquelle sont suspendus deux *plateaux* de même poids,

destinés à recevoir les corps à peser ou les masses marquées. Le fléau est traversé en son milieu par un prisme
triangulaire en agate appelée *couteau*, dont l'arête inférieure repose en avant et en arrière sur les deux parties

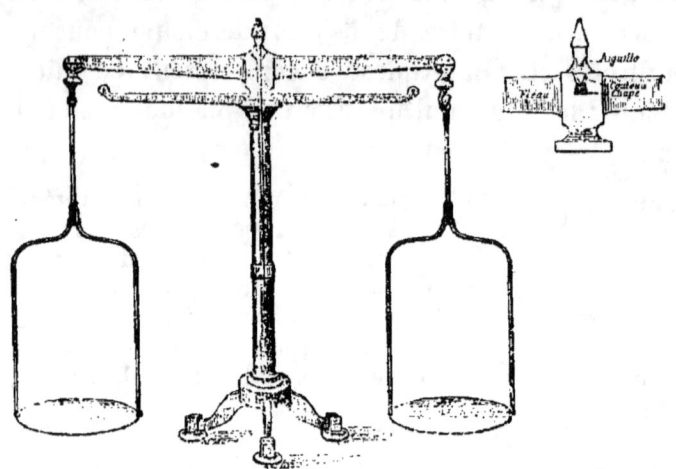

Fig. 30. — Balance ordinaire.

d'un même plan horizontal en agate constituant la *chape*.

Enfin une *aiguille* verticale est fixée au fléau, et son extrémité, mobile le long d'un arc de cercle divisé, recouvre le
zéro de la graduation lorsque le fléau est horizontal.

24. Détermination d'une masse par pesée simple. —
Dans toute balance, le fléau est construit de telle sorte
que son centre de gravité soit dans le plan vertical qui
passe par l'arête inférieure du couteau lorsque le fléau est
horizontal, et un peu au-dessous de cette arête. Il en résulte
que l'équilibre est stable et que le fléau est horizontal
quand il n'y a rien dans les plateaux.

Cela posé, si l'on met dans un des plateaux un corps de
masse M inconnue (*fig.* 31), ce corps exerce sur le plateau

une **certaine pression** représentée par son poids. Pour
que le fléau reste horizontal, il faudra ajouter dans l'autre

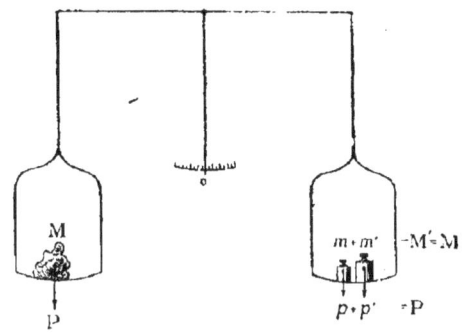

Fig. 31. — Simple pesée.

plateau des masses
marquées jusqu'à ce
que leur poids soit
rigoureusement égal
à celui de la masse M.
Le nombre de gram-
mes $m + m'$, en
tout M', lu sur les
masses marquées, re-
présente la masse du
corps ; on a en effet, pour la masse M, $P = Mg$, et
pour les masses marquées, $P = M'g$; donc $M' = M$.

L'opération que nous venons d'exposer s'appelle une
simple pesée ; elle n'est exacte que si la balance est juste.

**25. Conditions de justesse d'une balance. — Double
pesée.** — On dit qu'une balance est juste lorsque l'aiguille
recouvre le zéro de la graduation, aussi bien quand les
plateaux sont vides que quand ils sont pressés par des
poids égaux.

Pour qu'une balance soit juste, il faut les deux conditions suivantes : *les deux bras du fléau doivent être parfaitement égaux ; les plateaux doivent avoir le même poids
et de plus être très librement suspendus aux extrémités du
fléau.* Si ces conditions sont remplies, le fléau placé horizontalement se tient en équilibre quand on applique à ses
extrémités des poids égaux ; la résultante de ces poids,
ainsi que le poids du fléau et des plateaux, sont alors dé-
truits par la résistance de la chape.

Double pesée. — La méthode dite de la *double pesée*

permet de déterminer exactement la masse d'un corps
avec une balance quelconque, sans s'occuper si les conditions de justesse sont rigoureusement réalisées. On fait
équilibre au corps à peser avec des corps quelconques
(*fig.* 32) ; c'est ce qu'on appelle *faire la tare*. Quand l'é-

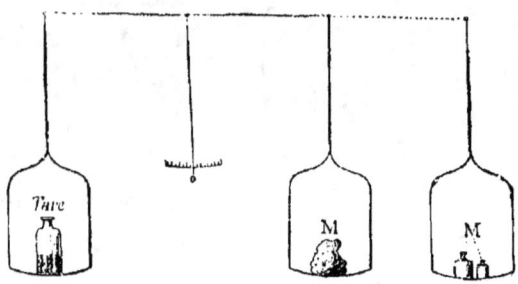

Fig. 32. — Double pesée.

quilibre est établi, on enlève le corps et on le remplace
par des masses marquées jusqu'à ce qu'il y ait de nouveau
équilibre. Ces masses sont évidemment égales à la masse
du corps, car elles produisent le même effet dans les
mêmes circonstances.

26. Conditions de sensibilité d'une balance. — La
sensibilité d'une balance se reconnaît à la masse plus ou
moins grande qu'il faut placer dans l'un des plateaux
pour rompre l'équilibre du fléau. Les balances dites *de
précision* que l'on emploie dans les laboratoires sont
ordinairement sensibles *au milligramme*.

Le calcul démontre qu'une balance est d'autant plus
sensible : 1° que les bras du fléau sont plus longs; 2° que
le poids du fléau est moindre; 3° que le centre de gravité
du fléau est plus rapproché de l'arête inférieure du couteau. (Voir *Compléments* à la fin du volume).

27. Balance de précision. — Une balance de précision est toujours enfermée dans une cage en verre (*fig.* 33) qui la protège contre la poussière et aussi contre les agitations de l'air pendant les pesées. Le fléau est en bronze d'aluminium et a la forme d'un losange très allongé, légèrement évidé au centre de manière à le rendre plus léger. Il est traversé par trois petits prismes triangulaires ou couteaux en agate : l'un, au milieu, repose par son arête inférieure sur une chape en

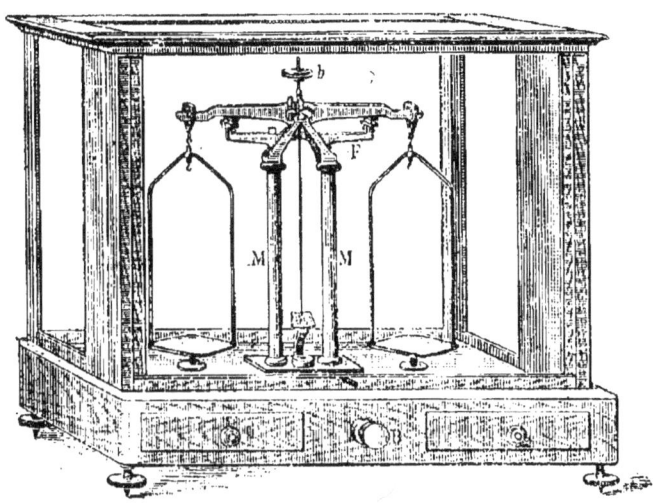

Fig. 33. — Balance de précision.

agate bien polie et supporte tout le poids de la partie mobile; les deux autres, aux extrémités, ont l'arête dirigée en haut et soutiennent, par l'intermédiaire d'une surface plane en agate, deux étriers et plateaux en nickel massif. Les arêtes des trois couteaux sont parallèles et situées dans un même plan. Enfin une longue aiguille descendante est fixée au fléau; son extrémité se meut devant un arc divisé, placé entre les deux montants en fonte M, M qui portent la chape.

Pour éviter l'usure qui se produirait si les couteaux reposaient continuellement sur les plans correspondants, on adapte au-dessous du fléau une pièce en fonte F, appelée *fourchette*, que l'on peut élever ou abaisser à volonté à l'aide d'un bouton B placé à l'extérieur de la cage. C'est sur cette pièce que l'on fait reposer le fléau, non seulement quand on ne se sert pas de la balance, mais encore pendant les pesées, quand on met une masse dans un des plateaux ou qu'on l'en retire; sans cette dernière précaution, les secousses imprimées par la main pourraient ébrécher les couteaux. Quant à la sensibilité de la balance, on peut l'augmenter ou la diminuer à volonté à l'aide d'une vis *b* qui permet de relever ou d'abaisser le centre de gravité du fléau ; mais il ne faut pas oublier qu'en général plus on augmente la sensibilité, plus les pesées deviennent longues.

28. Définition de la masse spécifique. — On appelle masse spécifique d'un corps homogène, solide ou liquide, la masse d'un centimètre cube de ce corps. Ainsi, un centimètre cube de fer pesant $7^g,8$, la masse spécifique du fer est $7^g,8$; de même, la masse spécifique du mercure est $13^g,596$; celle du platine 21^g . Nous représenterons les masses spécifiques par la lettre m.

D'après la définition précédente, la masse M d'un corps dont le volume est V^{cm3} sera donnée par la formule

$$M = V \times m^g.$$

On en tire

$$m = \frac{M}{V},$$

c'est-à-dire que *la masse spécifique d'un corps est le quotient de sa masse par son volume*. Appliquons cette formule à l'eau, dont la masse spécifique, par définition, est 1^g (13) ; nous aurons

$$M = V,$$

ce qui montre que, *pour l'eau, la masse et le volume sont exprimés par le même nombre*.

29. Définition du poids spécifique. — On appelle *poids spécifique d'un corps homogène le poids d'un centimètre cube de ce corps*. Le poids spécifique s'évalue en dynes.

Entre le poids spécifique et la masse spécifique d'un même corps, il existe une relation très simple. On a en effet (22)

$$p = mg,$$

p désignant le poids spécifique. Cette relation montre que le poids spécifique est proportionnel à la masse spécifique et qu'il varie d'un lieu à un autre suivant l'accélération imprimée par la pesanteur. A Paris, le poids spécifique du fer, par exemple, est $7,8 \times 981$ dynes ; à l'équateur, il est $7,8 \times 978$ dynes.

RÉSUMÉ DU CHAPITRE IV

La *masse* d'un corps s'évalue en grammes-masse. Le gramme-masse est la millième partie de la masse du kilogramme-étalon des Archives. On en construit des multiples et des sous-multiples (vulgairement poids marqués) afin de pouvoir comparer les masses des corps.

La *balance* sert à comparer les masses des corps en utilisant leurs poids. La balance ordinaire se compose d'une barre mobile (fléau), reposant par l'arête inférieure d'un prisme triangulaire (couteau) sur un plan horizontal (chape) ; aux extrémités du fléau sont suspendus deux plateaux de même poids ; enfin une aiguille fixée au fléau recouvre le zéro d'un arc gradué lorsque le fléau est horizontal. Pour déterminer la masse d'un corps par simple pesée, on place le corps dans un des plateaux : il agit sur ce plateau par son poids et fait incliner le fléau de son côté. On ajoute alors des masses marquées dans l'autre plateau jusqu'à ce que l'aiguille revienne au zéro de la graduation ; les masses marquées ont même poids que le corps et, par suite, même masse. Cette opération n'est exacte que si la balance est juste, c'est-à-dire si l'aiguille recouvre le zéro aussi bien quand les plateaux sont vides que quand ils sont pressés par des poids égaux.

Pour qu'une balance soit juste, il faut que les deux bras du fléau soient égaux ; de plus, les plateaux doivent avoir le même poids et être très librement suspendus. On peut déterminer une masse avec précision même avec une balance qui n'est pas juste, en opérant par double pesée.

Une balance est plus ou moins sensible suivant que la surcharge à placer dans un des plateaux pour rompre l'équilibre du fléau est plus ou moins faible. La sensibilité d'une balance est d'autant plus grande que les bras du fléau sont à la fois plus longs et plus légers et que le centre de gravité du fléau est plus rapproché de l'axe de rotation.

On appelle *masse spécifique* d'un corps homogène la masse d'un cent. cube de ce corps. Elle représente le quotient de la masse totale du corps par son volume et s'évalue en grammes-masse. Pour l'eau, dont la masse spécifique est 1g à 4°, la masse et le volume sont exprimés par le même nombre.

EXERCICES SUR LE CHAPITRE IV

4. Avec une balance fausse dont le grand bras a une longueur qui surpasse de $\dfrac{1}{100}$ celle du petit, un marchand a pesé 100^{kg}, moitié dans un plateau, moitié dans l'autre. A-t-il gagné ou perdu ?

5. On met dans le plateau A d'une balance à bras de leviers inégaux un corps que l'on veut peser et on lui fait équilibre à l'aide de 504^g mis dans le plateau B. On met le corps dans le plateau B et on lui fait équilibre à l'aide de 503^g mis dans le plateau A. On demande la masse du corps.

6. La masse d'un échantillon de quartz aurifère est 100^g ; sa masse spécifique est 8^g. On demande quelle quantité d'or il renferme.

La masse spécifique de l'or est 19^g,36 ; celle du quartz est 2^g,65.

CHAPITRE V

ÉTUDE DES LIQUIDES EN ÉQUILIBRE

---

30. Propriétés générales des liquides. — Les liquides sont caractérisés par la facilité avec laquelle leurs molécules peuvent glisser les unes sur les autres; c'est ce qu'on exprime en disant qu'ils sont *fluides* (du latin *fluidus*, qui coule). Leur compressibilité est très faible et ils reprennent d'ailleurs exactement leur volume primitif quand la compression cesse d'agir. Dans l'étude des liquides, on admet que leur fluidité est parfaite et qu'ils sont tout à fait incompressibles, bien qu'aucun liquide ne possède rigoureusement ces deux propriétés.

Tout liquide pesant en équilibre exerce des *pressions* sur
le fond et sur les parois latérales du vase qui le contient ;
de plus, les couches supérieures pressent sur les couches
inférieures, les compriment et font naître des réactions de
bas en haut. Outre les pressions dues à la pesanteur, le
liquide peut être soumis à des actions extérieures comme
les pressions mécaniques exercées en un point quelconque
de sa masse. Toutes ces pressions sont normales (c'est-à-
dire s'exercent perpendiculairement) aux surfaces pressées
quand le liquide est en équilibre ; elles se mesurent en
unités de pression. En Physique, l'unité de pression est
égale à *une dyne s'exerçant sur* 1^{cm2}.

31. Principe de Pascal. — Une propriété importante
des liquides est de transmettre les
pressions que l'on exerce sur leur
surface.

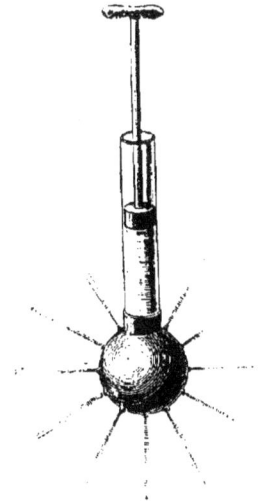

Pour étudier la transmission
des pressions, on se sert d'une
boule creuse munie d'ouvertures
et surmontée d'un tube de verre
résistant dans lequel on peut enfoncer un piston (*fig.* 34). La
boule ayant été remplie d'eau, si
l'on vient à enfoncer le piston le
liquide pressé s'échappe avec force
par toutes les ouvertures à la fois.
On déduit de cette expérience que
*les liquides transmettent les pres-
sions dans tous les sens.*

Fig. 34. — Transmission des
pressions dans tous les
sens.

Considérons maintenant un système de deux tubes cylindriques verticaux réunis par un tube horizontal et dont l'un a

une section 100 fois plus grande que l'autre (*fig.* 35). Ima-

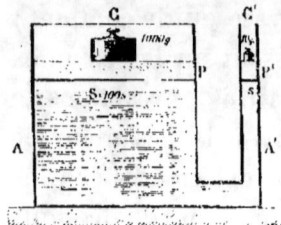

ginons dans ce système un liquide en équilibre et maintenu par deux pistons mobiles P et P'. Si l'on exerce sur le piston P' une pression quelconque, représentée par un poids de 10ᵍ, par exemple, il faudra, pour empêcher le piston P de s'élever, placer sur lui un poids

Fig. 35. — Proportionnalité des pressions aux surfaces.

de 1000ᵍ. On voit ainsi que *les pressions exercées sur les liquides sont proportionnelles aux surfaces pressées.* Pascal a déduit de cette observation le principe suivant : *Toute pression exercée normalement sur une portion de la surface d'un liquide en équilibre se transmet intégralement,* c'est-à-dire sans rien perdre de sa valeur, *à toute portion de même surface prise sur la paroi ou dans l'intérieur du liquide.* Il résulte de ce principe qu'une surface double, triple de la surface pressée recevra une pression double, triple de celle que reçoit cette dernière. En général, soit *f* une pression exercée normalement sur une surface *s* d'un liquide en équilibre (supposé soustrait à l'influence de la pesanteur); la pression F reçue par une surface quelconque S du vase qui contient le liquide a pour valeur

$$F = f \times \frac{S}{s} \cdot$$

Le principe de Pascal fournit donc, en quelque sorte, un moyen de multiplier les forces. Nous trouverons la principale application de ce principe dans la *presse hydraulique*, dont la description sera faite après qu'on aura étudié les pompes.

Application du principe de Pascal aux liquides pesants. — Tous les liquides étant pesants, il est impossible de vérifier rigoureusement par l'expérience le principe de Pascal. On peut cependant en faire une vérification approximative quand les pressions dues au poids du liquide sont négligeables eu égard aux pressions exercées extérieurement, ce qui a lieu dans la presse hydraulique. Mais quand ces pressions sont du même ordre de grandeur, la pression que supporte une portion de paroi est la somme des pressions dues à la pesanteur et des pressions exercées extérieurement ; on peut dire dans ce cas que si une portion de paroi subit une augmentation de pression, cette augmentation se **transmet en tous sens** et sans rien perdre de sa valeur.

32. Uniformité de pression sur un plan horizontal. —

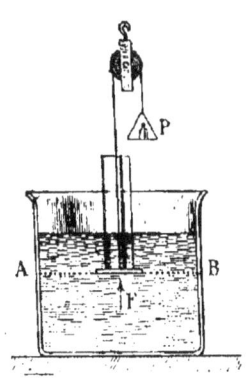

Fig. 36. — Uniformité de pression sur un plan horizontal.

Pour étudier les pressions à l'intérieur d'un liquide en équilibre, on se sert d'une poulie en bois sur laquelle est enroulé un fil supportant un plateau P (*fig.* 36) et un mince disque plan en verre. On équilibre ce disque par des poids placés sur le plateau, puis on l'applique sur un verre de lampe à bords rodés et on enfonce le verre verticalement dans l'eau de manière que le disque soit dans un plan horizontal AB : le disque reste fixé au verre sous l'effet de la pression exercée par le liquide de bas en haut. Si nous versons de l'eau colorée dans le verre, le disque ne se détachera que lorsque le niveau de l'eau sera le même à l'intérieur qu'à l'extérieur. La pression exercée par la colonne d'eau versée mesure la pression F supportée par une surface du plan AB égale à la surface de l'obturateur. Si l'on déplace le verre de façon que l'obturateur reste toujours dans le plan AB, on constate qu'il se détache toujours sous la pression de la même colonne d'eau. Donc, *dans un liquide en équilibre, des surfaces égales prises sur un même plan horizontal supportent la même pression.*

Réciproquement, tout plan dans lequel des surfaces égales sont également pressées est horizontal ou, comme on dit quelquefois, est *une surface de niveau.* Il en est ainsi notamment pour la surface libre (surface en contact avec l'atmosphère) d'un liquide en équilibre.

33. Variation de la pression avec la profondeur. — Si l'on place successivement le verre à obturateur à deux niveaux différents, et si on répète chaque fois l'expérience précédente, on constate que la pression augmente avec la profondeur.

Etant donné un liquide en équilibre, *la différence des pressions entre deux surfaces égales situées à des niveaux différents est égale au poids d'un cylindre de liquide ayant pour base l'une des surfaces et pour hauteur la distance verticale des deux niveaux.*

En général, considérons deux surfaces égales chacune à s cm² et appartenant à deux plans horizontaux dont la distance verticale est h cm ; appelons p le poids spécifique du liquide. La différence des pressions supportées par ces deux surfaces sera égale à shp dynes.

Conséquences. — On peut faire subir à un corps des pressions considérables en le descendant dans un liquide à une profondeur suffisante ; c'est ainsi qu'une boule de verre mince et creuse, lestée avec du plomb et descendue dans la mer, est bientôt brisée par suite de la pression qu'elle supporte. Les thermomètres que l'on emploie pour déterminer la température des océans à de grandes profondeurs sont munis d'une enveloppe métallique très épaisse et, par suite, très résistante. Les animaux marins qui vivent dans les mers profondes résistent aux pressions de l'eau parce que les cavités et les canaux de leur corps sont remplis par des liquides qui sont pour ainsi dire incompressibles.

ÉVALUATION DES PRESSIONS DUES A LA PESANTEUR

34. Pressions sur le fond horizontal d'un vase. —

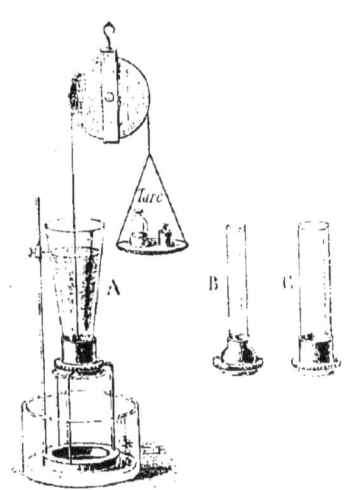

Pour étudier ces pressions, on prend trois vases sans fond A, B, C, de formes très différentes (*fig.* 37). La base horizontale de ces vases a la même surface ; on y applique un disque de verre (obturateur), suspendu par un fil comme dans la figure 36. L'obturateur étant appliqué sur le vase A, on met une tare dans le plateau P pour équilibrer le poids de l'obturateur et on ajoute un poids supplémentaire

Fig. 37. — Appareil pour étudier les pressions sur le fond des vases.

pour le maintenir sur la base du vase, puis on verse de l'eau dans le vase A jusqu'à ce que l'obturateur se détache. On repère alors la hauteur de l'eau qui a produit le déversement. En répétant cette expérience successivement avec les vases B et C, on constate que l'obturateur se détache dès que la hauteur de l'eau atteint le repère marqué pour le vase A. On déduit de cette expérience que *la pression exercée par un liquide sur le fond d'un vase est indépendante de la forme du vase.*

Calculons maintenant cette pression. D'après les théorèmes précédents, chaque unité de surface *ab* prise sur le fond d'un vase contenant un liquide en équilibre (*fig.* 38) supporte une pression égale au poids d'un cylindre de liquide ayant pour base *ab* et pour hauteur *h*. **La pression supportée par le fond du vase est donc égale** *au poids d'une colonne cylindrique de liquide ayant pour base le fond du vase et pour hauteur la distance verticale du fond à la surface libre.*

Fig. 38. — Pression sur le fond d'un vase.

Si l'on appelle S la surface du fond A'B', *h* sa distance à la surface libre, *p* le poids spécifique du liquide, la pression F sur le fond est donnée par la formule

$$F = S \times h \times p,$$

dans laquelle F sera exprimé en dynes si S est exprimé en centimètres carrés et *h* en centimètres.

35. Pressions sur les parois latérales. — Si l'on pratique des ouvertures à différents niveaux dans les parois latérales d'un vase contenant un liquide, le liquide s'échappe avec d'autant plus de force que l'ouverture est plus rapprochée du fond ; il se produit donc des pressions sur les parois latérales. Pour évaluer approximativement ces pressions, on emploie un tube coudé à obturateur, que l'on enfonce verticalement dans l'eau (*fig.* 39). L'obturateur joue dans ce cas le rôle d'une portion de paroi latérale égale à sa propre surface. On verse de l'eau dans le tube pour équilibrer la pression F exercée extérieurement : l'obturateur ne se détache que lorsque le niveau est le même à l'intérieur du tube qu'à l'extérieur. On déduit de cette expérience que la pression exercée par un

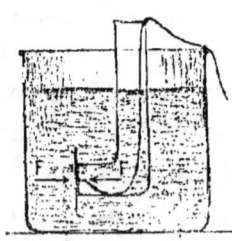

Fig. 39. — Évaluation des pressions latérales.

liquide pesant en équilibre sur une portion de surface
d'une paroi plane latérale est égale *au poids d'un cylindre
de liquide ayant pour base cette surface et pour hauteur la
distance verticale de son centre de gravité à la surface
libre.*

On doit tenir compte des pressions qui s'exercent latéralement pour la construction des digues, barrages, vannes, portes d'écluses, réservoirs ; on donne plus d'épaisseur aux parties inférieures qu'à la partie supérieure.

Applications. — Une grosse application des pressions
latérales réside dans l'emploi des turbines hydrauliques,
qui se généralise de plus en plus, surtout dans les régions
montagneuses où les chutes d'eau abondent. Mais il existe
aussi de petits appareils de laboratoire ou des jouets qui
montrent l'effet des pressions latérales.

Vase à réaction. — Considérons un petit vase cylindrique rempli d'eau et soutenu par un flotteur (*fig.* 40);
sur deux portions égales de paroi *a* et *a'*, diamétralement

opposées, les pressions exercées par le liquide sont
égales et de sens contraires
et se font équilibre. Si l'on
supprime la portion de paroi *a*, la pression qui s'exer-

Fig. 40. — Vase à réaction.

çait sur cette portion fait
jaillir le liquide; la pression
qui s'exerce sur *a'* n'étant plus contre-balancée, tend à
imprimer au vase un mouvement en sens inverse de l'écoulement.

Le *tourniquet hydraulique* montre aussi l'effet des pressions sur les parois latérales. Il se compose d'un verre de

lampe que l'on soutient à la partie supérieure par un fil

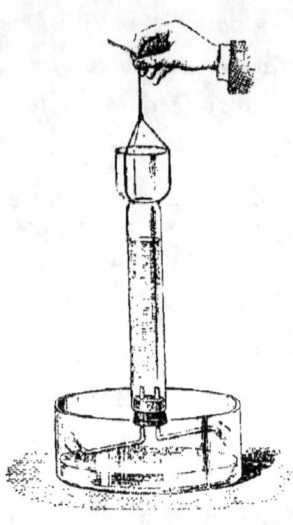

Fig. 41. — Tourniquet hydraulique.

disposé comme l'indique la figure 41. Le verre est fermé à la partie inférieure par un bouchon percé de deux trous laissant passer deux tubes de verre dont les extrémités sont recourbées en sens contraires. Dès que le verre contient de l'eau, celle-ci s'écoule par les extrémités des tubes et l'appareil prend un mouvement de rotation en sens contraire de l'écoulement.

Turbines. — La turbine est un moteur qui permet de transformer l'énergie d'une chute d'eau en mouvement circulaire. Ce mouvement est ensuite recueilli et utilisé comme celui que

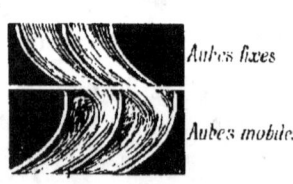

Aubes fixes

Aubes mobiles

Fig. 42.— Aubes fixes et aubes mobiles d'une turbine.

fournissent les machines à vapeur. La turbine comprend une cuve dans laquelle l'eau s'engouffre pour s'échapper avec violence par le fond, qui est percé de trous sur tout son pourtour. Ces ouvertures ou aubes fixes (*fig.* 42) ont une direction inclinée, et l'eau qui sort par là vient frapper contre d'autres ouvertures inclinées en sens inverse et appartenant, celles-là, à un plateau mobile, auquel se trouve ainsi imprimé un mouvement circulaire. Ce mouvement est recueilli par un arbre calé au centre du plateau mobile.

Sur la figure 43, on voit en F, F' deux aubes fixes et en M, M' deux aubes mobiles ; l'ensemble de ces dernières constitue la turbine proprement dite. On règle la vitesse en faisant varier par une vanne la quantité d'eau qui pénètre dans la cuve, et aussi au moyen d'un obturateur circulaire O portant une série de pleins et de vides qui ouvrent plus ou moins les aubes fixes.

Depuis qu'on capte partout l'énergie des chutes d'eau pour

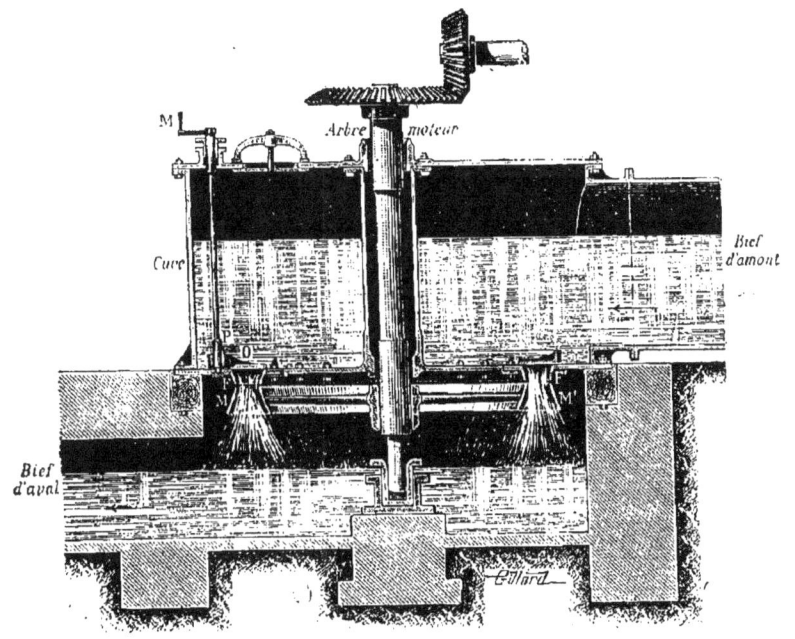

Fig. 43. — Turbine hydraulique.

l'utiliser sous toutes les formes (en passant le plus souvent par la forme intermédiaire et si commode d'énergie électrique), la turbine s'est répandue à l'infini. Il n'est pas jusqu'au modeste moulin qui ne remplace maintenant sa roue à aubes par une turbine. — Nous verrons plus loin que la turbine à vapeur semble aussi avoir une tendance à remplacer la machine à vapeur à laquelle nous sommes habitués.

36. Pressions sur l'ensemble des parois. — Si l'on place successivement sur un plateau de balance plusieurs vases de forme quelconque, mais ayant le même poids et contenant la même quantité d'eau, la balance accuse toujours la même augmentation de poids, et cette augmentation est précisément égale au poids du liquide contenu dans chaque vase.

On en conclut que toutes les pressions exercées par un liquide pesant en équilibre sur l'ensemble des parois du vase qui le contient ont une résultante unique égale au poids du liquide.

RÉSUMÉ DU CHAPITRE V

Les liquides sont des corps fluides, très peu compressibles et parfaitement élastiques. Dans l'étude des liquides, on admet que leur fluidité est parfaite et leur incompressibilité absolue.

La transmission des pressions dans les liquides est soumise au principe de Pascal : *Les pressions exercées sur une portion de la surface d'un liquide se transmettent intégralement et dans tous les sens, proportionnellement aux surfaces pressées.*

Quand un liquide est en équilibre, des surfaces égales appartenant à un même plan horizontal supportent la même pression.

La différence des pressions entre deux surfaces égales situées à des niveaux différents dans un liquide en équilibre est égale au poids d'un cylindre de liquide ayant pour base l'une des surfaces et pour hauteur la distance verticale des deux niveaux. On évalue approximativement cette différence de pression avec un tube à obturateur.

La pression supportée par le fond horizontal d'un vase contenant un liquide est égale au poids d'un cylindre de liquide ayant pour base le fond du vase et pour hauteur la distance verticale du fond à la surface libre. Cette pression est donc indépendante de la forme du vase ; on le vérifie avec des vases de formes différentes mais de même fond. Sur une portion de paroi latérale, la pression exercée par le liquide est égale au poids d'un cylindre de liquide ayant pour base cette portion et pour hauteur la distance verticale de son centre de gravité à la surface libre. Les pressions latérales sont utilisées dans les moteurs hydrauliques appelés turbines. Enfin les pressions exercées par un liquide sur l'ensemble des parois du vase qui le contient ont une résultante unique égale au poids du liquide.

EXERCICES SUR LE CHAPITRE V

7. Un vase contient un liquide que l'on suppose soustrait à l'influence de la pesanteur. Il est surmonté de deux tubes cylindriques dont l'un a un diamètre triple de l'autre. Dans les tubes glissent **deux** pistons qui y maintiennent le liquide au même niveau. On exerce sur le premier piston une pression de 1,000 dynes; quelle pression devra-t-on exercer sur l'autre piston pour l'empêcher de remonter?

On évaluera successivement cette dernière pression **en dynes** et en grammes-poids.

8. Quelle est la pression supportée par le fond d'un **vase cylin**drique contenant de l'acide sulfurique, sachant que le rayon du cercle qui forme le fond est 5^{cm} et que la surface libre du liquide est à 125^{mm} au-dessus du fond? On évaluera cette pression d'abord en dynes, puis en kilogrammes-poids. La masse spécifique de l'**acide** sulfurique est 1^g ,8.

9. L'ouverture d'un vase à réaction (*fig.* 37) a son centre à 15^{cm} du bord supérieur, et sa surface est de 1$^{cm^2}$. On remplit complètement le vase avec une huile de masse spécifique 0^g ,96 et on ouvre le robinet d'écoulement. Évaluer la force qui fera reculer le vase lorsque l'écoulement commencera.

CHAPITRE VI

PRINCIPE D'ARCHIMÈDE ET APPLICATIONS

Fig. 44. — Expérience montrant la poussée exercée par un liquide sur un corps solide.

37. **Principe d'Archimède.** — Tout corps plongé dans un liquide supporte des pressions dont l'ensemble ou, autrement dit, la résultante, agit sur le corps de bas en haut. Cette résultante s'appelle la *poussée* du liquide. Quand on enfonce verticalement un tube à essais vide dans l'eau, on éprouve une certaine résistance à cause de la poussée; mais si l'on verse peu à peu de l'eau dans le tube, il arrive un moment où il devient assez lourd pour contrebalancer la poussée (*fig.* 44). Celle-ci est équilibrée lorsque la hauteur d'eau versée est égale à la hauteur de de la partie immergée, ce qui montre approximativement que cette poussée est égale au poids de l'eau déplacée.

Pour déterminer exactement la valeur de la poussée subie par les corps immergés, on se sert d'une poulie en bois sur laquelle passe un fil supportant d'un côté un plateau P, de l'autre côté un plateau P' (*fig.* 45). On fixe au-dessous du plateau P', avec un peu de cire, un fil soutenant un corps de forme quelconque,

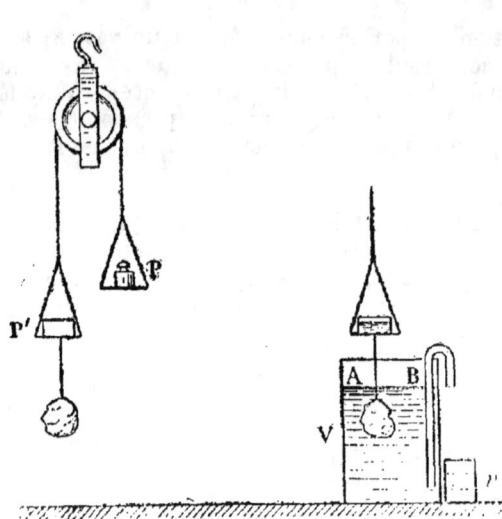

Fig. 45. — Expérience permettant d'établir le principe d'Archimède.

puis on place un couvercle renversé sur le plateau P', et on équilibre le tout à l'aide d'une masse placée sur le plateau P. D'autre part, on prend un vase V contenant de l'eau et on fixe à la cire sur un des bords un tube recourbé à deux branches inégales (capillaire ou presque capillaire) ; en inclinant convenablement le vase, le tube se remplit d'eau. On remet alors le vase en place ; l'écoulement de l'eau par le tube s'arrête lorsque le niveau dans le vase contient l'extrémité de la petite branche dans le tube. En tirant sur le fil de la poulie, on plonge le corps dans l'eau du vase V ; un volume d'eau égal au volume du corps sort par le tube et l'écoulement du liquide s'arrête quand le niveau du liquide se retrouve en AB. L'eau écoulée est reçue dans un vase *v*. On remarque alors que l'équilibre du système est détruit ; pour le rétablir, il suffit de verser l'eau du vase *v* dans le couvercle placé sur le plateau P'.

On déduit de cette expérience que sur tout corps plongé dans un liquide s'exerce une force verticale dirigée de bas en haut et égale au poids du liquide déplacé (principe d'Archimède). Cette force est appliquée au point qui serait le centre de gravité de l'espace occupé par le corps.

38. Conséquences du principe d'Archimède. — Il résulte du principe d'Archimède que tout corps immergé dans un liquide en équilibre est soumis à deux forces de sens contraires : son *poids* P, appliqué à son centre de gravité, et la *poussée* F, dirigée en sens contraire. Si le corps est homogène, le poids et la poussée sont directement opposés. Trois cas peuvent se présenter :

1° *Le poids est supérieur à la poussée.* — Le corps abandonné à lui-même dans le liquide est soumis à une force qui a pour valeur la différence P — F ; il tombe d'un mouvement uniformément accéléré, avec une accélération γ plus petite que l'accélération g que lui imprimerait son poids P en chute libre. On réalise ce cas en mettant un morceau de plomb dans l'eau (*fig.* 46).

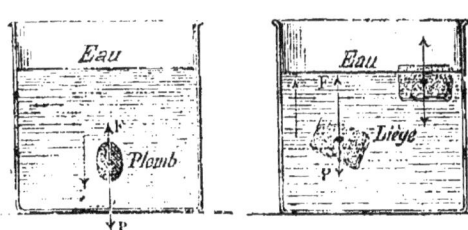

Fig. 46. — Le poids est supérieur à la poussée.

Fig. 47. — Le poids est inférieur à la poussée.

Appelons V le volume du corps, p son poids spécifique, p' le poids spécifique du liquide dans lequel il est immergé. Le poids du corps est Vp ou Vmg (29), la poussée Vp' ou V$m'g$ et la résultante (poids apparent) V$g(m - m')$ dynes.

2° *Le poids est égal à la poussée.* — Les deux forces étant égales, se font équilibre, et le corps peut rester immobile dans le liquide. Tel serait le cas d'une bille d'ivoire plongée dans de l'acide sulfurique.

3° *Le poids est inférieur à la poussée.* — C'est le cas d'un bouchon de liège placé dans l'eau (*fig.* 47). Le corps est sollicité de bas en haut par une force F — P ; il remonte d'un mouvement uniformément accéléré et finit par sortir en partie du liquide. Au fur et à mesure qu'il émerge, la poussée décroît progressivement en même temps que le volume du liquide déplacé diminue, et il arrive un moment où cette poussée est égale au poids du corps. Celui-ci est alors en équilibre : on dit qu'il flotte.

Pour étudier l'équilibre des corps flottants, on se sert d'une balance de Roberval, d'un corps de forme quel-

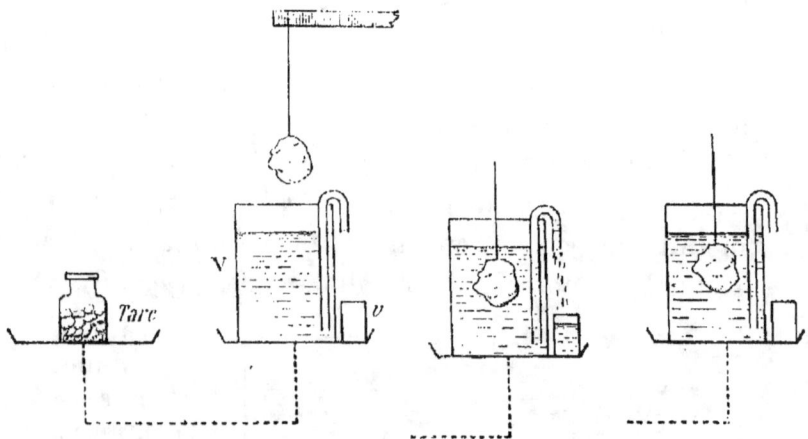

Fig. 48. — Expérience qui établit la réciproque du principe d'Archimède.

conque fixé par un fil à un support horizontal (*fig.* 48), et des vases qui ont servi à établir le principe d'Archimède (37). On place sur l'un des plateaux le vase V contenant de l'eau, et à côté le vase *v*, puis on tare les deux

vases sur l'autre plateau. On plonge ensuite le corps dans
l'eau : l'équilibre est rompu ; de l'eau s'écoule dans le
vase v. Lorsque l'écoulement est terminé, on enlève le
vase v, on jette l'eau qu'il contient, puis on remet sur le
même plateau ce vase vide. L'équilibre est alors rétabli.
On voit d'après cette expérience que *pour qu'un corps
homogène immergé dans un liquide soit en équilibre, il faut
que le poids du corps soit égal au poids du liquide déplacé.*
C'est la réciproque du principe d'Archimède.

Remarque. — Quand le corps immergé n'est pas homogène, les deux forces P et F ont des points d'application dis-
tincts, mais comme elles sont parallèles et de sens contraires,
leur résultante est encore égale à leur différence.

Les trois cas examinés plus haut peuvent encore se présenter. On les réalise au moyen d'un petit
appareil appelé *ludion*.

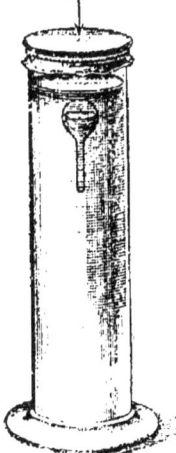

Le ludion est une petite boule de verre
creuse, terminée par un tube droit, placée
dans une éprouvette presque pleine d'eau
et fermée par une membrane de caoutchouc (*fig.* 49). Une partie de la boule et
du tube contient de l'éther coloré. Si
l'on exerce une pression sur la membrane
élastique, l'eau, comprimée par l'air qui
est au-dessus, pénètre dans la boule et
l'alourdit ; le poids devient supérieur à
la poussée : le ludion descend et on voit
l'éther coloré monter. Si l'on fait cesser la
pression, l'air contenu dans la boule
réagit en chassant l'eau qui a pénétré, et
le ludion, devenu plus léger, vient flotter
à la surface du liquide.

Fig. 49. — Ludion.

Un des principes du fonctionnement des bateaux sous-marins est celui du ludion. On alourdit ou on allège ces bateaux
à volonté en introduisant de l'eau dans des compartiments à
lest liquide appelés *water-ballasts* ou en l'en chassant par de
l'air comprimé; les bateaux, alors, s'enfoncent ou remontent.

39. Applications du principe d'Archimède. — Le principe d'Archimède explique pourquoi un navire s'enfonce moins dans la mer que dans l'eau douce, pourquoi les poissons peuvent descendre ou monter dans l'eau en comprimant plus ou moins leur vessie natatoire. Il fait comprendre pourquoi, lorsqu'on veut renflouer un navire échoué sur un bas-fond, on lui accole des bateaux chargés : c'est que ceux-ci, quand on les décharge, tendent à se soulever et à soulever en même temps le navire auquel ils sont accolés. Il nous explique aussi pourquoi les corps des noyés remontent à la surface de l'eau au bout de quelques jours : c'est parce que la décomposition dégage des gaz qui rendent ces corps plus légers que l'eau.

Une foule d'appareils sont des applications du principe d'Archimède : nous venons de parler des bateaux sous-marins ; nous citerons aussi les *ceintures de sauvetage,* les *bouées,* les *flotteurs* destinés à indiquer le niveau du liquide dans les chaudières ou autres réservoirs.

MASSES SPÉCIFIQUES

40. Principe de la détermination des masses spécifiques. — Nous avons vu que la masse spécifique d'un corps solide ou liquide a pour valeur le quotient de sa masse par son volume (28). Le volume d'un corps pouvant être remplacé par la masse d'un égal volume d'eau, on obtiendra la masse spécifique en divisant la masse M du corps par la masse M' d'un égal volume d'eau.

Remarques. — 1° Le rapport $\frac{m}{m'}$ des masses spécifiques de deux corps s'appelle la masse spécifique relative du premier corps par rapport au second. De même le rapport $\frac{p}{p'}$ des poids spécifiques de deux corps est un poids spécifique relatif. Comme, en un même lieu, $p = mg$ et $p' = m'g$, on a

$\dfrac{p}{p'} = \dfrac{m}{m'}$, c'est-à-dire que le poids spécifique relatif d'un corps est égal à sa masse spécifique relative.

2° La masse spécifique d'un corps solide ou liquide rapportée à celle de l'eau s'appelle la *densité* du corps. Soit d cette densité ; on a $d = \dfrac{m}{m'}$, et comme $m' = 1$, on voit que la densité est représentée par le même nombre que la masse spécifique du corps. Ces deux termes sont souvent confondus dans le langage courant. Il ne faut pas perdre de vue, toutefois, que la masse spécifique est une grandeur, c'est-à-dire quelque chose de mesurable, tandis que la densité est simplement un rapport, qu'on traduit par un nombre n'ayant pas de signification par lui-même. Ainsi la masse spécifique du mercure est 13ᵍ,6 ; sa densité 13,6.

41. Masses spécifiques des solides. — 1° **Méthode de la balance hydrostatique.** — Soit à déterminer la masse spécifique d'un solide plus dense que l'eau et insoluble dans ce liquide, un morceau de soufre par exemple. On le

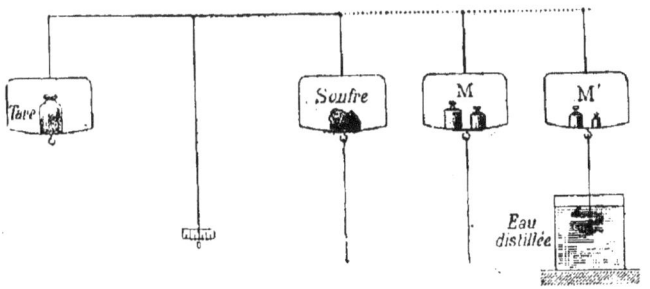

Fig. 50. — Méthode de la balance hydrostatique pour les solides.

place sur un des plateaux de la balance hydrostatique, puis on attache sous le même plateau un fil très fin qui servira à le soutenir dans l'eau, et on fait la tare (*fig.* 50). En enlevant le corps et en le remplaçant par des masses marquées jusqu'à ce qu'il y ait de nouveau équilibre, on obtient sa masse M par double pesée. Les masses marquées sont alors enlevées à leur tour, puis le corps est suspendu à l'aide du fil et immergé dans de l'eau distillée :

l'équilibre est rompu. Pour le rétablir, il faut ajouter sur le même plateau des masses M' dont le poids, d'après le principe d'Archimède, fasse équilibre au poids de l'eau déplacée. Les masses M' et l'eau déplacée ayant même poids, ont aussi même masse ; donc la masse spécifique du solide est représentée par le quotient $\frac{M}{M'}$.

Cette méthode est, comme on le voit, très simple ; elle donne des résultats suffisants dans la pratique.

2° **Méthode du flacon.** — On se sert d'un flacon cylindrique dont le col a été soigneusement rodé et d'une plaque de verre (*fig.* 51).

Fig. 51. — Flacon pour solides.

1° Le flacon ayant été d'abord rempli d'eau pure, on place horizontalement la plaque sur le col de manière que le flacon ne contienne aucune bulle d'air, puis on essuie le flacon avec soin.

2° On place le flacon sur un des plateaux de la balance avec le corps à étudier (*fig.* 52), puis on fait la tare sur l'autre plateau.

3° On enlève le corps et on met à sa place des masses

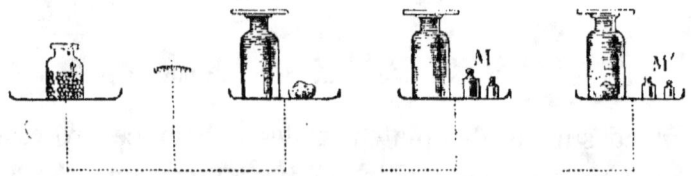

Fig. 52. — Méthode du flacon.

marquées M de manière à rétablir l'équilibre. Ces masses représentent la masse du corps, obtenue par double pesée.

4° On enlève le flacon et les masses marquées, puis on introduit doucement le corps dans le flacon. Cela fait, on glisse de nouveau la plaque sur le col du flacon.

5° Enfin, le flacon bien essuyé est replacé sur le plateau de la balance. Pour rétablir l'équilibre, il faut ajouter du côté du flacon des masses marquées M′ qui représentent la masse de l'eau expulsée par le corps.

La masse spécifique du corps est égale à $\dfrac{M}{M'}$.

La méthode du flacon est très précise parce que, d'une part, les pesées peuvent être effectuées avec une très grande justesse, et que, d'autre part, la méthode se prête facilement à toutes les corrections. Ces corrections sont relatives à la température du corps et à la poussée exercée par l'air ambiant sur le corps et sur les masses marquées. Il faut en outre tenir compte de ce que l'eau a été prise à 0° et non à 4° (la masse spécifique de l'eau est $0^g,9998$ à 0° et 1^g à 4°).

On obtient alors des résultats exacts à $\dfrac{1}{5000}$ près environ.

REMARQUE. — 1° Lorsque le corps solide est *soluble* dans *l'eau*, le remplissage du flacon se fait avec un liquide dans lequel le corps est insoluble ; on emploie le plus souvent de l'essence de térébenthine.

Soient M la masse du solide, M″ la masse d'un égal volume du liquide, m' la masse spécifique du liquide. D'après la définition de la masse spécifique, la masse M″ occupe un volume $\dfrac{M''}{m'}$, qui n'est autre que celui du solide immergé. La masse spécifique du solide est donc

$$m = \frac{M}{V} = \frac{M}{\dfrac{M''}{m'}} = \frac{M}{M''}\, m'.$$

La méthode du flacon fournit le rapport $\dfrac{M}{M''}$; il suffit de multiplier ce rapport par la masse spécifique du liquide employé pour avoir la masse spécifique du solide.

Résultats. — Le tableau suivant donne les masses spécifiques des principaux corps solides :

Acier trempé. . . .	$7^g ,816$		Cuivre martelé. . .	$8^g ,95$
Aluminium laminé .	2 ,67		Diamant.	3 ,52
Argent fondu. . . .	10 ,51		Étain fondu. . . .	7 ,285
Ardoise	2 ,8		Fer forgé. . . .	7 ,79
Caoutchouc	0 ,93		Glace.	0 ,92
Charbon de cornues .	1 ,91		Ivoire.	1 ,9
Cire.	0 ,96		Liège (écorce) . . .	0 ,24

Marbre	2ᵇ ,80	Quartz	26 ,65
Neige non tassée .	0 ,10	Sodium	0 ,97
Or fondu. . . .	19 ,26	Soufre octaédrique.	2 ,07
Paraffine. . . .	0 ,87	Spath d'Islande. .	2 ,72
Platine martelé. .	21 ,7	Verre (crown-glass).	2 ,53
Plomb.	11 ,4	Zinc fondu . . .	6 ,862

42. Masses spécifiques des liquides. — 1° **Méthode de la balance hydrostatique.** — On suspend au-dessous d'un des plateaux de la balance hydrostatique une boule de verre lestée avec du mercure ou de la grenaille de plomb

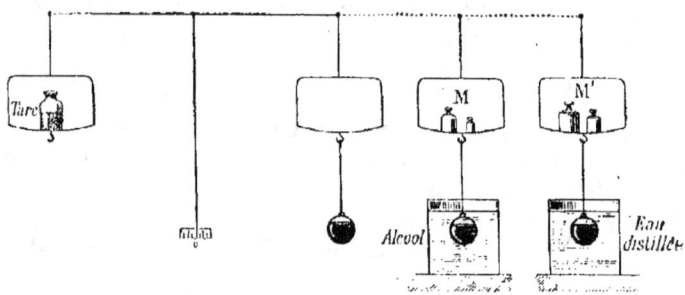

Fig. 53. — Détermination de la masse spécifique d'un liquide par la balance hydrostatique.

et on établit la tare (*fig.* 53). On fait ensuite plonger cette boule dans le liquide à étudier, l'alcool par exemple, et on rétablit l'équilibre par des masses marquées M, lesquelles représentent la masse du liquide déplacé par la boule. On fait plonger de même la boule dans de l'eau distillée ; les masses marquées M' qu'il faut ajouter sur le plateau, du même côté, pour rétablir l'équilibre, représentent la masse de l'eau déplacée. La masse spécifique du liquide est très sensiblement égale au quotient $\dfrac{M}{M'}$.

2° **Méthode du flacon.** — Le flacon employé se compose d'un réservoir cylindrique surmonté d'un tube étroit marqué d'un repère (*fig*. 54) ; le tube se termine par un entonnoir.

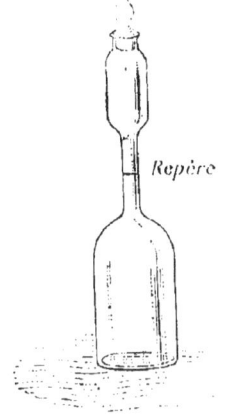

Fig. 54. — Flacon pour liquides.

Soit à déterminer la masse spécifique de l'alcool.

1° Le flacon vide est placé dans un des plateaux d'une bonne balance avec un nombre de grammes (100ᵍ par exemple) supérieur à la masse du liquide le plus lourd devant remplir le flacon (l'eau dans le cas présent) ; on fait la tare dans l'autre plateau (*fig*. 55).

2° Le flacon ayant été rempli d'alcool à 0° jusqu'au repère, on le replace sur la balance. Pour rétablir l'équilibre, il faut

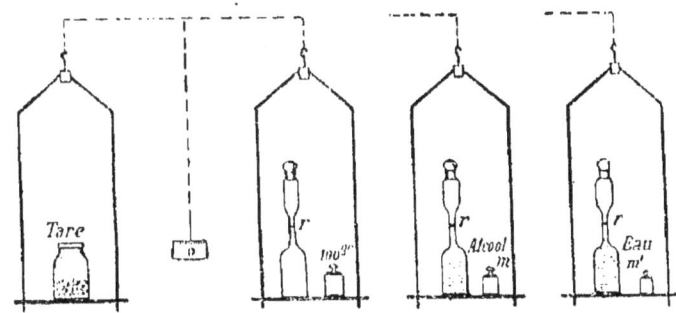

Fig. 55. — Méthode du flacon.

mettre une masse *m* à la place des 100ᵍ . La masse **M** du liquide est donc égale à   100 — *m*.

3° On vide le flacon, puis on le remplit d'eau distillée à 0°. Soit *m'* la masse qui rétablit l'équilibre ; la masse **M'** de l'eau est alors exprimée par   100 — *m'*.

Par suite, la masse spécifique du liquide a pour valeur

$$\frac{M}{M'} = \frac{100 - m}{100 - m'}.$$ Il y a lieu de faire les mêmes correc-

tions que dans la méthode du flacon pour les solides.

3° Méthode de Mohr. — La méthode de Mohr s'applique avec des balances spéciales dites *balances aréothermiques*.

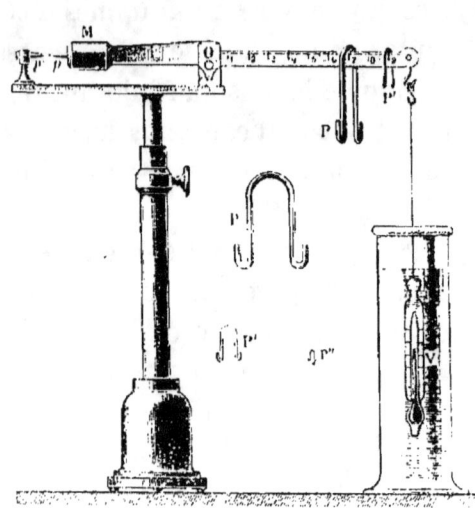

Fig. 56. — Balance aréothermique.

L'appareil se com-
pose d'un support à
colonne creuse (*fig.*
55), et d'un fléau mo-
bile autour d'un axe
O. L'un des bras du
fléau est divisé en 10
parties égales par des
crans numérotés des-
tinés à recevoir des
masses ou *cavaliers*
en forme de fer à che-
val ; il supporte un
plongeur en verre V
contenant un ther-
momètre pour lest.
L'autre bras est ter-
miné par un contre-
poids M dans le centre
duquel se trouve une
pointe *p*.

Lorsque le plongeur
est dans l'air, le contre-
poids M lui fait équi-
libre, et la pointe *p* se trouve exactement en regard d'une autre
pointe *p'* fixée au support. Si l'on immerge le plongeur dans l'eau,
le fléau s'incline du côté des pointes et il faut, pour rétablir l'équilibre, fixer au crochet même qui soutient le plongeur un cavalier P
qui a été construit de manière que son poids soit égal à la poussée
de l'eau sur le flotteur. Or, si le plongeur était immergé dans un
liquide de masse spécifique 0^g,5 par exemple, il faudrait fixer au même
crochet un poids deux fois moindre $\left(\dfrac{P}{2}\right)$ pour rétablir l'équilibre,
ou encore, ce qui revient au même (principe du levier), placer le
cavalier P au milieu du bras du fléau, au cran 5. On voit donc qu'il
n'y a qu'à chercher dans quel cran il faut placer le cavalier P pour
connaître la masse spécifique du liquide à $\dfrac{1}{10}$ près. Si l'on se sert
en outre des cavaliers P', P'', dont les poids sont égaux au $\dfrac{1}{10}$ et au

$\dfrac{1}{100}$ de P, on aura évidemment la masse spécifique du liquide au centième ou au millième près.

Lorsqu'on a affaire à un liquide plus lourd que l'eau, il faut d'abord suspendre à l'extrémité du fléau le cavalier P ; l'équilibre est ensuite cherché en employant un second cavalier identique comme poids au cavalier P, et les cavaliers P' et P".

Les balances aréothermiques permettent de déterminer une masse spécifique en quelques minutes avec une précision remarquable. Leur seul inconvénient est que si le plongeur vient à être brisé, cavaliers et contrepoids sont aussi à mettre au rebut, puisqu'ils ne sont réglés que pour un plongeur bien déterminé.

TABLEAU DES MASSES SPÉCIFIQUES DE QUELQUES LIQUIDES USUELS

Acide azotiq. ordinaire.	1ᵉ ,42	Essence de térébenth.	0ᵉ ,86
Acide sulfuriq. normal.	1 ,84	Ether ordinaire. . .	0 ,716
Alcool pur.	0 ,791	Huile d'olives . . .	0 ,915
Benzine	0 ,89	Mercure	13 ,596
Eau de mer. . . .	1 ,026	Sulfure de carbone .	1 ,293

ARÉOMÈTRES

43. Définition et description. — On appelle aréomètres des flotteurs lestés de manière à s'enfoncer verticalement dans les liquides.

On leur donne la forme d'un flotteur cylindrique ou ovoïde en verre creux, lesté inférieurement par une petite ampoule contenant du mercure ou de la grenaille de plomb (*fig.* 57) ; ce flotteur est surmonté d'une tige cylindrique portant la graduation. Quand un aréomètre ainsi construit est placé dans un liquide, il y a équilibre lorsque le liquide déplacé et l'aréomètre ont le même poids, et, par suite, la même masse. Le volume du liquide déplacé par l'aréomètre est donc d'autant plus grand que ce liquide est plus léger.

44. Pèse-acides de Baumé. — Cet aréomètre est destiné

aux liquides plus denses que l'eau. Pour graduer un pèse-acides, on le leste de manière qu'il s'enfonce **jusque** vers le haut de la tige dans l'eau pure ; on marque 0 au point d'affleurement (*fig.* 57). On le plonge ensuite dans de l'eau salée formée avec 15 parties de sel et 85 parties d'eau.

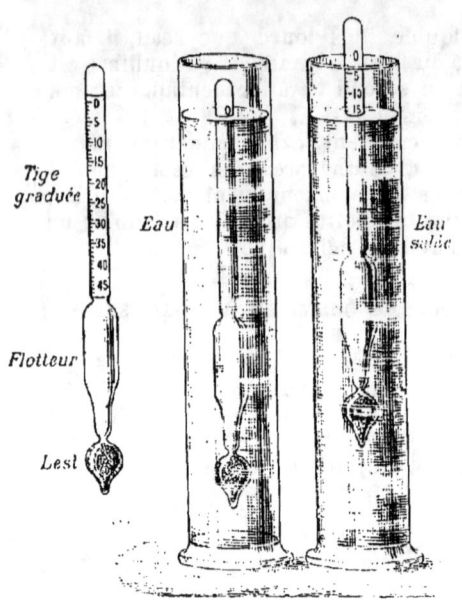

Fig. 57. — Pèse-acides ordinaire.

Cette dissolution étant plus dense que l'eau, l'instrument s'enfonce moins ; on marque 15 au point d'affleurement. Il ne reste plus qu'à diviser l'intervalle entre 0 et 15 en 15 parties égales et à prolonger les degrés jusqu'au bas de la tige. La graduation va généralement de 0 à 70.

Les pèse-acides sont surtout employés soit pour surveiller la fabrication et la concentration des acides, des sirops de sucre, des dissolutions salines, soit pour s'assurer de leur valeur, la plupart de ces produits étant vendus d'après leur degré de concentration. (Voir *Compléments*, page 324, II.)

45. Pèse-liqueurs de Baumé. — Le pèse-liqueurs est destiné aux liquides moins denses que l'eau. L'instrument est lesté de telle sorte qu'il affleure au bas de la tige dans de l'eau salée formée avec 10 parties de sel et 90 parties d'eau ; ce point d'affleurement est le zéro de la graduation (*fig.* 58). On plonge ensuite l'aréomètre dans l'eau pure ; il s'enfonce plus que dans l'eau sa- lée et on marque 10 au point d'af- fleurement. On di- vise enfin l'inter- valle 0 — 10 en 10 parties égales et on prolonge les divisions jusqu'au sommet de la tige. La graduation va ordinairement de 10 à 45°.

Le pèse-liqueurs est utilisé princi- palement pour dé- terminer la richesse de l'ammoniaque et la concentration des différents éthers.

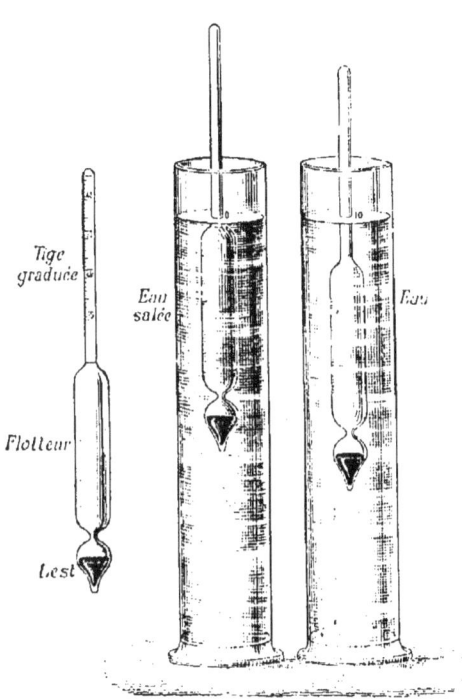

Fig. 58. — Pèse-liqueurs.

46. Alcoomètre de Gay-Lussac. — L'alcoomètre de Gay-Lussac est un aréomètre qui, par une simple lecture, fait connaître la proportion pour cent en volumes d'alcool pur contenu dans un liquide alcoolique à 15° centigrades.

Quand on veut graduer directement un alcoomètre, on le leste de manière que le point d'affleurement soit au bas de la tige dans l'eau pure à 15° ; on marque zéro en ce point (*fig.* 59). On plonge ensuite l'instrument dans diffé- rents liquides à 15°, contenant 5, 10, 15, ... volumes d'alcool pur auxquels on ajoute assez d'eau distillée pour avoir chaque fois 100 volumes ; on marque successivement 5, 10, 15, ... aux différents points d'affleurement. Les intervalles ainsi obtenus sont d'autant plus écartés qu'on s'approche davantage du sommet de la tige ; on les divise chacun en cinq parties égales pour achever la graduation.

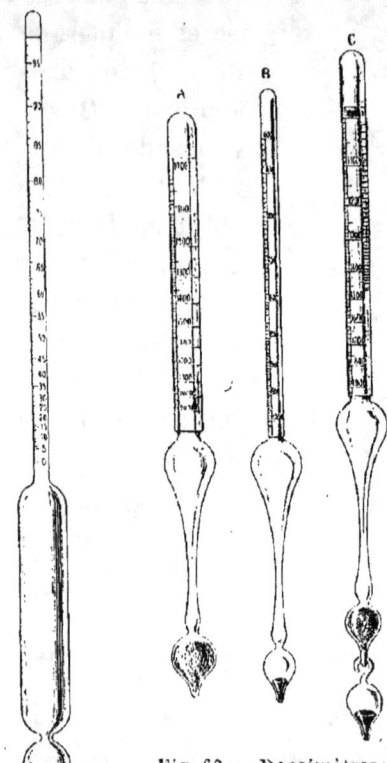

Fig. 59. — Alcoomètre de Gay-Lussac.

Fig. 60. — Densimètres :
A, pour liquides plus lourds que l'eau ;
B, pour liquides plus légers que l'eau ;
C, densimètre universel.

L'alcoomètre de Gay-Lussac ne donne des indications exactes que dans les liquides alcooliques ne contenant que de l'eau et de l'alcool. En outre, la richesse d'un liquide alcoolique n'est donnée par une simple lecture qu'autant que sa température est 15° ; si la température est différente de 15°, il faut avoir recours à des tables spéciales.

Cet alcoomètre est adopté par l'Administration des Contributions indirectes pour contrôler le service des distilleries et par le commerce des alcools pour toutes les transactions.

47. Densimètres. — On appelle ainsi des aréomètres gradués de telle façon qu'une simple lecture donne les densités des liquides dans lesquels ils sont immergés.

Principe. — Soit un aréomètre divisé en 1000 parties d'égale capacité, et lesté de manière à s'enfoncer dans l'eau pure jusqu'à la division 1000 marquée en haut de la tige ; on aura évidemment,

v désignant le volume d'une division et M la masse de l'instrument, M = 1000 *v*. Si cet aréomètre s'enfonce jusqu'à la division 800, par exemple, dans un liquide de densité *d* > 1, on
aura M = 800 *vd*, et comme 1000 *v* = 800 *vd*, on a

$$d = \frac{1000}{800} = 1,25.$$

Dans un densimètre, ce quotient est effectué d'avance pour toutes
les divisions de l'échelle, et la densité correspondante est inscrite
en face de chaque division. Un liquide dans lequel un densimètre
s'enfonce jusqu'au point d'affleurement marqué 1250 a pour densité 1,250 ou 1,25.

Description. — La figure 60 représente les densimètres du
commerce. Dans les densimètres pour liquides plus lourds que
l'eau, le point d'affleurement dans l'eau pure est en haut de la tige ;
c'est l'inverse dans les densimètres pour liquides plus légers que
l'eau. Enfin on construit des densimètres *universels* munis d'un
deuxième lest mobile et pouvant être utilisés à la fois pour les
liquides plus lourds et plus légers que l'eau.

RÉSUMÉ DU CHAPITRE VI

La résultante de toutes les pressions exercées par un liquide en
équilibre sur un solide qui y est immergé s'appelle la *poussée* du
liquide ; elle est dirigée de bas en haut et est égale au poids du
liquide déplacé. Ce principe a été énoncé par Archimède.
Comme conséquence du principe d'Archimède, tout corps plongé
dans un liquide est soumis à deux forces de sens contraires : son
poids P et la poussée F exercée par le liquide. Si le corps est homogène, ces deux forces ont un même point d'application, qui est le
centre de gravité du corps. Trois cas peuvent se présenter : 1° le
poids est supérieur à la poussée : le corps tombe, sollicité par une
force égale à P — F ; 2° le poids est égal à la poussée : le corps est
en équilibre dans le liquide ; 3° le poids est inférieur à la poussée :
le corps remonte, sollicité par la force F — P ; il émerge peu à
peu à la surface du liquide, et la poussée diminuant progressivement finit par devenir égale à P. Le corps flotte alors.
Pour avoir la masse spécifique d'un solide, on détermine d'abord
sa masse M par double pesée, puis on détermine la poussée qu'il
éprouve lorsqu'il est plongé dans l'eau ; les masses marquées M'
dont le poids équilibre cette poussée représentent la masse d'un
volume d'eau égal à celui du corps. La masse spécifique est le quotient $\frac{M}{M'}$. Quand il s'agit d'un liquide, on plonge une boule lestée
dans ce liquide et dans l'eau, et on détermine dans chaque cas la

masse d'un volume de liquide égal à celui de la boule et la masse
d'un même volume d'eau. La masse spécifique du liquide est le
quotient de ces deux masses.

La *méthode du flacon* pour les solides comprend les opérations
suivantes : remplissage du flacon d'eau pure, tare du flacon et du
corps placé sur le même plateau de la balance, détermination
de la masse M du corps par double pesée, introduction du corps
dans le flacon, détermination de la masse M' de l'eau expulsée ;

$$m = \frac{M}{M'}.$$

Cette même méthode pour les liquides comprend les opérations
suivantes : tare du flacon vide et d'un nombre de grammes N
supérieur à la masse du liquide le plus lourd, remplacement de N
par une masse m lorsque le flacon a été rempli du liquide à étudier,
remplacement de N par une masse m' lorsque le flacon a été rempli d'eau
distillée. La masse spécifique du liquide est $\frac{N-m}{N-m'}$.

Les *aréomètres* sont des flotteurs lestés de manière à s'enfoncer
verticalement dans les liquides. Ceux qu'emploie l'industrie sont à
poids constant ; ils sont en verre et comprennent une tige portant
la graduation, un renflement et une ampoule contenant le lest.

Le pèse-acides et le pèse-liqueurs de Baumé ont une graduation
arbitraire. Le pèse-acides est destiné aux liquides plus lourds que
l'eau ; les deux degrés qui ont fixé la graduation sont le degré 0
(dans l'eau pure) et le degré 15 (dans l'eau salée formée de 15ᵖ de
sel et 85ᵖ d'eau). Dans le pèse-liqueurs, destiné aux liquides plus
légers que l'eau, le 0 est au contraire au bas de la tige ; il correspond à l'eau salée formée de 10ᵖ de sel et 90ᵖ d'eau ; le degré 10
correspond à l'eau pure.

Enfin l'alcoomètre de Gay-Lussac donne par une simple lecture la
proportion pour cent en volume, d'alcool pur contenu dans un mélange d'eau et d'alcool à 15° ; il a été gradué de 5 en 5 avec des mélanges d'eau et d'alcool contenant successivement 5, 10, 15,... volumes
d'alcool pur sur 100 volumes de mélange.

EXERCICES SUR LE CHAPITRE VI

10. Un corps qui pèse réellement 650ᵍ pèse dans l'eau pure 430ᵍ.
On demande : 1° son volume ; 2° quel effort il faudra faire pour le
soutenir dans un liquide de masse spécifique 1ᵍ,8 dans lequel il
serait complètement plongé ; 3° la masse spécifique d'un liquide qui
exercerait sur ce corps une poussée de 176ᵍ.

11. Un cylindre de fer de longueur l est soudé à un cylindre de
platine de longueur l' et de même section. Quel doit être le rapport
des longueurs l et l' pour que le cylindre mixte reste en équilibre
au sein d'un bain de mercure ?

Calculer les valeurs de l et de l' dans le cas où la longueur du cylindre mixte est égale à 69ᵐᵐ.

Masses spécifiques : du fer 7ᵍ,7 ; du platine, 21ᵍ,5 ; du mercure, 13ᵍ,6.

12. Sur de l'huile de densité 0,915, on pose un morceau de liège ayant la forme d'un parallélépipède rectangle dont les dimensions sont : longueur, 7ᶜᵐ,5 ; largeur, 3ᶜᵐ,2 ; épaisseur, 2ᶜᵐ. Sachant que la densité du liège est 0,24, de combien émergera-t-il ? On pose sur ce morceau de liège une pièce d'argent de 5ᶠʳ. Surnagera-t-il encore ? S'il surnage, de combien émergera-t-il.

13. Dans un vase entièrement rempli d'eau et taré, on introduit un corps solide insoluble : l'augmentation de masse est de 20ᵍ,75. Si le vase avait été rempli d'huile, de masse spécifique 0,9, l'augmentation de masse aurait été de 21ᵍ,58.

Dire : 1° quelle est la masse du corps ; 2° quelle est sa masse spécifique ; 3° quel est son volume.

14. On suspend au-dessous du plateau d'une balance une masse métallique cylindrique pesant 1ᵍ,452 ; l'équilibre étant établi, on immerge la masse complètement dans un liquide de masse spécifique 1ᵍ,113 ; son poids diminue et elle est équilibrée par 1ᵍ,382 ; on immerge ensuite la même masse métallique dans un autre liquide et on l'équilibre par 1ᵍ,397 ; on demande :

1° La masse spécifique du second liquide ;
2° La masse spécifique de la masse cylindrique.

15. Un alliage d'or et d'argent est équilibré dans l'air par une masse de 195ᵍ. Quand il est plongé dans l'eau, il ne faut plus qu'une masse de 180ᵍ pour lui faire équilibre. Quel est le volume de l'alliage et quelle est la proportion des deux métaux qu'il contient ? On néglige la poussée de l'air. Masses spécifiques : de l'or, 19ᵍ ; de l'argent, 10ᵍ.

CHAPITRE VII

PRESSION ATMOSPHÉRIQUE. — BAROMÈTRES

---

48. Propriétés générales des gaz. — Les gaz sont caractérisés par la répulsion qui s'exerce entre leurs molécules ; introduits dans un espace quelconque, ils le remplissent tout entier et ne se terminent pas par une surface libre. Cette propriété, appelée *expansibilité*, se démontre avec un flacon dont le bouchon est traversé par un tube recourbé et par un matras renversé (*fig.* 61). A l'extrémité inférieure du matras est fixé un petit ballon en baudruche dégonflé. On enlève l'air du flacon à l'aide d'une trompe (81) : à mesure que l'air se raréfie, on voit le ballon se gonfler complètement par suite de l'expansion de l'air contenu dans le matras. La pression qu'un gaz exerce, en

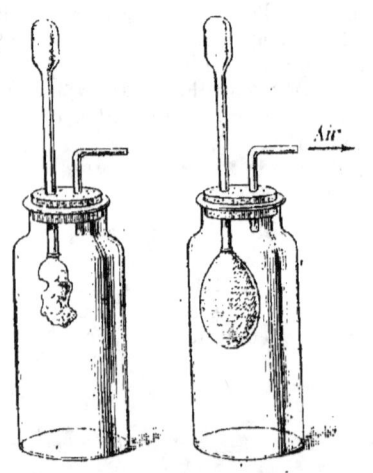

Fig. 61. — Expansibilité des gaz.

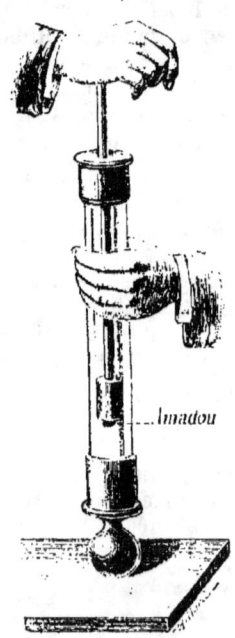

Fig. 62. — Briquet à air.

vertu de son expansibilité, sur chaque unité de surface des parois du vase qui le contient s'appelle la *force élastique* du gaz.

Les gaz sont *très compressibles*, parfaitement élastiques, et leur compression dégage de la chaleur. On le démontre avec le briquet à air (*fig.* 62).

C'est un tube de verre à parois épaisses, présentant une

extrémité ouverte par laquelle on peut introduire un piston qui, entrant dans le tube de verre à frottement doux,
le ferme hermétiquement. A mesure que l'on enfonce le
piston, le volume de l'air enfermé diminue, on sent une
résistance de plus en plus grande, et si la compression est
effectuée brusquement, il ~e produit assez de chaleur pour
enflammer un morceau d'amadou fixé au piston.

Enfin le *poids spécifique* d'un gaz est très faible par rapport au poids spécifique d'un solide ou d'un liquide en
général. Pour démontrer que l'air, par exemple, est pesant, on prend un grand ballon de verre muni d'une gar

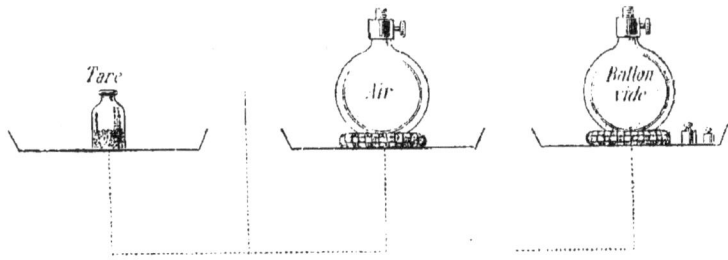

Fig. 63. — Expérience montrant que l'air est pesant.

niture à robinet; on le place plein d'air sur l'un des
plateaux d'une bonne balance et l'on fait la tare (*fig.* 63).
On enlève alors le ballon et on y raréfie l'air le plus possible, puis on ferme le robinet et on le place de nouveau sur le même plateau. L'équilibre est rompu et le
fléau s'incline du côté de la tare; donc l'air est pesant. Si
l'on ajoute sur le plateau correspondant au ballon vide des
masses marquées jusqu'à ce qu'il y ait de nouveau équilibre, le poids de ces masses représente le poids de l'air
qu'on a extrait du ballon.

Des expériences précises ont montré que la masse d'un
centimètre cube d'air dans les conditions ordinaires est

$0^g,001293$ (^{1}) (ou sensiblement $0^g,0013$), ce qui donne pour le poids du même volume d'air $0,0013 \times 981$ dynes.

49. Principe de Pascal appliqué aux gaz. — Pour montrer que ce principe est applicable aux gaz, on se sert d'un flacon portant trois tubes manométriques à eau A, B, C (*fig.* 64) et un tube T prolongé par un bout de caoutchouc à pince permettant de fermer ou d'ouvrir ce tube. Le tube T étant ouvert, le niveau de l'eau est le même dans les trois tubes manométriques. On le ferme et, à l'aide d'un tube effilé, on verse un peu d'eau dans le tube A par exemple ; il se produit une dénivellation dans les trois tubes A, B, C. On mesure les dénivellations et on constate qu'elles sont les mêmes.

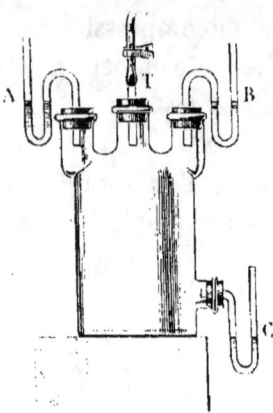

Fig. 64. — Expérience montrant que le principe de Pascal est applicable aux gaz.

ÉTUDE DE LA PRESSION ATMOSPHÉRIQUE

50. Atmosphère et pression atmosphérique. — On donne le nom d'*atmosphère* à la couche d'air qui enveloppe complètement notre globe. Sa hauteur est inconnue, ou du moins, elle est très incertaine, car les méthodes que l'on a employées pour l'évaluer conduisent à des résultats variant entre 60 et 300^{km} ; quoi qu'il en soit, le poids spécifique de l'air décroît rapidement à mesure qu'on s'élève, et les ballons-sondes, c'est-à-dire les ballons qu'on lance dans

---

(1) On retient plus facilement ce nombre en le multipliant par 1000 ; la masse d'un litre d'air est $1^g,293$ ou, sensiblement, $1^g,3$.

les hautes régions pour les étudier, arrivent à franchir plus des $\frac{9}{10}$ de la masse de l'atmosphère tout en ne dépassant pas 17^{km} de hauteur. La pression exercée par cette immense couche gazeuse sur chaque unité de surface (1^{cm2}) des corps qui y sont plongés s'appelle la *pression atmosphérique*.

Bien que la pression atmosphérique ait une valeur relativement considérable, nous ne nous apercevons pas habituellement de son existence. Elle s'exerce en effet dans tous les sens sur la surface d'un même corps placé dans l'air, et on peut dire que toutes ces pressions se font équilibre, car leur résultante est égale, comme nous le verrons, au poids de l'air déplacé et est par suite, sensiblement négligeable. Ainsi une surface plane, comme une membrane, une feuille de papier, supporte sur ses deux faces des pressions égales et de sens contraires. Mais si nous diminuions ou si nous supprimions la pression exercée par l'atmosphère sur l'une des faces, nous mettrions de suite en évidence la pression exercée sur l'autre face.

51. Principales expériences qui montrent l'existence

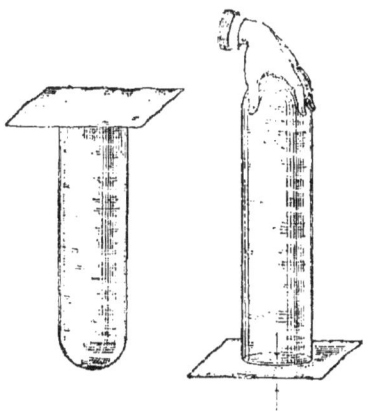

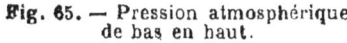

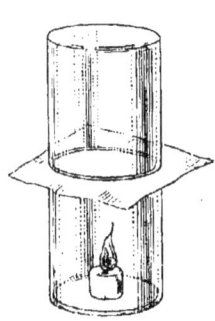

Fig. 65. — Pression atmosphérique de bas en haut.

Fig. 66. — Expérience montrant l'existence de la pression atmosphérique.

de la pression atmosphérique. — 1° Remplissons complètement d'eau une éprouvette à bords bien dressés et appliquons une feuille de papier sur le liquide (*fig.* 65). Si nous retournons l'éprouvette avec précaution, nous constaterons que le liquide ne s'échappe pas. Cela tient à ce que le poids de la colonne d'eau contenue dans l'éprouvette est inférieur à la pression exercée de bas en haut par l'atmosphère.

2° On prend deux vases de verre cylindriques de même section (*fig.* 66); on place un bout de bougie allumé au fond du premier vase, puis on recouvre ce vase d'un morceau de papier un peu épais et imbibé d'eau et on place par-dessus le second vase renversé. La bougie s'éteint bientôt et les deux vases sont collés à ce point qu'on peut soulever le vase inférieur en soulevant le vase supérieur.

Chambre barométrique

Fig. 67. — Expérience de Torricelli.

Une foule d'appareils sont fondés sur l'existence de la pression atmosphérique; nous citerons notamment les pompes et les siphons, dont nous parlerons plus loin.

52. Expérience de Torricelli. — Torricelli fit en 1643 une expérience célèbre qui, tout en prouvant l'existence de la pression atmosphérique, permet de la mesurer. Pour répéter cette expérience, on prend un tube de verre d'environ 90^{cm} de longueur, fermé à une extrémité : on le remplit complètement de mercure, puis, bouchant l'ouverture avec le doigt, on retourne le tube verticalement dans une cuvette contenant du mercure (*fig.* 67). Après avoir retiré le doigt, on voit le mercure descendre dans le tube et s'arrêter à une hauteur de 76^{cm} environ au-dessus du niveau du mercure dans la cuvette, laissant ainsi au-dessus de lui un *espace complètement privé d'air.*

Il est facile d'expliquer l'expérience de Torricelli. Une unité de surface *s* prise sur la surface libre du mercure dans la cuvette supporte la pression atmosphérique F (*fig.* 68). Une autre unité de surface *s'*, prise sur le même plan horizontal mais à l'intérieur du tube, supporte le poids d'une colonne de mercure ayant pour base *s* et pour hauteur H. Ces deux surfaces supportant la même pression, on a $F = Hp$ dynes, p désignant le poids spécifique du mercure, ou, ce qui revient au même, $F = Hmg$. Supposons par exemple que la hauteur du mercure dans le tube de Torricelli soit de 76^{cm} ; la valeur de la pression exercée par l'atmosphère sur 1^{cm2} est (13^{g},596 étant la masse spécifique du mercure) :

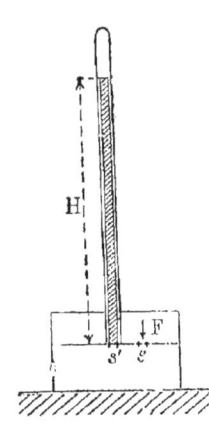

Fig. 68. — Explication de l'expérience de Torricelli.

$$76 \times 13,596 \times 981 = 1\,013\,675 \text{ dynes.}$$

Évaluons maintenant cette pression en grammes-poids. Le gramme-poids valant 981 dynes à Paris, il suffit de diviser le résultat précédent par 981, ce qui donne

$$F = \frac{1013575}{981} = 1033 \text{ grammes-poids.}$$

Enfin, par abréviation, on évalue souvent la pression atmosphérique simplement par la hauteur du mercure. On dira par exemple : la pression atmosphérique est de 76^{cm}. On veut dire par là que la pression atmosphérique est celle qu'une colonne de mercure de 76^{cm} à 0° exercerait sur 1^{cm2} au lieu de l'observation.

Remarque. — La pression exercée par une colonne de mercure de 76^{cm} à 0° sur 1^{cm2} s'appelle encore quelquefois *une atmosphère*. On comptait autrefois les pressions en atmosphères ; maintenant c'est en *kilogrammes* (toujours sur un centimètre carré). 1^{kg} correspond d'ailleurs à très peu près à une atmosphère ; il représente une colonne de

$$\frac{76 \times 1000}{1033} = 73^{cm},5 \text{ de mercure.}$$

Conséquences. — 1° Si la pression atmosphérique ne varie pas, on constate que la hauteur verticale du mercure est indépendante de la forme, du diamètre et de l'inclinaison du tube.

Cette conséquence se déduit de la formule $F = Hp$. On peut la vérifier expérimentalement en renversant dans une cuvette des tubes de Torricelli de formes et de diamètres différents, droits ou inclinés : on constate que les niveaux supérieurs du mercure dans les tubes sont dans un même plan horizontal.

2° Si la pression atmosphérique augmente ou diminue, la hauteur du mercure doit augmenter ou diminuer en même temps.

En effet, dans la formule $F = Hp$, p restant constant, si F augmente, H doit augmenter, et si F diminue, H doit diminuer. On peut d'ailleurs vérifier cette conséquence par l'expérience en observant au même moment des tubes de Torricelli qu'on a placés à différentes altitudes.

3° Si on répète l'expérience de Torricelli avec un liquide autre que le mercure, la hauteur de ce liquide qui fera équilibre à la pression atmosphérique sera d'autant plus grande que la masse spécifique du liquide est plus faible.

Soit H' la hauteur d'un liquide de masse spécifique m' qui équilibre la pression atmosphérique ; on a évidemment

$$F = H\,mg = H'm'g,$$

d'où l'on tire

$$\frac{H}{H'} = \frac{m'}{m}.$$

Cette dernière conséquence fut vérifiée par Pascal ; en employant un tube de 15^m de long, préalablement rempli de vin rouge, il constata que ce liquide, qui est environ 13 fois 1/2 moins dense que le mercure, avait son niveau à 10^m,40, c'est-à-dire à une hauteur environ 13 fois 1/2 plus grande que celle du mercure.

53. Définition et classification. — Les baromètres sont des instruments destinés principalement à mesurer la pression atmosphérique. — Les uns reposent directement sur l'expérience de Torricelli : ce sont les *baromètres à mercure* ; les autres reposent sur les déformations que font subir les variations de la pression atmosphérique à un appareil métallique clos et vide d'air : ce sont les *baromètres anéroïdes*, appelés aussi quelquefois baromètres métalliques.

REMARQUE. — Le mercure est le seul liquide employé dans la construction des baromètres dont le principe repose sur l'expérience de Torricelli, et pour plusieurs raisons : c'est lui qui exige le tube le moins long, car sa masse spécifique est de beaucoup supérieure à celle des autres liquides ; il peut être facilement obtenu pur ; enfin il donne une chambre barométrique vide, car il n'émet pour ainsi dire pas de vapeurs à la température ordinaire.

54. Baromètres à mercure. — On a donné de nombreuses formes aux baromètres à mercure ; le plus simple et le plus parfait est le *baromètre normal*.

Il se compose d'un tube vertical assez large (22 à 25^{mm}) pour supprimer la dépression capillaire (98) ; ce tube plonge par sa pointe inférieure effilée dans le mercure

d'une cuve prismatique en fonte à parois de glace (*fig.* 69).
Une équerre en fer fixée aux parois de la cuve porte une
vis verticale terminée en pointe à ses deux extrémités.
Lorsque la pointe inférieure de cette vis est en con-

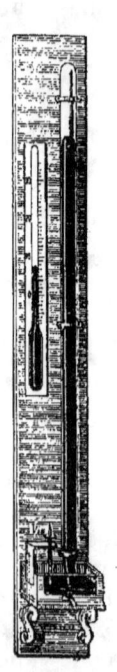

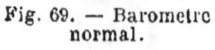

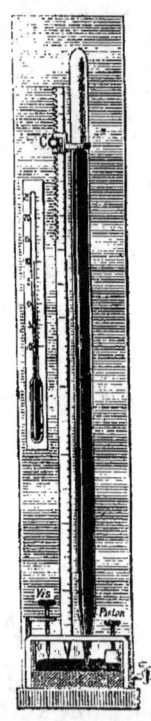

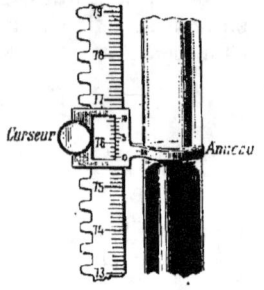

tact exact avec la sur-
face du mercure, la
pression atmosphéri-
que est mesurée par
la longueur entre les
deux pointes (mesu-
rée une fois pour
toutes), augmentée de
la distance verticale
de la pointe supé-
rieure au niveau du
mercure dans le tube.

Fig. 69. — Baromètre
normal.

Fig. 70. — Baro-
mètre normal de
Sainte-Claire Deville.

Cette distance se mesure à distance à l'aide d'un cathétomètre, sorte de lunette horizontale pouvant se déplacer le
long d'une règle verticale graduée.

Sainte-Claire Deville a modifié le baromètre normal de manière à permettre de faire des lectures directes : une règle
de cuivre divisée en millimètres est fixée parallèlement au
tube sur la même planchette (*fig.* 70); elle se termine infé-

rieuiement par une pointe d'ivoire dont l'extrémité correspond au zéro de la graduation. Pour déterminer la hauteur
barométrique, on fait d'abord affleurer le mercure de la
cuvette à la pointe d'ivoire en y enfonçant plus ou moins un
piston, puis on fait glisser le long de la règle un curseur C
muni d'un vernier au 1/10 et d'un petit anneau cylindrique
entourant le tube jusqu'à ce que le plan inférieur de l'anneau
soit tangent au sommet de la colonne mercurielle. On lit
ainsi la hauteur barométrique à moins de 1/10 de millimètre
près.

Construction des baromètres à mercure. — La condition
essentielle pour avoir un bon baromètre à mercure est que
la chambre barométrique ne contienne aucune trace d'air ni
de vapeur d'eau. Il faut donc, même quand on veut construire un baromètre ordinaire, employer du mercure neuf
ou bien purifié, ainsi que des tubes préalablement lavés aux
acides, à l'eau, à l'alcool, puis soigneusement séchés.

Quant aux baromètres de précision, leur construction
exige des manipulations et surtout un outillage spécial que
nous n'avons pas à décrire ici.

55. Baromètres anéroïdes. — Les baromètres anéroïdes ne sont pas des baromètres de précision, parce que
l'élasticité des métaux servant à leur construction varie
avec le temps; mais ils sont très sensibles et en même
temps très commodes, aussi sont-ils seuls employés comme
baromètres de voyage et d'appartement. On les gradue par
comparaison avec un baromètre à mercure. Le type le
plus employé est le baromètre de Vidi.

Baromètre de Vidi. — La partie essentielle du baromètre de Vidi (*fig.* 71) est une caisse métallique mince
fermée hermétiquement et contenant de l'air très raréfié.
La base supérieure de cette caisse, cannelée circulaire-
ment pour accroître la flexion, supporte les variations de
la pression atmosphérique et se trouve plus ou moins
déprimée, malgré une lame-ressort antagoniste R qui

tend à la soulever. Les déplacements de son centre sont
très faibles, mais ils sont amplifiés considérablement par
deux leviers *ll*, *l'l'* qui les transmettent par une série de

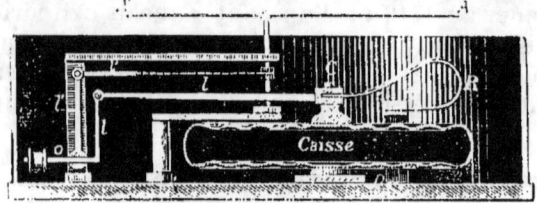

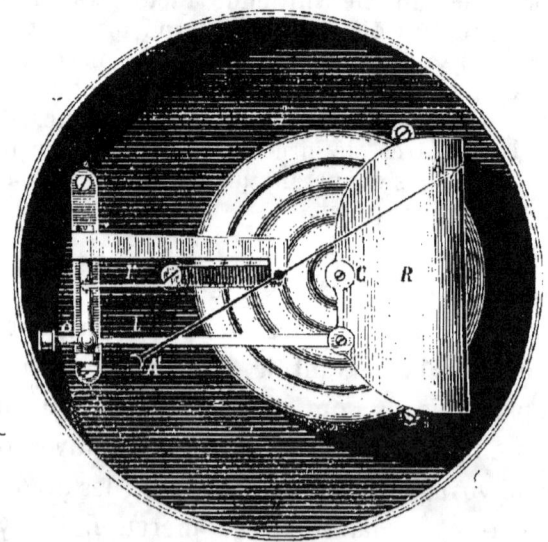

Fig. 71. — Baromètre de Vidi.

pièces intermédiaires, savoir : une courte colonne métallique C fixée au centre même, la lame-ressort R, un axe
de rotation *o*, et enfin une petite chaînette qui s'enroule
sur un axe de rotation portant l'aiguille.

Baromètres enregistreurs. — Les baromètres enregistreurs ont pour but de noter d'une façon continue les

variations de la pression atmosphérique en un lieu donné.

Ils se composent d'une chambre anéroïde formée de petites boîtes circulaires minces, soudées par leurs bords (*fig.* 72). L'air est très raréfié dans cette chambre, de sorte qu'elle se raccourcit plus ou moins suivant que la pression

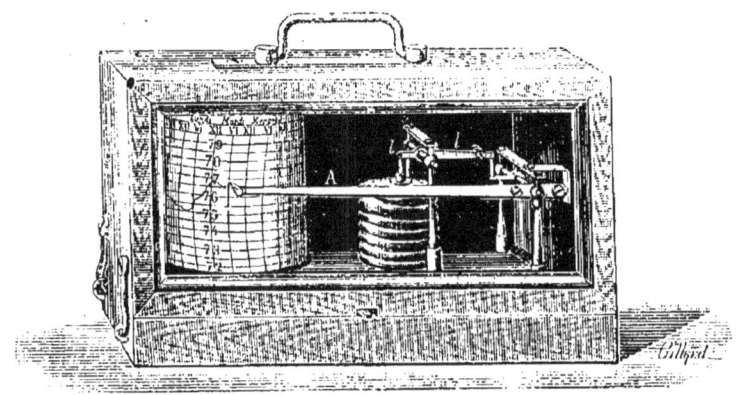

Fig. 72. — Baromètre enregistreur Richard.

atmosphérique augmente ou diminue, et cela malgré un ressort antagoniste placé à l'intérieur. Ces variations de hauteur sont transmises à une longue aiguille A en aluminium par l'intermédiaire d'un levier coudé *ll* et d'un axe de rotation O. Enfin l'extrémité de l'aiguille porte une plume à réservoir d'encre, qui appuie légèrement sur une feuille de papier divisée, enroulée sur un cylindre entraîné par un mouvement d'horlogerie.

La figure 73 est la reproduction photographique d'une feuille qui a enregistré la pression à Paris pendant une semaine, non pas avec un baromètre comme celui de la figure 72, mais avec un baromètre enregistreur à mercure.

L'aiguille qui enregistre étant mobile autour d'un point fixe, son extrémité décrit un arc de cercle. C'est ce qui explique la forme courbe qu'on donne aux lignes servant à mesurer les pressions.

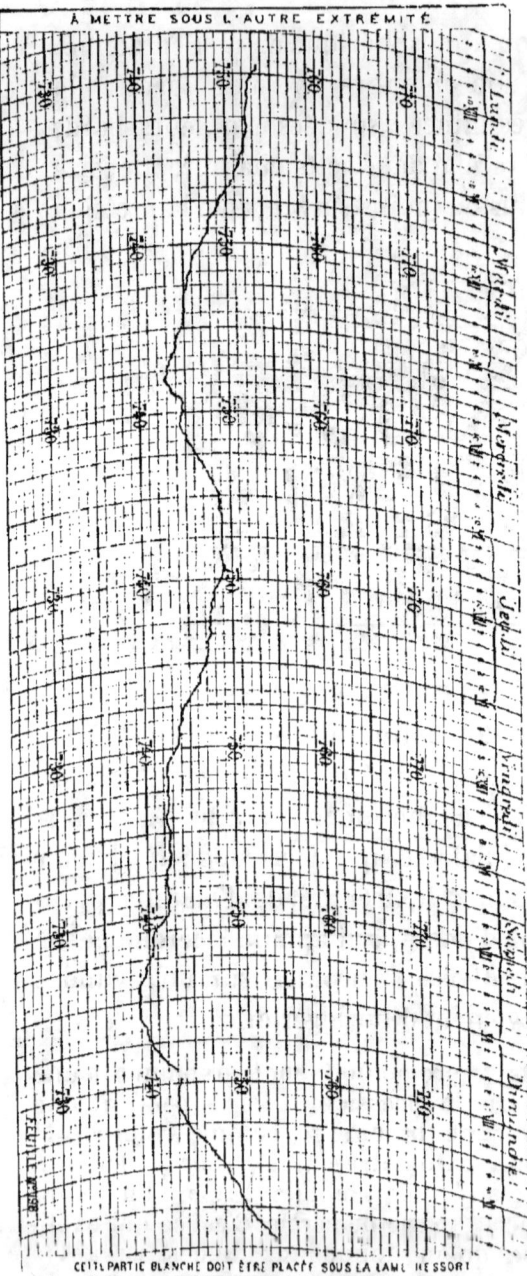

Fig. 73. — Photographie d'une feuille de baromètre
Richard.

56. Usages des baromètres. — Les baromètres servent pour la détermination de la pression atmosphérique, pour la mesure des hauteurs et pour la prévision du temps.

1º Détermination de la pression atmosphérique. — Quand on veut obtenir une hauteur barométrique avec précision, il faut faire subir à la hauteur observée la correction relative à la température. La masse spécifique du mercure variant, comme nous le verrons, avec la tempé

rature, c'est à 0° que l'on établit la hauteur de la colonne
de mercure capable d'équilibrer la pression atmosphérique.

2° Mesure des hauteurs. — La masse spécifique de l'air
étant environ 10500 fois plus petite que celle du mercure
(elles sont respectivement égales à $0^g,0013$ et $13^g,596$),
chaque diminution de 1^{mm} de la colonne barométrique, à
mesure qu'on s'élève, correspond théoriquement à une
élévation 10500 fois plus grande, soit de $10^m,50$. En
réalité, la masse spécifique décroissant rapidement à
mesure que l'on s'élève, cette évaluation ne peut s'appliquer qu'à des hauteurs qui ne dépassent pas une centaine
de mètres; pour des hauteurs plus grandes, on emploie
des formules spéciales, dites *formules barométriques.*

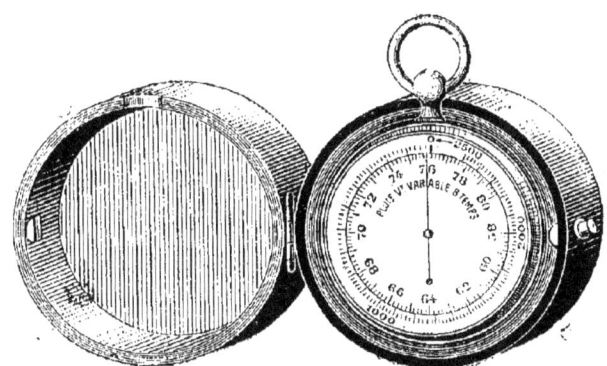

Fig. 74. — Baromètre de montagne, de 0 à 2500m.

Voici la formule donnée par Babinet pour des hauteurs ne
dépassant pas 1 000 à 1 200^m :

$$X^m = 16\,000[1 + 0,002(T + t)]\left(\frac{H - h}{H + h}\right).$$

H et T sont la hauteur barométrique et la température à la
station la moins élevée; h et t la hauteur barométrique et
la température à l'autre station.

Les voyageurs qui, en pays de montagnes, veulent savoir

approximativement à quelle hauteur ils se trouvent, se servent de petits baromètres anéroïdes de poche, dits *baromètres de montagne* (*fig.* 74), protégés par un écrin en cuir et portant deux graduations, l'une pour la pression atmosphérique, l'autre pour la mesure des hauteurs.

3° Prévision du temps. — Les variations accidentelles de la hauteur barométrique fournissent d'utiles indications pour la prévision du temps. Dans nos régions, par exemple, les vents du Nord-Est font monter le baromètre, l'air froid étant plus dense que l'air chaud ; de plus, comme ils n'ont guère traversé que des continents, ils sont peu humides et leur arrivée annonce ordinairement le beau temps. Au contraire, les vents du Sud-Ouest, chauds et humides, font baisser le baromètre et amènent ordinairement la pluie. En se basant en partie sur ces remarques générales, on adapte en France aux baromètres destinés à la prévision du temps (*fig.* 75) une graduation spéciale (tempête, grande pluie, pluie ou vent, variable, beau temps, beau fixe, très sec), le variable étant en regard de la hauteur moyenne du lieu (76^{cm} pour la latitude de 50° et au niveau de la mer).

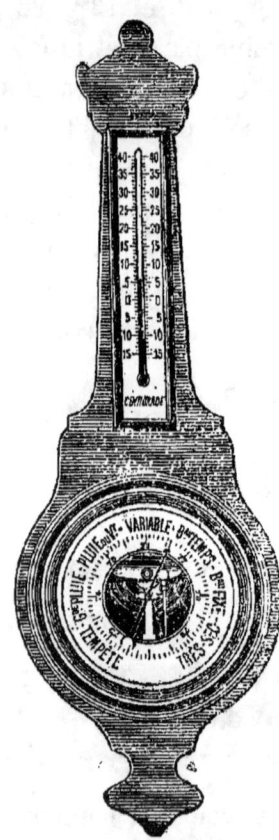

Fig. 75. -- Baromètre pour la prévision du temps.

Les indications de cette nature données par le baromètre **sont** loin d'être absolues. Si l'on veut calculer le temps probable, il faut

faire entrer en ligne de compte non seulement les variations de la pression atmosphérique, mais aussi les variations de la température, l'aspect du ciel, les signes qu'une longue expérience a fait regarder comme infaillibles, la localité, etc. En général, les oscillations lentes et continues rendent probables les indications données par le baromètre ; les oscillations brusques présagent des bourrasques ou des tempêtes. Presque tous les grands États de l'Europe ont d'ailleurs organisé un service régulier d'observations barométriques, exécutées à peu près à la même heure et chaque jour, sur un grand nombre de points. Ces observations, centralisées, servent à établir les bulletins de la prévision du temps. Les principaux résultats, en cas d'urgence, sont télégraphiés aux autorités, qui prennent alors toutes les mesures nécessaires pour parer à la sécurité de leurs administrés (tempêtes maritimes et terrestres, inondations, etc.). Ces prévisions influent également sur le cours marchand des denrées en raison de l'action de l'état du temps sur les récoltes.

Quant à la graduation spéciale d'un baromètre, elle doit varier avec la latitude, l'altitude et surtout avec la situation particulière de chaque contrée. Au niveau de la mer, à l'équateur, la hauteur moyenne correspond à 75^{cm},8 et non à 76^{cm} ; elle atteint son maximum (76^{cm},3) entre les latitudes de 30 et 40°. D'un autre côté, la hauteur moyenne diminue rapidement à mesure qu'on s'élève : à la Paz (Bolivie), qui est une des villes les plus élevées du globe (3 720^{m}), elle n'est que de 48^{cm}. Enfin, c'est surtout la direction des vents régnants qui doit fixer les indications du baromètre dans une région : à Buenos-Ayres, les vents du Sud-Est, froids et humides, font monter le baromètre et amènent la pluie ; en Australie, les vents chauds font baisser le baromètre, mais comme ils sont secs, ils amènent le beau temps.

Outre les variations accidentelles que nous venons d'étudier, le baromètre présente dans toutes les régions des variations diurnes régulières, dont la cause n'est pas très bien connue. Les variations diurnes ne s'observent que difficilement dans les régions tempérées, parce qu'elles y sont souvent masquées par les variations accidentelles, mais à l'équateur et dans le voisinage elles se manifestent très nettement ; chaque jour, on voit la colonne barométrique monter et descendre régulièrement de manière à présenter deux minima, vers 4^h du matin et 4^h du soir, et deux maxima, vers 10^h du matin et 10^h du soir. L'amplitude de l'oscillation de jour (de 10^h du matin à 4^h du soir) atteint jusqu'à 2^{mm},5.

RÉSUMÉ DU CHAPITRE VII

Les gaz sont caractérisés par leur *expansibilité* : introduits dans une enveloppe quelconque, ils l'occupent entièrement et exercent sur les parois une certaine pression dont la valeur par unité de

surface s'appelle la *force élastique* du gaz. Ils sont *très compressibles*
et parfaitement élastiques (expérience du briquet à air). Enfin ils
sont *pesants*, mais leur poids spécifique est très faible : on démontre par exemple que l'air est pesant en suspendant successivement à un plateau de balance un ballon vide et le même ballon
plein d'air.

L'atmosphère qui entoure la Terre exerce une pression sur tous
les corps avec lesquels elle est en contact. L'existence de cette pression se démontre par diverses expériences, comme celle du main-
tien de l'eau dans un verre renversé ; l'expérience de Torricelli
permet en outre de la mesurer. Torricelli remplit de mercure un
tube d'environ 80cm de longueur, puis il le renversa verticalement
dans une cuvette contenant du mercure ; il vit le liquide quitter le
sommet du tube et se maintenir à une hauteur d'environ 76cm,
laissant au-dessus de lui un espace vide (chambre barométrique).
La colonne de mercure ainsi soulevée fait équilibre à la pression
exercée par l'atmosphère sur une surface égale à la section du tube.

Les baromètres sont destinés surtout à mesurer la pression
atmosphérique. On les divise en baromètres à mercure et baromètres anéroïdes.

Le *baromètre normal* est un baromètre de précision dont le tube
est assez gros pour qu'on évite la dépression capillaire ; la hauteur
barométrique est égale à la longueur d'une vis dont la pointe inférieure affleure le mercure de la cuvette, augmentée de la distance
de la pointe supérieure au niveau du mercure dans le tube.

Le principe des *baromètres anéroïdes* repose sur les déformations
que les variations de la pression atmosphérique font subir à un
appareil métallique clos et vide d'air. Dans le baromètre de Vidi, la
pression atmosphérique s'exerce sur la base supérieure d'une caisse
close contenant de l'air très raréfié ; les déformations du centre de
cette base sont transmises par l'intermédiaire de leviers qui les
amplifient à une aiguille mobile sur un cadran divisé.

Les baromètres servent à déterminer la pression atmosphérique,
à mesurer les hauteurs, à prévoir le temps. Quand on veut déterminer une hauteur barométrique avec précision, on ramène la hauteur
observée à 0°. Pour la mesure des hauteurs, on emploie des formules
barométriques spéciales ; ce n'est que pour des hauteurs inférieures
à une centaine de mètres que ces formules sont inutiles, chaque
dépression de 1mm de mercure correspondant à une élévation de
10m,50. Enfin, dans la prévision du temps, il faut surtout tenir
compte de la direction des vents régnants. Dans nos régions, les
vents du Nord-Est, secs et froids, font monter le baromètre ; les
vents du Sud-Ouest, chauds et humides, font baisser le baromètre ;
le « variable » des baromètres correspond à 76cm (au niveau de la
mer) ; la « pluie » correspond aux pressions plus basses, le « beau
temps » aux pressions plus élevées.

EXERCICES SUR LE CHAPITRE VII

16. Le diamètre d'un tube barométrique est de 2ᵉᵐ ; la cuvette a une section rectangulaire dont la longueur est 8ᵉᵐ et la largeur 4ᵉᵐ. De quelle hauteur s'élèvera le niveau de la cuvette lorsque le mercure baissera de 10ᵐᵐ dans le tube barométrique ?

17. Un baromètre ordinaire avec sa cuvette est plongé verticalement dans l'eau ; la hauteur de l'eau au-dessus du niveau du mercure dans la cuvette est de 1ᵐ,20 ; calculer la hauteur du mercure dans ce baromètre. La hauteur barométrique est de 75ᵒᵐ.

CHAPITRE VIII

AÉROSTATS

---

57. Principe d'Archimède appliqué aux gaz. — Le principe d'Archimède est applicable aux gaz. Pour l'établir, on se sert d'un fléau de balance supportant à ses extrémités, d'un côté une sphère

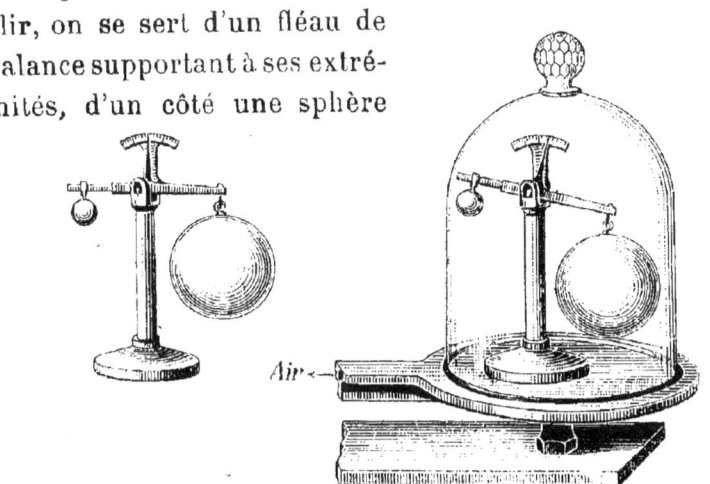

Fig. 76. — Expérience montrant que le principe d'Archimède est applicable aux gaz.

creuse, de l'autre côté une petite sphère pleine (*fig.* 76). Ces deux sphères sont disposées de manière à se faire équilibre dans l'air. On introduit cet appareil sous une cloche et on fait le vide avec une trompe ; l'équilibre est rompu en faveur de la grosse sphère, celle-ci subissant une poussée plus forte que la petite. On déduit de là que tout corps plongé dans un gaz subit une poussée verticale, dirigée de bas en haut et égale au poids du gaz qu'il déplace.

On peut aussi mettre en évidence la poussée exercée par les gaz en suspendant un ballon au-dessous de l'un des plateaux d'une balance hydrostatique et l'équilibrant par

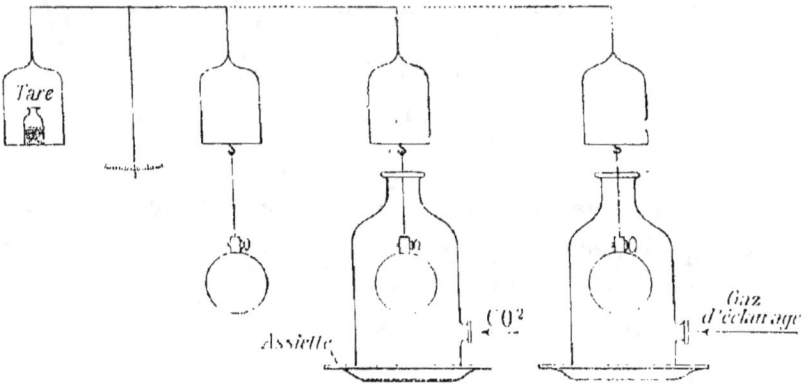

Fig. 77. — Expérience montrant la poussée de l'air.

une tare (*fig.* 77). On introduit ensuite ce ballon dans une cloche à tubulure latérale. Si l'on fait arriver un courant d'anhydride carbonique dans cette cloche, on constate que le fléau s'incline du côté de la tare. On voit ainsi que le gaz carbonique, qui est beaucoup plus lourd que l'air, exerce sur le ballon une poussée plus forte.

En faisant arriver du gaz d'éclairage au lieu d'anhydride carbonique, on constate que le fléau s'incline du côté du ballon, parce que ce gaz est plus léger que l'air.

CONSÉQUENCES. — Il résulte de ce principe que tout corps

plongé dans l'air ou dans un gaz est soumis à deux forces verticales et de sens contraires : son poids P et la poussée f exercée par le gaz.

Si le poids est supérieur à la poussée, le corps tombe, entraîné, non par son poids réel P, mais par son poids apparent P — f ; c'est le cas de la plupart des corps placés dans l'air. Si, au contraire, *le poids est inférieur à la poussée*, le corps abandonné à lui-même monte verticalement sous l'influence de sa force f — P : ce cas s'applique aux gaz chauds qui s'échappent d'une cheminée, aux vapeurs, aux aérostats.

Correction des pesées. — Par suite de la poussée qu'éprouvent les corps plongés dans l'air, on ne peut déterminer exactement la masse d'un corps à l'aide de la balance que si la pesée est effectuée dans le vide. Dans l'air, le corps et les masses marquées qui lui font équilibre n'agissent sur les plateaux que par leur poids apparent, lequel est représenté par leur poids réel dans le vide diminué de la poussée exercée par l'air. Il convient d'ajouter qu'on ne fait subir cette correction qu'aux pesées de grande précision ; dans la grande majorité des cas, la poussée exercée par l'air sur un corps est tellement faible par rapport à son poids réel qu'on peut confondre celui-ci avec son poids apparent.

Appelons P' le poids réel d'un corps dans le vide, P le poids indiqué par la balance. Le poids apparent du corps est $P'g - \dfrac{P'}{m} ag$, m désignant la masse spécifique du corps, a la masse d'un centimètre cube d'air au moment de l'expérience ; le poids apparent des masses marquées est $Pg - \dfrac{P}{m'} ag$, m' étant la masse spécifique de ces masses. Puisqu'il y a équilibre, on peut écrire $P'g - \dfrac{P'}{m} ag = Pg - \dfrac{P}{m'} ag$, d'où

$$P' = P \left(\frac{1 + \dfrac{a}{m}}{1 + \dfrac{a}{m'}} \right),$$

58. Considérations générales sur les aérostats. — Les aérostats sont des appareils formés d'une enveloppe mince, imperméable, contenant un gaz plus léger que l'air.

Les premiers aérostats (1783) étaient des globes de toile doublés de papier, gonflés avec de l'air chaud ; on les appela des *montgolfières*, du nom de leurs inventeurs, les frères Montgolfier. Ils ne pouvaient s'élever qu'à une faible hauteur et présentaient des dangers d'incendie à cause du feu qu'on devait entretenir sous l'ouverture de l'aérostat pour empêcher le refroidissement de l'air intérieur. Le physicien Charles employa le premier des enveloppes imperméables et put ainsi substituer l'hydrogène à l'air chaud. Aujourd'hui on gonfle encore avec de l'hydrogène certains aérostats ; mais dans les ascensions ordinaires on se sert du gaz d'éclairage, qui a l'inconvénient d'être plus dense, mais qu'on peut se procurer beaucoup plus facilement. A tous égards, l'hydrogène est préférable, et le reproche qu'on lui a fait d'être plus diffusible à travers les enveloppes est sans conséquence avec les tissus actuels. Ce sont ces enveloppes à gaz qu'on appelle des *ballons*, nom qu'on donne aussi communément aux aérostats, c'est-à-dire à l'appareil complet, à l'ensemble de tout ce qui est suspendu dans l'atmosphère.

59. Description d'un ballon ordinaire. — Un ballon ordinaire (*fig.* 78) se compose essentiellement d'une enveloppe sphérique constituée par de longs fuseaux de tissus de coton ou mieux de soie, enduits de plusieurs couches d'un vernis spécial à base d'huile de lin (*vernis à ballons*) qui les rendent imperméables et ne laissent aucune fissure par où le gaz puisse s'échapper. Cette enveloppe, gonflée *complètement* au départ avec un gaz léger, se termine à la partie inférieure par un large orifice circulaire muni d'une *manche d'appendice*. Cette manche communique librement **avec** l'atmosphère; c'est par là que s'échappe l'excès de gaz

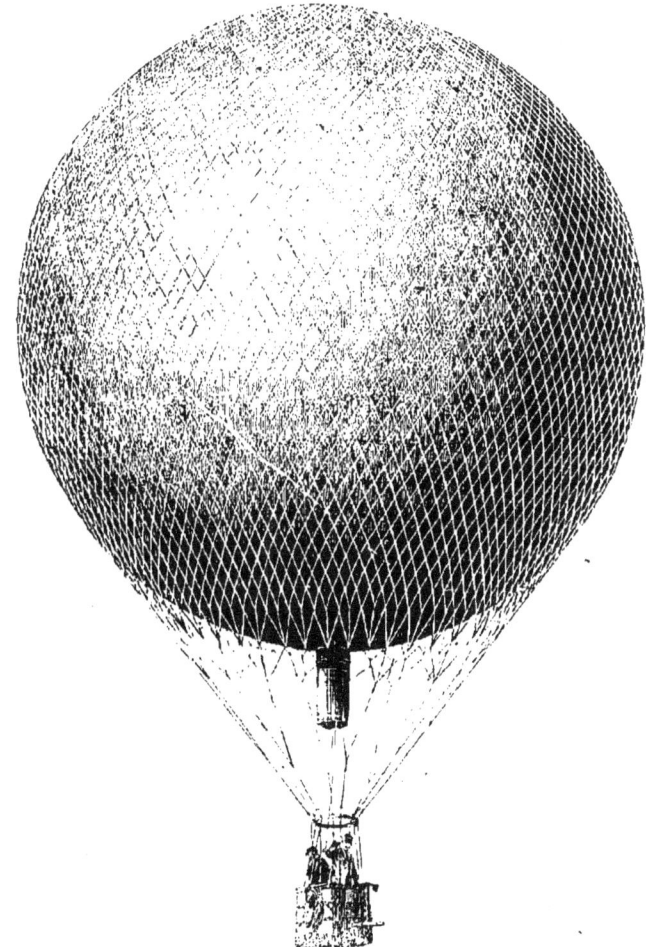

Fig. 78. — Ballon ordinaire.

du ballon quand sa force élastique devient supérieure à celle de l'air ambiant. C'est ce qui se produit à mesure

que le ballon s'élève dans des couches où l'air est plus
raréfié, ou encore quand, soustrait par des nuages

Fig. 79. — Nacelle d'un ballon ordinaire et ses accessoires.

à l'ardeur du soleil, il reçoit tout à coup les rayons de cet
astre. Si au contraire — pour descendre par exemple —
on a besoin de diminuer la force élastique du gaz du

ballon, on en fait échapper une partie au moyen d'une soupape placée à la partie supérieure et que l'on peut de la nacelle ouvrir à volonté en tirant une corde ou de toute autre façon. Tout l'hémisphère supérieur du ballon est recouvert d'un filet dont les mailles vont aboutir, par l'intermédiaire de *pattes d'oie*, à un cercle de bois. Une nacelle en osier (*fig.* 79), suspendue à ce cercle, est destinée à recevoir les aéronautes et un certain nombre d'accessoires : sacs de toile remplis de sable constituant le *lest* destiné à régler l'ascension, rouleau de corde appelé *guide-rope* que l'on file au moment de la descente, ancre pour l'atterrissage, boussole, baromètre pour la détermination approximative de l'altitude, thermomètre, etc.

Le guide-rope est destiné à faciliter l'atterrissage ; sa longueur est très variable ; mettons une centaine de mètres. Dès qu'une partie de cette corde traîne à terre, elle déleste l'aérostat d'autant et modère la descente ou même l'enraye complètement. S'il fait un vent modéré, le traînage du guide-rope à terre a encore cet avantage d'offrir de la résistance au déplacement du ballon dans le sens horizontal. Cet agrès permet donc de donner du temps pour choisir le point où l'on devra atterrir ; il indique d'ailleurs par sa longueur si l'on se trouve à une distance de terre qui permet de jeter utilement l'ancre, dont la corde a une quarantaine de mètres. Quelquefois, le guide-rope est simplement saisi par les paysans, qui amènent doucement le ballon à eux.

60. Force ascensionnelle. — *La force ascensionnelle d'un aérostat à un moment donné est la force, verticale et dirigée de bas en haut, qui le sollicite à s'élever.* Soient P le poids de l'air déplacé par l'aérostat, P' le poids du gaz qu'il renferme, A le poids des accessoires (enveloppe, nacelle, etc.), f la force ascensionnelle. On a, d'après le principe d'Archimède,

$$P = P' + A + f,$$

d'où $$f = P - (P' + A).$$

Au départ, la force ascensionnelle que l'on doit donner à un aérostat est très variable. Elle dépend principalement de la vitesse du vent et du plus ou moins de proximité des obstacles à éviter, monuments ou arbres. Elle dépend aussi du volume du ballon et du but de l'ascension. En général, dans les ascensions ordinaires, par un beau temps calme, un aéronaute habile part avec une très faible force ascensionnelle, quelques kilogrammes ; mais il est bien évident que si, au contraire, on a à lutter contre un vent très violent ou, en temps de guerre, à échapper aux balles de l'ennemi, on donnera à son ballon une force ascensionnelle élevée, 50^{kg}, 60^{kg}, peut-être même 80^{kg}.

A mesure que le ballon s'élève, la force élastique de l'air qui l'entoure diminue, le gaz se dilate, et l'excès de ce gaz s'échappe par l'appendice. En même temps la poussée diminue, car le volume d'air déplacé reste le même tandis que son poids spécifique devient moindre ; la force ascensionnelle décroît et finit par devenir nulle. Le ballon est alors en équilibre dans l'atmosphère, et il y resterait indéfiniment si une foule de causes ne venaient modifier cette situation. Parmi ces causes inéluctables ou simplement possibles, nous citerons : le dépôt d'humidité sur l'enveloppe (dépôt qui atteint facilement 100^{kg}, et même beaucoup plus avec un gros ballon : il peut s'élever à 250^{g} par mètre carré de surface) ; la fuite du gaz non pas par exosmose (c'est insignifiant), mais par un grand nombre de petits trous souvent imperceptibles ; le refroidissement du gaz par suite de la diminution du rayonnement solaire causée par un nuage. Toutes ces causes tendent à faire descendre le ballon. Or, dès qu'un ballon commence à descendre, il cesse d'être complètement gonflé, son volume diminue ; il varie en raison inverse de la pression ambiante ; par contre, la force ascensionnelle du mètre cube de gaz augmente en raison directe de cette pression. Ainsi que l'a fait remarquer le colonel Renard, il résulte de la loi de Mariotte que ces deux effets se compensent exactement et que l'aérostat soumis à une force descendante la conserve intégralement pendant sa descente ; il ne doit s'arrêter qu'au contact du sol, à moins que cette force descendante ne soit supprimée. Cela peut arriver par suite d'un allègement dû à une circonstance extérieure (échauffement, dessication). En général, il n'y faut pas compter, et le seul moyen de ne pas aller à terre est de jeter du lest. On en jette aussi lorsqu'on veut s'élever ; mais la dépense la plus considérable de lest est celle qu'on fait pour éviter de descendre. Quelle que soit l'habileté de l'aéronaute, la provision de lest finit toujours par s'épuiser ; c'est pour cette raison que la durée des voyages aériens les plus longs n'a pas encore dépassé 36 heures.

Quand l'aéronaute veut descendre, il n'a qu'à attendre la première descente spontanée qui se produira infailliblement et à ne pas jeter de lest à ce moment ; s'il tient absolument à descendre à un moment donné, il agira sur la soupape pour laisser échapper du gaz :

le volume d'air déplacé diminuant, **le poids total** deviendra supérieur à la poussée.

64. Résultats des principales ascensions scientifiques. — **Ballons-sondes.** — Les principales ascensions entreprises dans un but purement scientifique ont démontré l'extrême sécheresse de l'air à partir d'une certaine hauteur, l'abaissement de température et surtout la diminution rapide du poids spécifique de l'air, ce qui gêne considérablement la respiration des aéronautes et les force à emporter des ballonnets remplis d'oxygène. On a reconnu ainsi que l'air a la même composition dans les hautes régions qu'à la surface du sol.

Gay-Lussac avait pu s'élever à plus de 7 000ᵐ. De nos jours, on a atteint 10 000ᵐ.

On explore maintenant sans danger les hautes régions de l'atmosphère en employant des ballons non montés, qui ont reçu le nom significatif de *ballons-explorateurs* ou *ballons-sondes*. Ces ballons emportent divers instruments automatiques : 1° un thermomètre enregistreur ; 2° un appareil à prise d'air composé essentiellement d'un réservoir métallique dans lequel on a fait le vide, qui s'ouvre, à une altitude réglée à l'avance, par la rupture d'un tube de verre et se ferme par la fusion du même tube aussitôt la prise d'air faite ; 3° un barothermographe, inscrivant à la fois la pression et la température sur un même cylindre enduit de noir de fumée. Ce dernier instrument est protégé contre les chocs lors de l'atterrissage par une boîte métallique. Le poids de l'ensemble du ballon et des appareils ne dépasse généralement pas 60ᵏᵍ.

Depuis 1892, un certain nombre de sondages ont été effectués dans les hautes régions atmosphériques par MM. Hermite et Besançon avec un ballon explorateur, l'*Aérophile*, gonflé au gaz d'éclairage. La plus célèbre exploration est celle du 14 novembre 1896, qui était internationale : des ballons-sondes furent lancés le même jour de Paris, Berlin et Saint-Pétersbourg ; l'*Aérophile* retomba en Belgique après s'être élevé à 15 000ᵐ et avoir subi un froid de — 63° ; le ballon russe et le ballon allemand firent explosion en l'air après s'être élevés, le premier à 14 500ᵐ environ, le second à 5 800ᵐ. En 1897, l'*Aérophile* a atteint 17 000ᵐ.

Ces expériences sont appelées à rendre les plus grands services à la météorologie ; elles permettront de résoudre sans péril une multitude de problèmes, tels que ceux qui touchent à la température de l'atmosphère à de grandes altitudes, à la composition de l'air de la haute atmosphère, à la vérification des formules barométriques pour la mesure des altitudes, etc.

62. Direction des ballons. — Les ballons ordinaires sont entraînés par le vent qui règne dans la région où ils se trouvent. Tout ce que peut l'aéronaute, c'est de faire varier la force ascension-

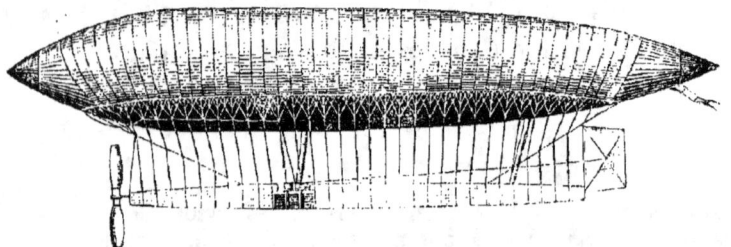

Fig. 80. — Aérostat dirigeable des capitaines Ch. Renard et Krebs.

nelle de manière à accélérer ou ralentir le mouvement du ballon dans le sens vertical. Un grand nombre d'essais ont été tentés pour diriger les ballons dans le sens horizontal quelle que soit la direction du vent : ils consistent en principe à employer à la fois une hélice pour prendre un point d'appui sur l'air et un gouvernail pour régler la direction. La grande difficulté de ces essais consiste à trouver un moteur assez léger et surtout suffisamment puissant pour pouvoir communiquer au ballon une vitesse supérieure à celle du vent. En 1884, les capitaines Ch. Renard et Krebs firent avec l'aérostat dirigeable *la France* (*fig.* 80) une ascension restée célèbre. Cet aérostat avait une forme allongée spéciale (longueur 50ᵐ) ; il était muni à l'avant d'une hélice actionnée par un moteur électrique et donnant une vitesse de 6ᵐ,50 à la seconde ; à l'arrière, d'un gouvernail ; enfin la nacelle avait la forme d'une longue yole laissant au milieu une place pour les aéronautes. L'ascension eut lieu à l'établissement aérostatique militaire de Chalais, près de Meudon ; l'aérostat, laissé libre, s'éleva d'abord à une certaine hauteur, puis l'hélice fut mise en mouvement et, grâce à son impulsion, les aéronautes purent s'éloigner d'environ 4ᵏᵐ dans une direction voulue, tourner sur eux-mêmes malgré un vent faible et revenir planer à 300ᵐ au-dessus du point de départ.

Depuis cette époque, de laborieuses recherches ont été entreprises dans différents pays pour améliorer les résultats précédents. Les immenses progrès de l'automobilisme ont apporté à la solution du problème un secours inespéré, en fournissant des moteurs qui, à puissance égale, sont de plus en plus légers. Le moteur électrique employé par MM. Renard et Krebs pesait 75^{kg} par cheval; à l'heure actuelle, on a des moteurs électriques de 4^{kg},5 par cheval; à vapeur, de 3^{kg},6; à pétrole, de 3^{kg},2. Ces ressources ont été mises à profit par un intrépide aéronaute, M. Santos-Dumont, qui, en juillet 1901, avec un aérostat en forme de cigare, comme celui de MM. Renard et Krebs, mais ayant de plus la faculté de s'incliner par rapport à l'horizontale, a pu se diriger à volonté tant que le vent ne dépassait pas 7 à 8^m par seconde. Un aérostat construit d'après les données scientifiques acquises à ce moment-là, aurait permis de lutter contre un vent de 11^m. Avec les moteurs actuels, on peut se diriger en faisant 12 à 15^m par seconde, en l'absence de tout vent, bien entendu.

Les *aéroplanes*, appareils « plus lourds que l'air » imitant le vol plané des oiseaux, fournissent du reste une solution tout à fait différente et qui devient de jour en jour plus pratique du problème de la navigation aérienne.

Le monoplan avec Blériot et de Lesseps dans la traversée de la Manche: le biplan avec Farman (parcours de 232^{km} à Châlons en 4 h. 47): avec Paulhan (voyage de Londres-Manchester, 298^{km} en 4 h. 12), etc., se sont, en effet, révélés comme des engins d'un maniement plus commode sinon plus sûr et d'une rapidité plus grande que les dirigeables. Aussi peut-on prévoir le rôle considérable qu'ils seront appelés à jouer dans l'avenir et tout particulièrement en cas de guerre où leur volume restreint et les hauteurs auxquelles ils s'élèvent dès maintenant (plus de 1000^m) leur permettent d'échapper aux moyens de destruction de l'ennemi et même à ses regards.

RÉSUMÉ DU CHAPITRE VIII

Le principe d'Archimède est applicable aux gaz : *Tout corps plongé dans un gaz subit une poussée égale au poids du gaz déplacé.* Dans la grande majorité des cas, le poids d'un corps est supérieur à la poussée exercée par l'air, et il tombe, entraîné par son poids apparent. Si le poids est inférieur à la poussée, le corps s'élève (fumée, aérostats).

Les aérostats sont des appareils qui peuvent s'élever dans l'atmosphère parce que leur poids total est inférieur à la poussée qu'ils subissent. Les premiers furent gonflés avec de l'air chaud (montgolfières); aujourd'hui on les gonfle avec du gaz d'éclairage, plus rarement avec de l'hydrogène Un ballon ordinaire comprend une enveloppe imperméable, maintenue par un filet, et une nacelle destinée à contenir les aéronautes et les accessoires (lest, baromètre, etc.) ; l'enveloppe est complètement gonflée au départ. La force ascensionnelle est la force qui sollicite le ballon à s'élever; elle est égale à la différence entre la poussée exercée par l'air sur le ballon tout entier et son poids total.

Les ascensions entreprises dans un but scientifique ont montré que le poids spécifique de l'air décroît rapidement à mesure qu'on s'élève, et que dans les hautes régions l'air est très sec et très froid.

EXERCICES SUR LE CHAPITRE VIII

18. Un cube de 10^{cm} de côté a une masse égale à 78^g dans le vide. On demande son poids apparent dans l'air, évalué en dynes. La masse d'un cent. cube d'air dans les conditions où l'on considère le corps est $0^g,001293$.

19. On demande le volume d'un aérostat rempli d'hydrogène capable d'enlever $1\,250^{kg}$ avec une force ascensionnelle de 10^{kg}.
On négligera le volume de l'enveloppe et celui de la nacelle.

20. Calculer la force ascensionnelle d'un ballon sphérique de taffetas dont l'enveloppe vide pèse $50^{kg},896$, et qui est rempli d'hydrogène, sachant que le taffetas verni pèse $0^{kg},200$ le mètre carré, le mètre cube d'air $1^{kg},300$, et le mètre cube d'hydrogène $0^{kg},100$.

21. Un aérostat, de parois inextensibles, complètement gonflé d'hydrogène sous la pression extérieure de 76^{cm} et dont les agrès pèsent 100^{kg}, possède au départ une force ascensionnelle de 10^{kg}. A quelle auteur s'élèvera-t-il si l'on admet que la température ne varie pas, mais que la pression atmosphérique diminue régulièrement de 1^{mm} par 10^m d'ascension ?
Densité de l'hydrogène 0,07.

CHAPITRE IX

ÉLASTICITÉ DES GAZ

---

63. Variation de la force élastique des gaz. — Quand on comprime progressivement un gaz, comme dans le briquet à air (48), on éprouve une résistance de plus en plus grande ; cela tient à ce que plus le volume du gaz diminue, plus sa force élastique augmente.

La figure 81 représente un appareil qui permet d'étudier

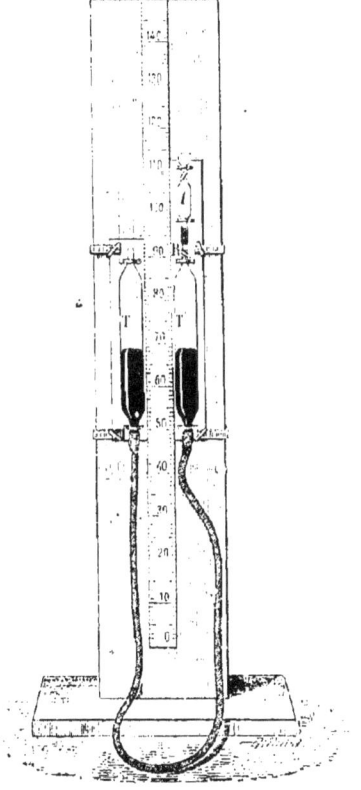

Fig. 81. — Appareil pour établir la loi de Mariotte.

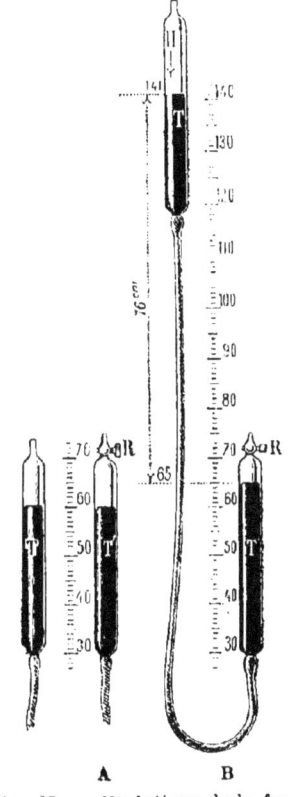

Fig. 82. — Variations de la force élastique pour les pressions supérieures à la pression atmosphérique.

les variations de la force élastique d'un gaz en fonction de son volume.

Il se compose de deux gros tubes de verre (qui n'ont pas nécessairement, comme sur notre figure, la même longueur et la même section) contenant du mercure et communiquant entre eux par un long tube de caoutchouc. Ces tubes sont fixés sur des pièces de bois mince, disposées de façon à pouvoir glisser facilement le long d'une planchette, de part et d'autre d'une division en centimètres tracée sur cette planchette. Des pinces de serrage permettent d'arrêter les tubes quand il en est besoin. L'un des tubes, T, est ouvert à l'air libre ; l'autre, T', peut être fermé par un robinet de verre R disposé à sa partie supérieure.

On ouvre le robinet R. Les deux tubes forment alors un système de vases communicants où les niveaux du mercure s'établissent sur un même plan horizontal. On déplace ensuite le tube T de façon que le niveau du mercure soit, dans le tube T', à 10^{cm}, par exemple, au-dessous du sommet (fig. 82, A). Si, à ce moment, on ferme le robinet R, on aura enfermé dans le tube T' 10^{vol} d'air sous la pression H, 76^{cm} par exemple, donnée par le baromètre au moment de l'expérience.

I. Variations de la force élastique pour les pressions supérieures à la pression atmosphérique. — Le tube T' restant fixe, on soulève le tube T : la force élastique de l'air emprisonné dans le tube T' augmente, tandis que son volume diminue. Supposons qu'on immobilise le tube T lorsque le niveau du mercure est à 5^{cm} du sommet du tube T' (fig. 82, B) ; on verra qu'à ce moment la différence des niveaux du mercure dans les deux tubes est précisément égale à la hauteur barométrique, à laquelle elle s'ajoute pour comprimer l'air enfermé dans le tube T'. On en conclut que le volume de l'air a diminué de moitié lorsqu'on lui a fait subir une pression double.

Variations de la force élastique pour les pressions infé-

rieures à la pression atmosphérique. — L'appareil étant
disposé comme avant l'expé-
rience précédente (*fig.* 83, A), on
abaisse le tube T au lieu de l'élever : la force élastique de l'air
emprisonné dans le tube T' diminue, tandis que son volume
augmente. Supposons qu'on immobilise le tube T lorsque le
niveau du mercure est à 20^{cm} du
sommet du tube T'. Le volume de
l'air a doublé, et sa force élastique est représentée par la colonne barométrique H agissant
au-dessus du tube T, diminuée
de la différence des niveaux du
mercure dans les deux tubes. Or
on constate que cette différence est
égale à $\dfrac{H}{2}$. Donc le volume de
l'air ayant doublé, sa force élastique a diminué de moitié.

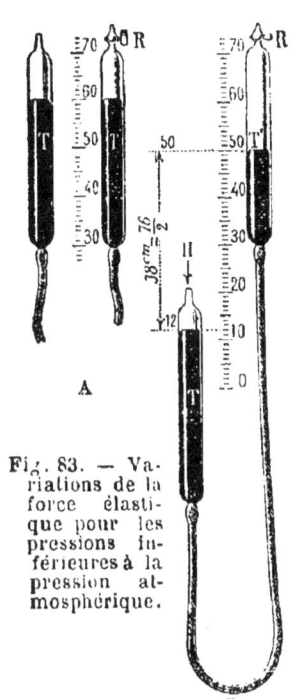

Fig. 83. — Va-
riations de la
force élasti-
que pour les
pressions in-
férieures à la
pression at-
mosphérique.

64. Énoncé de la loi de Mariotte. — On déduit des expé-
riences précédentes que la force élastique d'une même masse
gazeuse varie en raison inverse de son volume. Cette loi établie
par Mariotte peut être énoncée d'une autre façon en tenant
compte de ce que lorsqu'un gaz est en équilibre sa force
élastique est égale à la pression qu'il supporte : Les volumes
occupés successivement par une même masse gazeuse sont inversement proportionnels aux pressions qu'elle supporte.

Nous verrons plus loin (122) que la force élastique d'un gaz dépend
aussi de la température du gaz.

65. Formules qui expriment la loi de Mariotte. — Soient V le volume occupé par une masse gazeuse sous la pression de H^{cm} de mercure, V′ le volume de la même masse sous la pression H′; on a, d'après la loi de Mariotte,

$$\frac{V}{V'} = \frac{H'}{H},$$

d'où
$$VH = V'H'.$$

Cette relation exprime que *le produit du volume d'une masse gazeuse par la pression qu'elle supporte est constant.*

66. La loi de Mariotte est une loi limite. — La loi de Mariotte, vérifiée comme nous l'avons vu plus haut, fut pendant longtemps regardée comme une loi exacte, applicable à tous les gaz en général. Des expériences précises, faites successivement par Regnault, par M. Cailletet et M. Agamat, ont montré que, pour des pressions un peu fortes, la loi de Mariotte ne s'applique rigoureusement à aucun gaz; on peut dire que c'est une loi *limite*, car les gaz s'en écartent d'autant moins que leur température est plus élevée.

A la température ordinaire, tous les gaz, sauf l'hydrogène, sont plus compressibles que ne l'indique la loi de Mariotte, mais l'écart n'est assez notable que pour les gaz facilement liquéfiables, comme le gaz sulfureux, le gaz ammoniac; dans tous les cas, l'écart augmente avec la pression, et si le gaz est à une température trop élevée pour être liquéfié par pression, il passe par un maximum de compressibilité, puis devient moins compressible que ne l'indique la loi. L'hydrogène ne se comporte comme les autres gaz qu'à de basses températures ; à la température ordinaire, il se comprime moins que ne l'indique la loi de Mariotte, et sa compressibilité diminue sans cesse à mesure que la pression augmente.

En résumé, les écarts entre la loi de compressibilité des gaz et la loi de Mariotte sont tellement faibles, surtout lorsqu'il s'agit de gaz difficilement liquéfiables et lorsque la pression est peu élevée, qu'on peut les négliger dans la pratique et dans les calculs qui ne nécessitent pas une très grande précision.

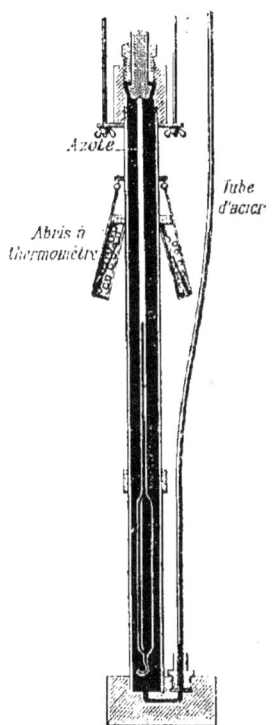

Fig. 84. — Appareil de M. Cailletet.

6̃. Expériences de MM. Cailletet et Amagat. — M. Cailletet a étudié la compressibilité de l'azote en profitant d'un puits artésien en forage à Paris, à la Butte-aux-Cailles (1879). Le gaz était comprimé dans un tube en verre de forme spéciale (*fig.* 84), doré intérieurement et fixé verticalement dans un cylindre étroit en acier. Ce cylindre, plein de mercure, communiquait par sa partie inférieure avec un long tube d'acier flexible, terminé par un réservoir à mercure exposé à l'air libre. On descendait le cylindre dans le puits en même temps qu'on déroulait le tube latéral ; le gaz se trouvait comprimé, le mercure montait dans le tube en dissolvant la couche d'or et faisait ainsi connaître le volume minimum auquel le gaz avait été réduit. M. Cailletet a trouvé que la compressibilité de l'azote atteint un maximum pour la pression de 60^m de mercure, après quoi le produit VH augmente et l'azote devient d'autant moins compressible que la pression est plus forte.

M. Amagat, en étudiant par comparaison la compressibilité des divers gaz, a montré que tous les gaz, à l'exception de l'hydrogène, présentent un maximum de compressibilité, autrement dit un

minimum du produit VH pour une pression déterminée (60ᵐ de
mercure pour l'azote, 100ᵐ pour l'oxygène, etc.). Pour l'hydrogène, le
produit VH va toujours en croissant. Enfin, M. Amagat a aussi étudié
la compressibilité des gaz à diverses températures ; il a montré que
les gaz dont la liquéfaction est relativement facile et qui
s'écartent notablement de la loi de Mariotte aux basses

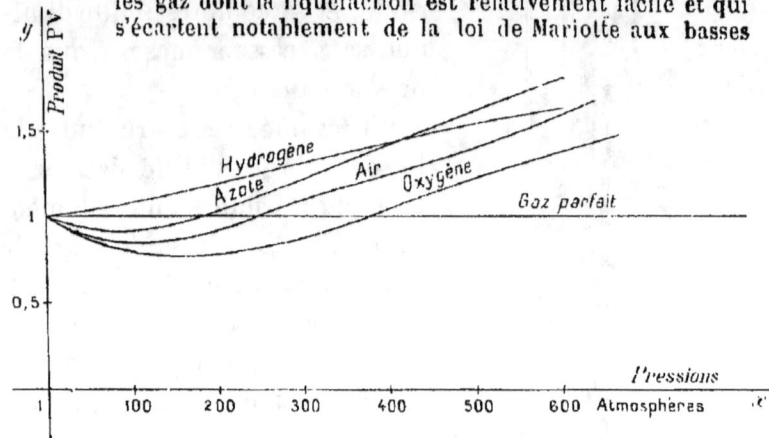

Fig. 85. — Graphique de la loi de Mariotte.

températures, comme le gaz sulfureux, le gaz carbonique, s'en
écartent de moins en moins quand la température s'élève.

Le graphique ci-dessus (*fig.* 85) indique la manière dont quelques
gaz, considérés à 0°, s'éloignent de la loi de Mariotte.

MANOMÈTRES

68. Définition. — Les manomètres sont des instruments destinés à mesurer la force élastique des gaz et des vapeurs ou les
pressions exercées par des liquides.

Il existe différentes sortes de manomètres. Quand on
équilibre la force élastique à mesurer par une colonne
de liquide qui s'élève dans un tube ouvert, on dit que le
manomètre est *à air libre.* Dans les *manomètres métalliques,*
on utilise la déformation momentanée que subit, sous la
pression, un tube en spirale à parois minces et flexibles.
Enfin, il existe des manomètres, dits *à piston,* qui sont
une simple réalisation de la définition de la pression.

69. Manomètres à air libre. — Le manomètre à air

libre le plus simple se compose d'un tube de verre
recourbé (*fig.* 86) contenant un liquide coloré. Si on
relie ce tube par une extrémité à une conduite de gaz
d'éclairage, on observe une différence de niveau *h* qui,

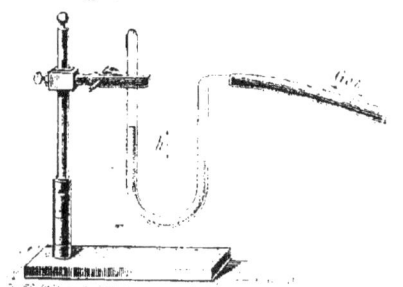

Fig. 86. — Manomètre à eau.

augmentée de la pression atmosphérique, indique la force élastique du gaz d'éclairage.

Le manomètre à mercure est
un manomètre de précision indiquant très exactement la hauteur
de la colonne mercurielle dont le
poids fait équilibre à la force élastique à mesurer. Il se compose de
deux tubes de verre d'inégale
longueur (*fig.* 87), mastiqués dans

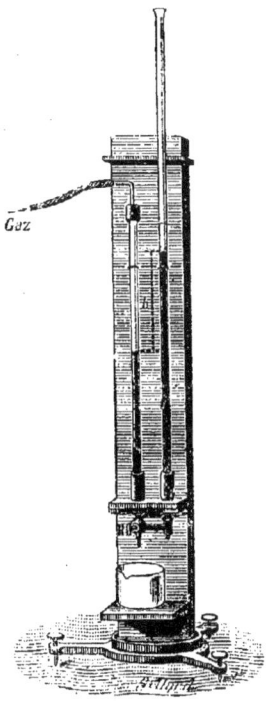

Fig. 87. — Manomètre
à mercure.

les branches d'une garniture de fonte deux fois recourbée.
Le tube le plus long s'ouvre librement dans l'atmosphère ; l'autre peut être mis en communication avec le
récipient contenant le gaz ou la vapeur.

Supposons que l'on fasse arriver dans le manomètre un
gaz dont la force élastique F soit supérieure à la pression
atmosphérique au moment de l'expérience ; le niveau du
mercure baisse dans le petit tube, tandis qu'il monte dans

le grand. La force élastique du gaz est équilibrée par la pression atmosphérique augmentée de la différence de niveau *h* du mercure dans les deux tubes. La longueur *h* se mesure au cathétomètre (54).

Lorsqu'on a à mesurer des pressions plus fortes, on forme le grand tube de plusieurs tubes superposés, ou bien on substitue au verre un tube d'acier étiré, flexible, que l'on peut dérouler plus ou moins suivant la grandeur de la force élastique à mesurer.

Manomètre barométrique. — Ce manomètre sert pour mesurer les forces élastiques inférieures à la pression atmosphérique.

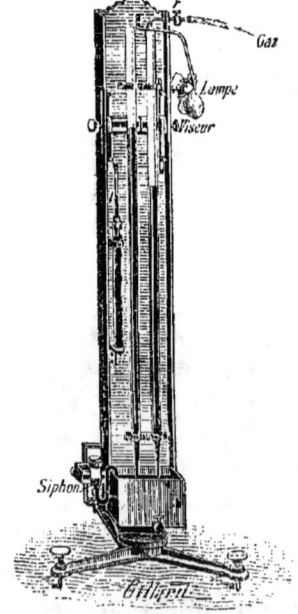

Il se compose d'un tube barométrique et d'un tube manométrique, plongeant par leur extrémité effilée dans une cuvette de fonte (*fig.* 88). Lorsque le tube manométrique reçoit un gaz dont la force élastique est inférieure à la pression atmosphérique, le mercure monte dans ce tube et la force élastique du gaz est représentée par la différence verticale h^{om} des niveaux du mercure dans les deux tubes. Cette différence se mesure au cathétomètre ; la lecture est facilitée par de petits écrans mobiles à crémaillère, placés derrière les tubes et portant un viseur spécial (bande noire entre deux bandes blanches) éclairé par une lampe électrique.

Fig. 88. — Manomètre barométrique modifié par M. Leduc.

70. Manomètres industriels.
— Les manomètres industriels par excellence sont les manomètres *métalliques*, qui présentent sur les manomètres précédents les avantages de ne pas exiger de mercure, d'être portatifs, d'un prix relativement peu élevé et de donner des indications rapides.

Manomètre de Bourdon. — C'est le manomètre industriel le meilleur et le plus employé. Il sert aussi bien à
mesurer des pressions d'eau que des forces élastiques de
vapeur. Il se compose essentiellement d'un tube en bronze
spécial, mince, à section elliptique. Ce tube est enroulé
en spirale, comme le montre la figure 89 ; son extrémité
supérieure, libre et fermée, porte une aiguille indicatrice,
l'extrémité inférieure, ouverte, est fixée à une tubulure à
robinet R qu'on relie à la chaudière (nous supposons le
manomètre employé pour de la vapeur) par un tube
recourbé rempli d'eau. La vapeur n'agit donc pas directement sur la spirale, mais par l'intermédiaire d'un matelas

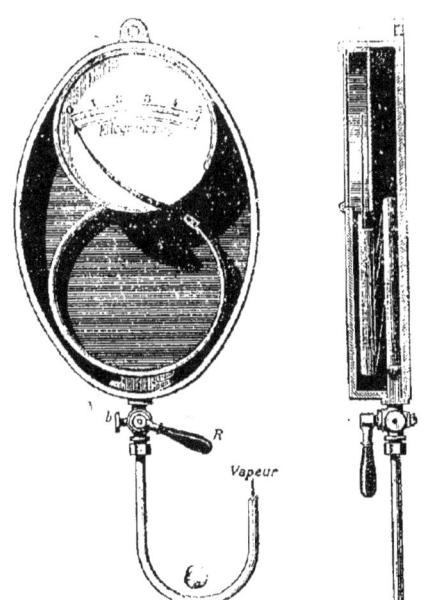

Fig. 89. — Manomètre de Bourdon.

d'eau. Quand la pres-
sion intérieure aug-
mente, la spirale tend
à se dérouler, ce qui
fait avancer l'aiguille
sur le cadran ; le
contraire se produit
quand la pression di-
minue.

Les variations con-
sidérables de pression
auxquelles sont soumis
les manomètres indus-
triels modifient lente-
ment l'élasticité du
métal ; aussi leur gra-
duation doit elle être
de temps en temps vé-
rifiée. Le robinet R
(*fig.* 89), est à trois

voies ; il porte une bride *b* permettant d'y fixer le manomètre étalon qui sert à la vérification.

Graduation des manomètres industriels. — On gradue

ces manomètres par comparaison avec un manomètre
à mercure. En France, sur tous les manomètres destinés
aux générateurs et récipients de vapeur les pressions sont
obligatoirement indiquées en kilogrammes par centimètre
carré (52).

En Angleterre, on gradue d'une façon analogue: en livres
par pouce carré. En Belgique, la graduation se fait encore
en atmosphères.

Ce ne sont pas les pressions réelles qu'indiquent les manomètres des chaudières, mais bien les pressions *effectives*,
agissantes, celles qui affectent la résistance des tôles, les
seules qui importent: la graduation correspond donc à la
différence entre la pression réelle de la vapeur, qui agit d'un
côté de la tôle, et la contrepression ou pression atmosphérique, qui agit sur la force opposée. C'est ce qui explique
pourquoi la graduation part de 0^{kg} au lieu de 1^{kg}.

Suivant l'usage auquel on les destine, les manomètres portent des graduations différentes. Pour certaines industries
on les gradue en indiquant, au lieu des forces élastiques de
la vapeur d'eau, les températures correspondantes. Quelque-

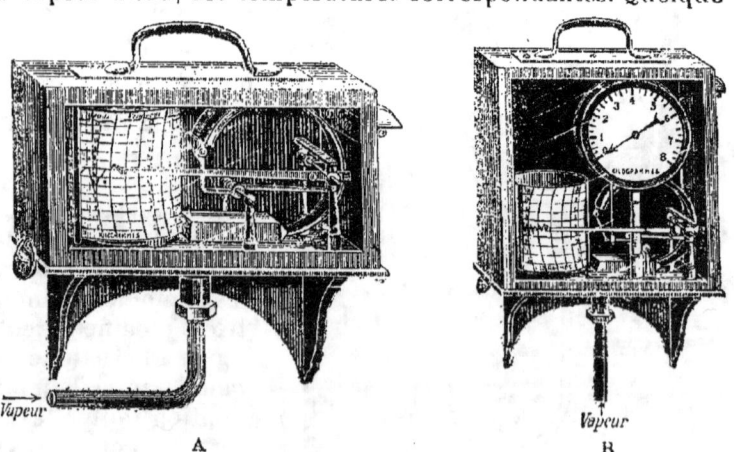

Vapeur

A

Vapeur

B

Fig. 90. — Manomètres enregistreurs Richard.
A. Manomètre simple. — B. Manomètre avec cadran.

fois, on les gradue en profondeurs d'eau (sous-marins), en
hauteurs d'eau (Cies des eaux, du gaz, horloges pneumatiques), etc.

Manométres enregistreurs. — Comme les baromètres
anéroïdes (55), les manomètres métalliques se prêtent
à l'enregistrement des pressions. La figure 90 représente deux modèles de manomètres enregistreurs. Le
tuyau de vapeur s'adapte directement sur les conduites
existantes.

Les manomètres enregistreurs sont très utiles à l'industrie ; leur emploi permet de contrôler facilement la
marche des foyers, tant au point de vue de la dépense de
combustible qu'à celui de la sécurité.

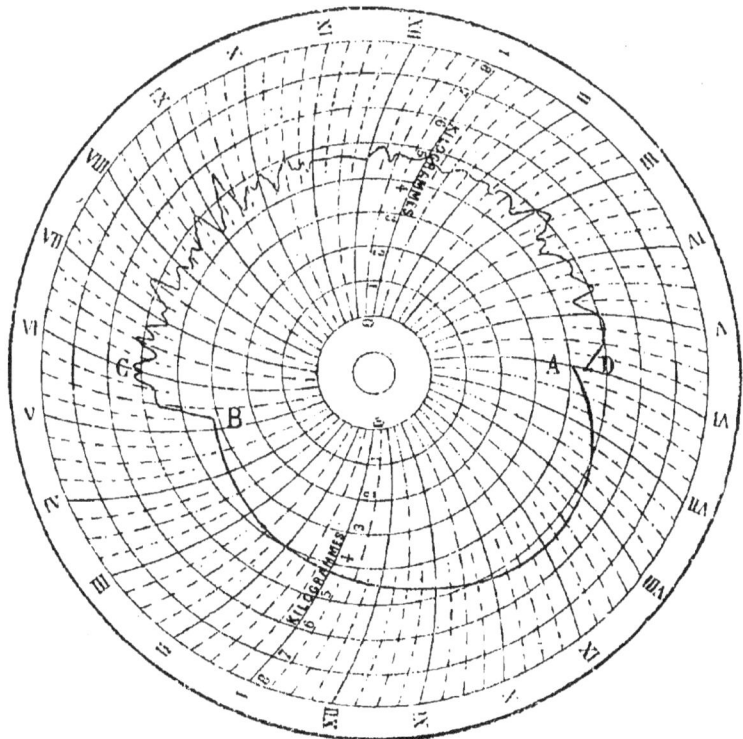

Fig. 91. — Courbe donnée par un manomètre enregistreur Bourdon.

La figure 91 représente une courbe donnée par un manomètre enregistreur. Elle se compose de trois parties.

1° Le cadran a été mis en place à 6ʰ du soir, au moment de l'arrêt de la machine. On voit qu'en raison de la chaleur accumulée dans le fourneau, la pression, qui était de 4ᵏᵍ au point A, s'est élevée graduellement, pour redescendre ensuite à 3ᵏᵍ au point B vers 5ʰ du matin.

2° A ce moment le feu ayant été rallumé, la pression s'est élevée depuis B jusqu'à C, heure de la mise en marche de la machine.

3° De C en D, période de travail, la courbe montre toutes les variations de la pression qui se sont produites dans le générateur.

Manomètres à piston. — Les manomètres à piston sont surtout des appareils de laboratoire et d'atelier. Ils sont em-

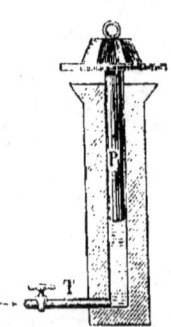

Fig. 92. — Principe des manomètres à piston.

ployés par les constructeurs pour graduer par comparaison les manomètres métalliques destinés à mesurer de très fortes pressions (jusqu'à 3000ᵏᵍ), comme en produisent par exemple les presses hydrauliques. C'est qu'au delà d'une certaine dimension, les manomètres à mercure cessent vite d'être maniables.

Les manomètres à piston se composent d'un cylindre d'acier à parois très épaisses dans lequel s'engage un piston P (*fig.* 92). On presse avec de l'huile et on empêche le piston de se soulever en le chargeant de poids.

Supposons un piston pesant 5ᵏᵍ et ayant une section de 3ᶜᵐ². Si on a dû le charger de 10ᵏᵍ par exemple, pour équilibrer la force élastique à mesurer, cette force élastique a pour valeur $10 + 5 = 15$ᵏᵍ augmentés de 3ᵏᵍ pour la pression atmosphérique, soit 18ᵏᵍ. La force élastique cherchée est donc de $\frac{18}{3} = 6$ᵏᵍ par cent. carré.

En réalité, les manomètres à piston sont construits de manière à ne pas exiger l'emploi de poids par trop considérables; grâce au principe de la bascule, l'action des poids dont on fait usage se trouve multipliée; aussi appelle-t-on encore ces manomètres des *compresseurs à balance*.

MÉLANGE DES GAZ

71. Expériences. — Quand on prépare des gaz à odeur piquante, comme l'acide chlorhydrique, l'anhydride sulfureux, ou des gaz à odeur désagréable, comme le chlore, l'acide sulfhydrique, on sent rapidement cette odeur dans la salle où on fait les préparations. Si l'on remplit à moitié un flacon de chlore à sec et qu'on le bouche hermétique-

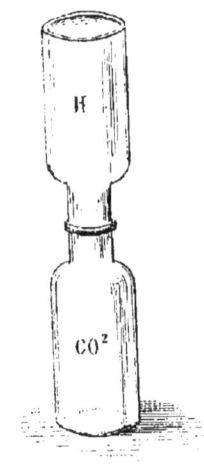

ment, on voit bientôt la couleur verte du gaz se propager dans le flacon tout entier. Une autre expérience montre aussi que les gaz mis en contact ne se séparent pas, comme les liquides, par ordre de poids spécifiques. On prend deux flacons de verre identiques à bords rodés, on remplit le premier d'hydrogène, le second d'anhydride carbonique, puis on les place l'un au-dessus de l'autre, le flacon à hydrogène en haut (*fig.* 93). Au bout de quelques instants, on enlève le flacon d'hydrogène et on constate avec une flamme que le flacon d'anhydride carbonique contient de

Fig. 93. — Expérience montrant le mélange des gaz.

l'hydrogène, bien que cet anhydride soit 22 fois plus lourd que l'hydrogène.

72. Loi du mélange des gaz. — Des expériences plus précises ont établi que si plusieurs gaz n'exerçant aucune action chimique réciproque sont mis en contact, ils se mélangent intimement et d'une façon permanente, chacun d'eux occupant tout l'espace qui lui est offert. Ce phénomène, qui est une conséquence de l'expansibilité des gaz, s'appelle *diffusion des gaz*. Quant à la force élastique du mélange gazeux, elle est donnée par la loi suivante :

La force élastique d'un mélange de gaz sans action chimique réciproque est égale à la somme des forces élastiques de tous les gaz, considérés chacun comme occupant le volume total du mélange.

73. Formule générale du mélange des gaz. — Supposons qu'on introduise successivement dans un récipient de volume V des volumes v, v', v'', ... de gaz différents sous les pressions h, h', h'', ... Cherchons la force élastique finale H du mélange. Le premier gaz passant du volume v au volume V, sa force élastique x est donnée par la relation $vh = x\mathrm{V}$, d'où l'on tire $x = \dfrac{vh}{\mathrm{V}}$. De même, les forces élastiques h', h'', ... des autres gaz deviennent

$$x' = \frac{v'h'}{\mathrm{V}}, \qquad x'' = \frac{v''h''}{\mathrm{V}}, \quad \dots$$

On a donc, d'après la loi du mélange des gaz,

$$\mathrm{H} = \frac{vh}{\mathrm{V}} + \frac{v'h'}{\mathrm{V}} + \frac{v''h''}{\mathrm{V}} + \cdots$$

Chassons le dénominateur ; l'équation devient

$$\mathrm{VH} = vh + v'h' + v''h'' + \cdots,$$

ce qui conduit à l'énoncé suivant, très commode pour les calculs : *Le produit du volume d'un mélange de gaz par la force élastique finale est la somme des produits analogues pour chacun des gaz primitifs.*

SOLUBILITÉ DES GAZ

74. Dissolution des gaz. — Les liquides absorbent en plus ou moins grande quantité les gaz avec lesquels on les met en contact. La quantité de gaz dissous dans un liquide dépend : 1° de la *nature du gaz* ; ainsi le gaz ammoniac est très soluble dans l'eau ; l'hydrogène est au contraire très peu soluble ; 2° de la *nature du liquide* ; le gaz carbonique est plus soluble dans l'alcool que dans l'eau ; 3° de la *température* ; plus la température est élevée, plus la quantité de gaz dissous dans un liquide est faible ; 4° de la *pression* ; la quantité de gaz dissous est d'autant plus faible que la pression est moins élevée ; aussi une dissolution gazeuse placée dans le vide perd-elle tout son gaz.

75. Loi de Henry. — *Lorsqu'un gaz est en contact avec un liquide qui le dissout, il s'établit un rapport constant c, pour une même température, entre le volume v du gaz dissous (supposé mesuré sous la force élastique finale) et le volume V du dissolvant.*

Le rapport constant $c = \dfrac{v}{V}$ s'appelle le *coefficient de solubilité* du gaz. Quant à la force élastique finale du gaz dissous, elle est évidemment égale à la force élastique initiale quand l'atmosphère gazeuse est illimitée; elle en est différente quand l'atmosphère gazeuse est limitée. Dans ce dernier cas le gaz occupe, après la dissolution, le volume v' au dessus du liquide, plus le volume v ou cV à l'intérieur du liquide, ces volumes étant évalués sous la pression finale H' ; soient v_i le volume initial du gaz, H sa force élastique initiale; on a d'après la loi de Mariotte,

$$v_i H = (v' + cV) H'.$$

76. Loi de Dalton. — *Quand un liquide se trouve en présence de plusieurs gaz, chaque gaz se dissout comme s'il était seul, en tenant compte de la pression exercée par chacun d'eux.*

Considérons, par exemple, le cas de l'air atmosphérique en présence de l'eau : l'azote et l'oxygène se dissolvent séparément, avec leurs coefficients de solubilité propres ; seulement il faut tenir compte de ce que la force élastique de l'azote dans le mélange n'est que $\dfrac{78H}{100}$, et celle de l'oxygène $\dfrac{21H}{100}$, H représentant la pression atmosphérique. Le calcul montre que l'air dissous dans l'eau contient 33 % d'oxygène et 67 % d'azote en volume, ce qui est conforme aux résultats fournis par l'analyse.

RÉSUMÉ DU CHAPITRE IX

On étudie les variations de la force élastique des gaz avec deux tubes verticaux communicants, contenant du mercure. On amène d'abord le mercure à être sur un même plan horizontal dans les deux tubes, puis on enferme dans l'un des tubes, T' par exemple, un volume d'air déterminé sous la pression atmosphérique. T' restant fixe, on soulève l'autre tube, T, jusqu'à ce que le volume de l'air dans le tube T' soit réduit de moitié. La différence des niveaux du mercure dans les deux tubes est alors égale à une colonne barométrique. Donc, l'air subit une pression double lorsque son volume diminue de moitié.

Si, au lieu de soulever le tube T, on l'abaisse jusqu'à ce que le volume de l'air enfermé dans le tube T' soit devenu deux fois plus grand, la différence des niveaux du mercure devient égale à une demi-colonne barométrique. Donc le volume de l'air ayant doublé, sa force élastique (pression atmosphérique moins une demi-pression atmosphérique) a diminué de moitié.

On déduit de ces expériences que le produit du volume d'un gaz par la pression qu'il supporte est constant (loi de Mariotte). On exprime cet énoncé par la relation $VH = V'H'$.

La loi de Mariotte ne s'applique rigoureusement à aucun gaz ; c'est une loi *limite,* et les gaz s'en écartent d'autant moins que la température est plus élevée.

Les *manomètres* sont destinés principalement à mesurer la force élastique des gaz et des vapeurs. Les manomètres de précision sont des manomètres à air libre.

Le manomètre de Regnault se compose de deux tubes communicants, contenant du mercure ; la force élastique à mesurer est égale à la pression atmosphérique augmentée de la différence des niveaux du mercure.

Les manomètres industriels sont gradués en kilogrammes par centimètre carré ; le plus répandu est celui de Bourdon. Il est fondé sur les déformations que les variations de pression font éprouver à un tube à section elliptique enroulé en spirale ; une extrémité du tube est reliée à la chaudière ; l'autre extrémité porte une aiguille qui se meut devant un cadran divisé. On construit des manomètres métalliques enregistreurs.

Le *mélange des gaz* consiste en ce que plusieurs gaz sans action chimique réciproque étant mis en présence se mélangent intimement et d'une façon permanente. Cette diffusion est démontrée par une expérience qui consiste à mélanger de l'hydrogène et du gaz carbonique malgré la grande différence de leurs densités. Quand plusieurs gaz sont ainsi mélangés, la force élastique finale est la somme des forces élastiques qu'aurait chaque gaz s'il occupait seul le volume total à la même température.

EXERCICES SUR LE CHAPITRE IX

22. Un baromètre à cuvette, formé d'un tube uniforme de 4^{cm^2}, contient une petite quantité d'air dans sa chambre barométrique. On a fait une première lecture, qui a donné 748^{mm} pour la hauteur de la colonne de mercure et 122^{mm} pour la longueur de la chambre barométrique. Puis on soulève un peu le tube et on lit 750 et 141^{mm}.

On demande : 1° la pression barométrique vraie ; 2° la masse de l'air contenu dans la chambre.

23. Un tube de Torricelli en équilibre dans une cuvette en verre dont le fond est un long tube en fonte (cuvette profonde) contient 10ᶜᵐ³ d'air et la colonne de mercure soulevée est 25ᶜᵐ. On soulève le tube jusqu'à ce que le volume de l'air soit devenu 40ᶜᵐ³ ; la différence de niveau du mercure dans le tube et dans la cuvette devient 62ᶜᵐ,5. Quelle est la hauteur barométrique au moment de l'expérience ?

24. Une cloche à plongeur cylindrique, ayant une hauteur de 3ᵐ et une section de 6ᵐ, est descendue dans l'eau jusqu'à ce que son sommet se trouve à 10ᵐ,6 au-dessous de la surface. Quel volume V d'air faudra-t-il introduire à la pression extérieure, qui est 76ᶜᵐ, pour empêcher l'eau de s'élever dans la cloche ?

25. On considère un manomètre à air comprimé dont le tube est cylindrique et qui contient une colonne d'air de 80ᶜᵐ de hauteur sous la pression extérieure de 75ᶜᵐ de mercure. A quelle distance du sommet se fixe le niveau du liquide lorsque la pression exercée sur le niveau de la cuvette devient égale à 375ᶜᵐ ? On négligera l'abaissement de niveau du mercure dans la cuvette.

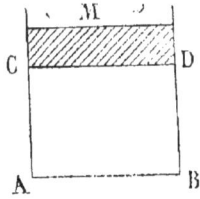

26. Une masse d'air à la pression de 3ᵃᵗ est emprisonnée dans un cylindre vertical ABCD par un piston M, de poids P. On note la distance CA = 10ᶜᵐ. On triple le poids P et on demande de calculer la hauteur dont descendra le piston dans le cylindre. Pression atmosphérique extérieure : 76ᶜᵐ de mercure ; densité du mercure : 13,6.

27. On mélange à 0° 10ᵍ d'oxygène et 3ᵍ,776 d'azote ; le volume total étant de 20ˡ et la température restant 0°, on demande quelle est, en centimètres de mercure, la force élastique du mélange. Densité de l'oxygène : 1,105 ; de l'azote ; 0,972.

28. On a un mélange d'oxygène et d'hydrogène dans les proportions des gaz de l'eau, à 0°. On demande quelle pression il faudrait exercer pour amener le volume de ce mélange à occuper celui de l'eau qui résulterait de leur combinaison, si la température était ramenée à 0° et si ces gaz suivaient la loi de Mariotte.

CHAPITRE X

POMPES A GAZ

77. Classification. — Les pompes à gaz sont destinées à raréfier ou à comprimer l'air ou tout autre gaz dans un récipient. On les divise en pompes à piston, pompes à mercure et trompes.

78. Principe d'une pompe à gaz. — La pompe à gaz la plus simple se compose d'un cylindre ou corps de pompe contenant un piston plein, et muni d'une ouverture latérale *o* située à la partie supérieure (*fig.* 94). Une soupape *s*, s'ouvrant de haut en bas, sert à expulser l'air contenu dans le corps de pompe.

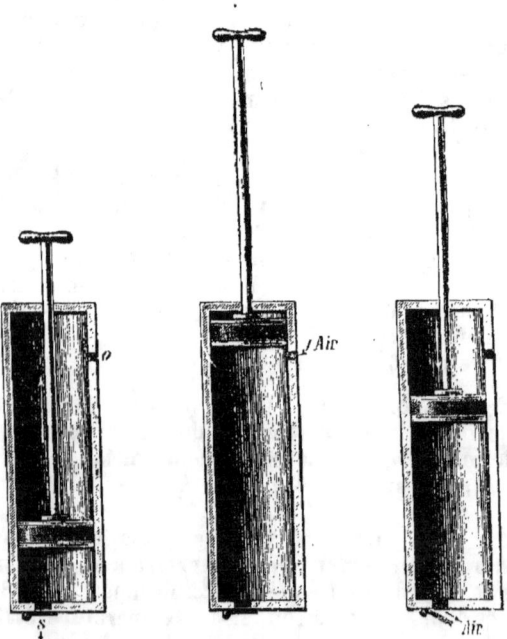

Fig. 94. — Principe d'une pompe à gaz à piston.

Quand on soulève le piston, la soupape *s* reste fermée sous l'influence de la pression atmosphérique. Dès que le piston est arrivé au haut de sa course, l'air extérieur pénètre dans le corps de pompe. Quand le piston descend, la force élastique de l'air enfermé dans le corps de pompe augmente et finit par devenir supérieure à la pression atmosphérique ; la soupape *s* s'abaisse alors et l'air contenu dans le corps de pompe est chassé dans l'atmosphère. Les mêmes phénomènes se reproduisent à chaque ascension et à chaque descente du piston.

79. Pompe de Carré. — La pompe de Carré est une pompe à gaz à un corps de pompe, dans laquelle on est arrivé à annihiler l'effet de l'espace nuisible, ce qui permet de faire le vide à moins d'un demi-millimètre de mercure. On l'utilise en particulier, comme nous le verrons plus loin (156), pour fabriquer de la glace.

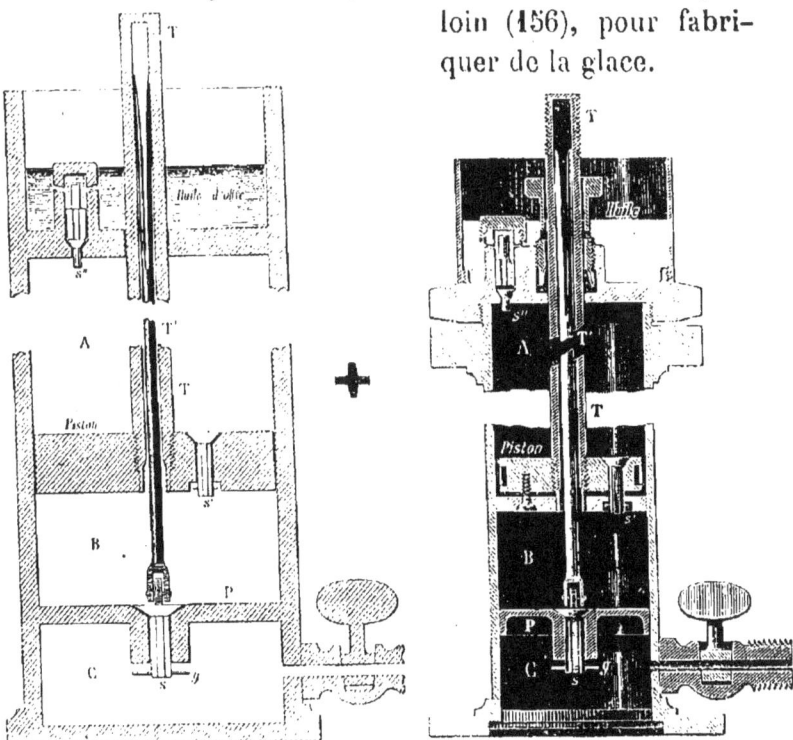

Fig. 95. — Coupe schématique du corps de pompe de la machine de Carré.

Fig. 96. — Corps de la pompe de Carré.

Description. — Le corps de pompe A, B, C (*fig.* 95 et 96)

est un cylindre en laiton. Il est surmonté d'un réservoir
contenant un peu d'huile d'olive. La partie inférieure
du corps de pompe est séparée du reste par une pièce
fixe P, qui limite la course du piston et ménage une
chambre C dans laquelle débouche le tuyau d'aspiration.
Dans la tige T du piston, qui est creuse et fermée en haut
par un bouchon soudé, glisse une tige T' fendue à sa partie supérieure, où elle forme ressort.

A la tige T' est fixée une soupape s, dont l'ascension
est limitée par la goupille g. La soupape s', qui traverse
le piston, le dépasse un peu à sa partie inférieure, et son
jeu ascendant est de même limité par une goupille. Quant
à la soupape s'', elle dépasse de 3^{mm} la partie inférieure
du couvercle du corps de pompe, et sa course supérieure
est limitée par un chapeau.

Fonctionnement. — Lorsqu'on soulève le piston, la
tige T' entraîne la soupape s, qui est vite arrêtée par la
goupille ; la tige T continue seule sa course. L'air du récipient pénètre sous le piston, en B ; la soupape s' reste
fermée, et l'air qui se trouvait en A est expulsé par la
soupape s'' en traversant l'huile. Quand le piston descend,
la soupape s se ferme, le vide se fait en A, la soupape s''
se ferme, l'air contenu en B est comprimé, soulève la
soupape s' et passe en A pour être expulsé au coup suivant, et ainsi de suite.

Il arrive un moment où l'air à raréfier n'a plus qu'une force
élastique très faible. Quand, dans la manœuvre, on applique
le piston contre le couvercle, il vient buter contre la soupape s'' et la soulève. Lors de la descente, dans les trois premiers millimètres de courbe, celle-ci reste ouverte ; la pression atmosphérique agissant sur l'huile en fait entrer une
petite quantité sur le piston, qui, en continuant à descendre,
crée une véritable chambre barométrique en A, tandis qu'en

B l'air se trouve comprimé. La tension en B pourrait cependant devenir trop faible pour que, même comprimé, cet air ait assez de force pour soulever la soupape *s'*. Mais comme cette soupape dépasse le bas du piston, elle s'ouvre d'elle-même lorsque celui-ci vient buter contre la pièce P ; l'air à tension infinitésimale se trouvant dès lors en communication avec une chambre barométrique, se détendra encore davantage. Lorsque le piston remontera et sera en haut de sa course, il comprimera l'air et l'huile contre le couvercle ; ces deux fluides s'échapperont par le trou de la soupape (Voir *Compléments*, à la fin du volume).

80. Machine pneumatique à mercure. — Cette machine est destinée à effectuer, dans des récipients de faible capacité, une raréfaction beaucoup plus parfaite que celle que l'on obtient avec les machines à piston.

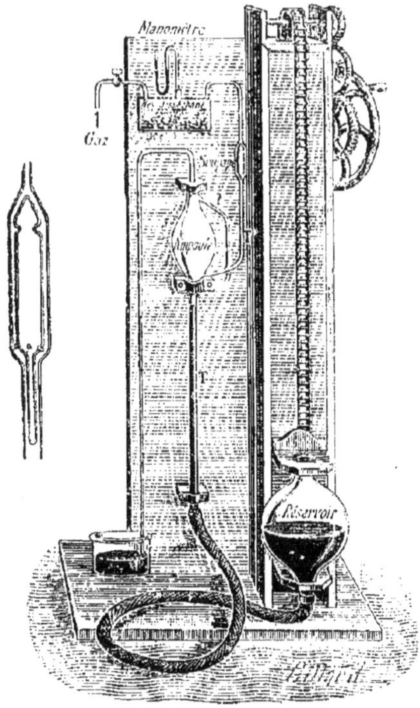

Son fonctionnement consiste en principe à répéter un certain nombre de fois l'expérience de Torricelli et à créer ainsi une série de chambres barométriques que l'on met chaque fois en communication avec le récipient contenant le gaz à raréfier.

Fig. 97. — Machine pneumatique à mercure.

Description. — Cette machine (*fig.* 97) se compose d'un réservoir et d'une ampoule, tous deux en verre, reliés par un tube de verre T de 1ᵐ environ et par un tube de caoutchouc. Le réservoir, libre et ouvert, peut être élevé ou abaissé à volonté. L'ampoule est fixée à une planchette verticale ; sa partie inférieure communique avec le réservoir à gaz par un tube recourbé T' portant sur son trajet une soupape de verre (figurée à part à une plus grande échelle), qui permet au gaz de passer dans l'ampoule, mais empêche le mercure de suivre une marche inverse. Un petit tube latéral t raccorde la base du tube précédent à la partie supérieure de l'ampoule. Enfin celle-ci se prolonge par un tube à dégagement qui plonge dans un vase contenant du mercure et donne issue au gaz provenant du récipient.

Fonctionnement. — Supposons le réservoir au haut de sa course ; l'ampoule et son tube à dégagement sont pleins de mercure, ainsi que le tube T' jusqu'à la soupape. Si l'on abaisse le réservoir, le mercure, pressé par le gaz du récipient, descend dans le tube T' ; dès que ce liquide a dépassé le niveau n, le gaz passe par le tube t et gagne la partie supérieure de l'ampoule. Le mercure descend dans cette ampoule et dans le tube à dégagement. Élevons maintenant le réservoir : le mercure monte dans l'ampoule et dans le tube T'. Dès que le mercure a dépassé le niveau n, la communication entre le gaz enfermé dans l'ampoule et le récipient se trouve interrompu ; à partir de ce moment le gaz est refoulé peu à peu et s'échappe par le tube à dégagement. En résumé, à chaque descente du réservoir, une nouvelle quantité de gaz est extraite du récipient et passe dans l'ampoule ; à chaque montée du même réservoir, ce gaz est refoulé de l'ampoule et s'échappe par le tube à dégagement. Comme il n'y a pas d'espace nuisible, on peut arriver à rendre la différence des niveaux du mercure dans le manomètre inférieure à $\frac{1}{10}$ de millimètre.

Usages. — La machine à mercure, à cause de la lenteur de son action, n'est employée directement que pour faire le vide dans des récipients de faible capacité, comme les tubes de Geissler. Quand il s'agit de grands récipients, on raréfie le gaz le plus possible avec une machine ordinaire, puis on achève avec la machine à mercure.

81. Trompes. — Les trompes sont des machines aspirantes et soufflantes dans lesquelles la circulation des gaz est produite par l'intermédiaire d'un courant d'eau ou de mercure.

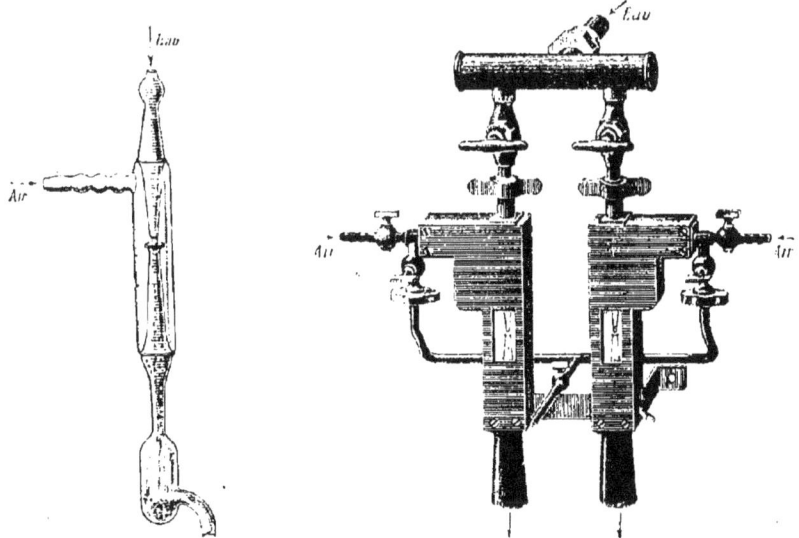

Fig. 98.— Trompe à eau.   Fig. 99.— Trompe double avec monture en fonte.

Trompe à eau. — Elle se compose essentiellement d'un double cône de verre dont les orifices sont placés en regard à une très faible distance (*fig.* 98). Un courant d'eau arrive sous une pression suffisante par le cône supérieur.

L'air qui est dans le voisinage du petit intervalle séparant
les deux cônes est aspiré et entraîné par le courant d'eau ;
il se raréfie donc dans la cavité qui entoure cet intervalle et,
par conséquent, dans le récipient avec lequel elle est mise
en communication. Si le courant d'eau se rend dans un récipient fermé, l'air se dégagera de l'eau qui l'entraîne et se comprimera lui-même au-dessus de la surface libre du liquide.

La trompe à eau permet d'obtenir très rapidement un
vide correspondant à la force élastique maxima de la
vapeur d'eau à la température de l'expérience (149).

Habituellement, on accouple les trompes par deux et on les
entoure d'une monture en fonte (*fig.* 99). Ces appareils constituent de puissantes machines pneumatiques. Si l'on dispose
d'une pression d'eau convenable (4 à 5^m d'eau), on peut vider
des récipients de 10 à 15^l en quelques minutes.

Si on fait couler de l'eau sous pression dans un cristalli-
soir, on remarque de nombreuses bulles d'air entraînées

Fig. 100. — Expérience établissant
le principe de la trompe soufflante.

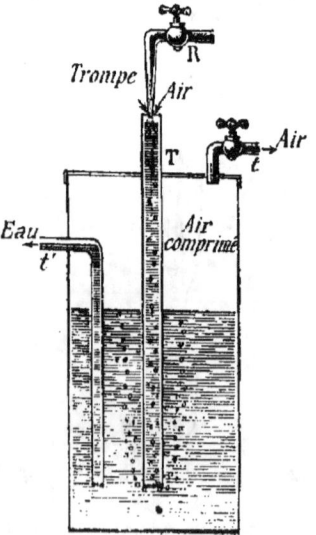

Fig. 101.— Trompe soufflante.

par l'eau qui s'écoule (*fig.* 100); ces
bulles deviennent plus nombreuses si on augmente la vitesse d'é-
coulement. La trompe soufflante
est basée sur cette expérience. Le
tube *t* (*fig.* 101) est relié à l'atmosphère et un large tube T

aboutit au fond d'un récipient cylindrique. Si l'on ouvre le robinet **R**, l'air entraîné par l'eau s'accumule à la partie supérieure du récipient et acquiert une force élastique d'autant plus grande que la pression de l'eau est plus forte. L'eau et l'air se séparent ensuite : l'air comprimé s'échappe par le tube *t*, l'eau par le tube *t'*.

Trompes à mercure. — Si l'on se sert de mercure au lieu d'eau, on peut obtenir un degré de raréfaction des gaz suf-

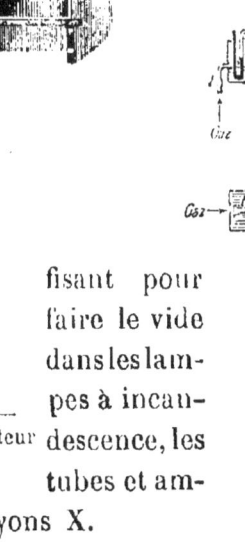

Fig. 102. — Aspirateur de Springel.

fisant pour faire le vide dans les lampes à incandescence, les tubes et ampoules à rayons X.

La trompe la plus simple est l'*aspirateur de Springei*. Elle se compose d'une ampoule de verre et d'un tube vertical étroit plongeant dans une cuvette à mercure (*fig.* 102). L'ampoule est re-

Fig. 103. — Pompe-trompe à mercure à six chutes d'Alvergniat.

liée par un tube *t* au réservoir dans lequel on veut faire

le vide. On fait arriver du mercure sec dans l'ampoule ; les bulles d'air emprisonnées entre les gouttes de mercure qui tombent dans le tube vertical sont entraînées avec elles.

En combinant la machine pneumatique à mercure avec l'aspirateur de Springel on arrive à faire le vide à $\frac{1}{1000}$ de millimètre de mercure.

La machine à mercure, représentée sur la droite de la figure 103, n'est autre que celle que nous avons décrite (80) ; l'aspirateur, représenté à gauche, comprend une ampoule A' munie de robinets r' et r'', deux trompes T et T' à triple chute venant aboutir à la cuvette à mercure, et une série de tubes ascendants ou descendants destinés à assurer les communications entre les diverses parties de l'aspirateur.

Pour faire le vide dans un récipient, on commence la raréfaction avec la machine à mercure ; on l'achève ensuite avec l'aspirateur.

Le robinet à trois voies r' étant tourné de façon à isoler l'ampoule A', on fait fonctionner la machine jusqu'à ce que le gaz soit suffisamment raréfié dans le récipient. On ferme alors le robinet r de manière à isoler l'ampoule A et on tourne le robinet r' afin d'isoler la cuve : l'ampoule A' communique alors avec le réservoir R.

On soulève ce réservoir de manière à amorcer l'aspirateur ; le mercure monte en suivant la route *mnop* jusqu'au sommet des trompes, en T et T' ; de là il tombe goutte à goutte par les six branches descendantes en entraînant des bulles de gaz venant du récipient par les tubes t et t'. Ces bulles forment avec les gouttes de mercure des chapelets qui se dirigent vers la cuve à mercure. Tant que le réservoir fournit du mercure, les trompes fonctionnent régulièrement. Au bout d'un certain temps, il est nécessaire de faire passer dans le réservoir le mercure tombé dans la cuvette. On tourne le robinet r' de manière à isoler l'ampoule A' et à faire communiquer la cuvette et le réservoir R ; il suffit alors d'abaisser celui-ci pour le remplir de mercure.

L'ampoule A' sert à recueillir au passage les bulles d'air entraînées par le mercure venant du réservoir ; en ouvrant le robinet r'', on chasse cet air par un tube qui débouche dans la cuvette à mercure. Enfin l'ampoule A'' est une jauge spéciale, dite *jauge de Mac-Leod*, qui permet de mesurer à un instant quelconque la force élastique du résidu gazeux

82. Pompes pneumatiques industrielles. — Les pompes pneumatiques industrielles forment deux groupes bien tranchés, les *pompes à air* ou pompes à vide, et les *compresseurs d'air*.

Pompes à air à tiroirs (système Burckhardt et Weiss). — L'aspiration et la compression de l'air s'obtiennent par le jeu simultané d'un piston et d'un tiroir rappelant les organes similaires de la machine à vapeur. Le piston glisse dans un cylindre dans la paroi

duquel on a ménagé deux conduites (*fig*. 104), entre lesquelles se
trouve un canal C servant à l'aspiration de l'air. L'air s'échappe par
une tubulure T placée sur la boîte du tiroir. Le tiroir est creusé d'un
canal *c* destiné à réduire l'influence des espaces nuisibles.

Lorsque le piston avance de droite à gauche (A), l'orifice du tiroir
découvre la lumière gauche du cylindre, et le canal d'aspiration
communique avec la partie droite du cylindre ; c'est l'inverse lorsque le piston avance de gauche à droite. Dans les deux cas, l'air est

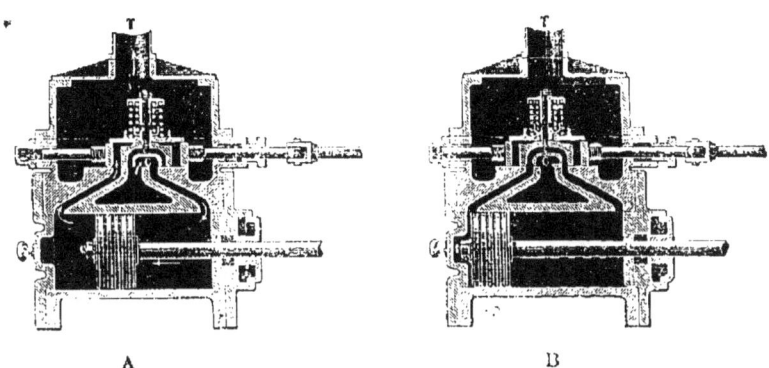

Fig. 104. — Section longitudinale de la pompe à tiroir dans deux positions
différentes du piston.

expulsé dans le sens du mouvement du piston. Supposons maintenant le piston arrivé à fond de course, à gauche par exemple (B) ; il
laisse entre lui et le fond du corps de pompe un peu d'air comprimé
qui, dans les pompes ordinaires, y resterait accumulé et formerait
matelas. Mais, grâce au canal *c*, cet air communique par les deux
conduites avec la partie droite du cylindre et sa tension diminue par
suite de l'augmentation de volume qui en résulte. L'influence de
l'espace nuisible sera d'autant mieux annulée que l'espace offert à
la détente de l'air comprimé à fin de course, sera plus grand.

La figure 105 représente la pompe dans son ensemble.

Compresseurs avec ou sans injection d'eau pulvérisée.
— Lorsqu'on veut exercer de fortes pressions, il faut tenir compte
de l'échauffement de l'air par le fait même de sa compression. Si
cet air reste un certain temps dans le réservoir ou dans les conduites
avant son emploi, il se refroidit et sa force élastique diminue d'une
quantité correspondante, d'où perte de rendement. Pour éviter cet
inconvénient, on a été conduit à refroidir l'air au moment de sa
compression.

La figure 106 représente un compresseur Dubois-François à double
effet. L'aspiration se fait par un clapet battant à ouverture pro-
gressive, et le refoulement s'opère par une soupape à ouverture
brusque. Le refroidissement s'obtient à l'aide d'une pulvérisation

Fig. 105. — Vue d'ensemble de la pompe Borckardt et Weiss.

d'eau qui entre dans le corps de pompe pendant la période de l'aspiration. Le mélange d'air et d'eau est refoulé par une conduite commune.

On se sert de ces compresseurs pour les convertisseurs Bessemer, les moteurs à air comprimé, les travaux publics, les mines, les tramways ; pour le transport et la distribution de la force motrice.

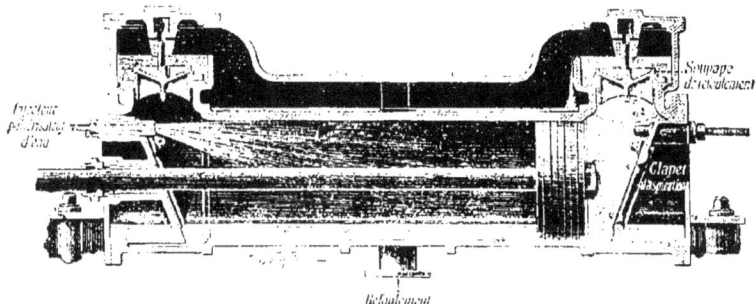

Fig. 106. — Compresseur Dubois-François.

Pompes à air à action directe Westinghouse. — Ce type a été étudié spécialement pour actionner les freins à air comprimé du même ingénieur. C'est une pompe à double effet, actionnée directement par un piston-vapeur dont la tige prolongée, sans mécanisme intermédiaire, agit sur le piston soufflant.

Le cylindre à air est muni de deux soupapes d'aspiration et de deux soupapes identiques de refoulement (*fig.* 107). Chaque course ascendante du piston détermine un appel d'air au-dessous de cet organe et une expulsion de fluide comprimé au-dessus : chaque course descendante produit des effets inverses.

Le cylindre à vapeur reçoit la vapeur d'une chaudière par l'intermédiaire d'une chambre C munie d'une valve supérieure v et d'une valve inférieure v'. Dans la position représentée par la figure, une partie de la vapeur pénètre dans une chambre supérieure d par un conduit f ; l'autre partie arrive sous le piston P du cylindre à vapeur et le fait monter. Lorsque le piston P termine sa course ascensionnelle, la plaque p soulève la tige t se mouvant dans la tige creuse du piston ; le tiroir m ferme alors la communication a entre la chambre d et un cylindre latéral C' dans lequel se trouve un piston P'' de changement de marche. En même temps l'orifice du conduit b se trouve débouché et la vapeur que contenait le cylindre C' s'échappe dans l'atmosphère par le conduit c. Par suite de cette chute de pression sur le piston P'', la vapeur contenue dans la chambre C soulève la valve v et vient agir sur la face supérieure du piston P, en même temps qu'elle ouvre l'échappement sous ce piston. En arrivant au bas de sa course, le piston P fait prendre de nouveau à la tige t et au tiroir m la position figurée, ce qui ramène la vapeur au-dessus du piston P'' et fait descendre les valves v et v'.

Les pompes de l'ingénieur américain Westinghouse sont des mer-
veilles d'ingéniosité, et, malgré l'extrême complexité de leurs tout
petits organes, elles sont d'une grande robustesse. Ce sont elles

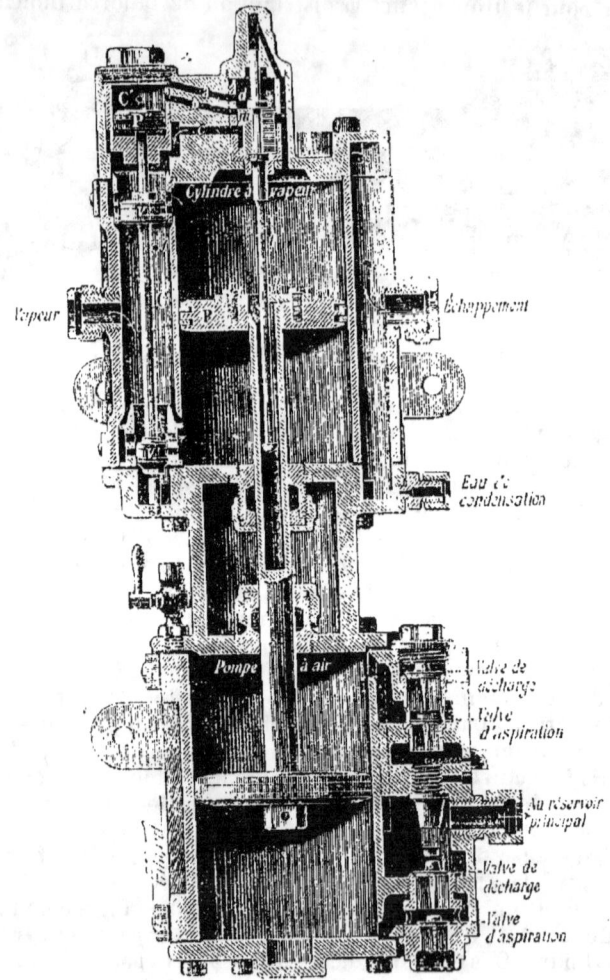

Fig. 107. — Pompe à air Westinghouse.

qu'on voit presque partout à l'avant ou sur le côté des locomotives
des trains de voyageurs pourvus du frein Westinghouse. Mais elles
ne sont pas recherchées que pour le service des chemins de fer :

leurs petites dimensions, les allures variées qu'elles peuvent prendre, la facilité de leur installation, les ont fait appliquer à une foule
d'autres usages : nettoyage des tubes de chaudière, mouvement de
liquides, travaux publics, etc.

APPLICATIONS

83. Applications de l'air raréfié. — L'air raréfié a de

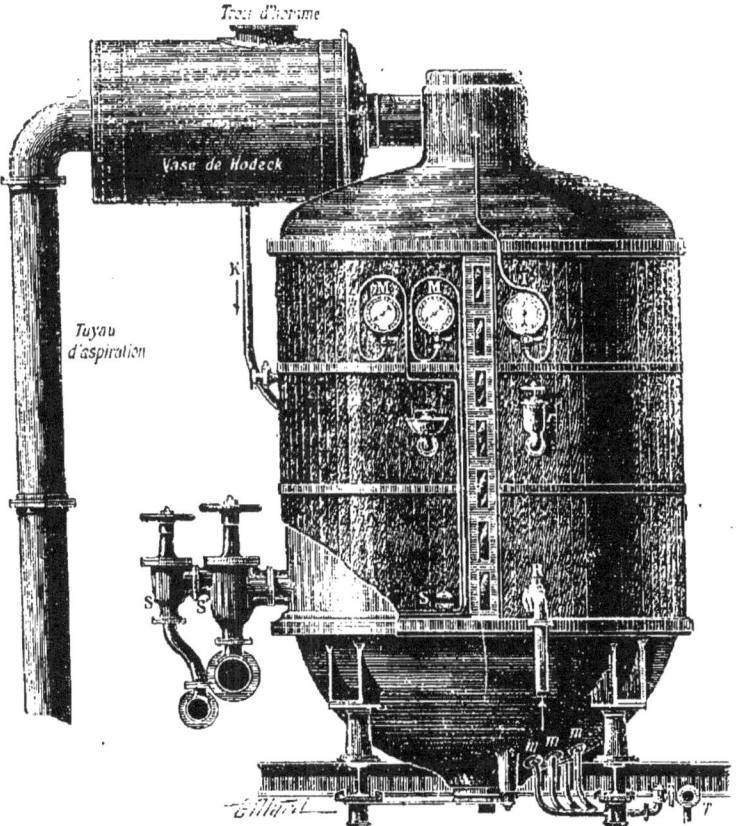

Fig. 108. — Chaudière à évaporer sous pression réduite.

nombreuses applications. Les plus importantes sont l'évaporation et la concentration dans le vide, la filtration
rapide, le moulage des pièces céramiques, la ventilation

par aspiration, la distribution de force motrice à domicile.

Évaporation dans le vide. — Nous verrons plus tard qu'à l'air libre, sous la pression atmosphérique, une solution bout à une température déterminée qui dépend à la fois de la nature du dissolvant et de la quantité de la substance en dissolution. Au fur et à mesure que la concentration avance, la température augmente et elle peut atteindre une valeur telle que, dans les conditions de l'expérience, il se produise une grave altération des produits concentrés. Au contraire, en évaporant sous pression réduite et en maintenant cette pression malgré la production incessante de nouvelles vapeurs, on abaissera le point d'ébullition de la solution, et la cause d'altération que nous venons de citer aura disparu.

La figure 108 représente un modèle de chaudière à concentrer sous pression réduite.

L'appareil se compose d'un récipient recouvert d'une enveloppe isolante pour éviter le refroidissement, munie de glaces en verre permettant de surveiller l'opération. Le fond porte une trappe à clapet pour l'extraction du produit concentré. Le chauffage a lieu par des serpentins intérieurs dans lesquels on admet la vapeur par les soupapes S et S'; l'eau condensée dans ces serpentins est évacuée par les retours m, m, ... qui se réunissent en un tuyau T précédé de clapets de retenue (*fig.*109) afin d'éviter la rétrogradation de l'eau expulsée. La chaudière est munie, en outre, d'un robinet R pour l'introduction par aspiration des liquides à concentrer, d'une sonde s, d'un robinet de rentrée d'air r pour *casser* le vide, de manomètres M pour indiquer la pression de la vapeur dans les conduites, d'un indicateur du vide I et enfin d'un robinet à

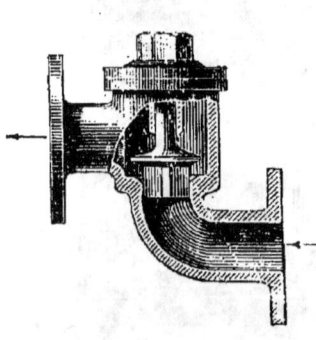

Fig. 109. — Clapet de retenue.

graisse r' (pour abattre les mousses).

Les vapeurs, avant de gagner le tuyau d'aspiration des vapeurs, traversent un vase horizontal dit *ralentisseur de Hodeck*, présentant une section beaucoup plus grande que celle de cette conduite. Deux disques perforés, l'un à l'entrée, l'autre à la sortie, facilitent le dépôt du liquide entraîné par le frottement qu'ils produisent. Le liquide ainsi séparé retourne dans la chaudière par le tuyau K.

APPLICATIONS. — L'évaporation dans le vide est appliquée aux jus de betterave et de canne, au glucose, aux eaux glycérineuses, aux bouillons de colle et de gélatine, aux extraits pharmaceutiques, aux jus de viande pour conserves alimentaires, aux sirops pour la confiserie. On concentre ainsi la soude caustique, les vinasses de distillerie, de mélasses, etc.

Filtration rapide par le vide. — Cette filtration se fait avec

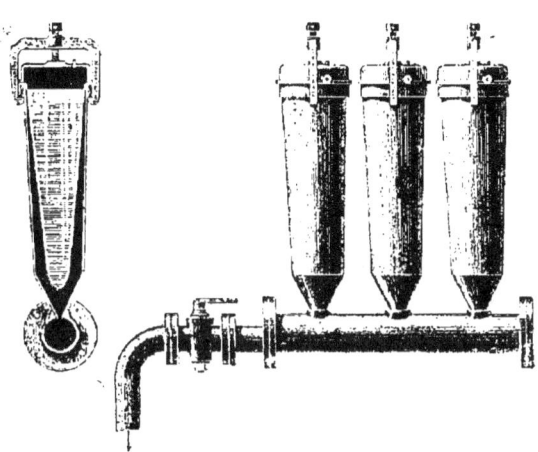

des appareils coniques analogues à ceux qu'on emploie en raffinerie pour le clairçage des pains de sucre (sucettes). Les filtres sont en tôle ; ils communiquent par leurs pointes avec une conduite de vide (*fig.* 110). Sur leur partie supérieure est posé le tissu filtrant maintenu par un couvercle et une vis centrale de pression percée d'un trou à air.

Fig. 110. — Appareil à vide pour filtration rapide.

Ces filtres sont employés pour recueillir les sucrates insolubles de calcium, de baryum et de strontium ; le phosphate de calcium précipité, la silice gélatineuse, les couleurs.

Moulage de pièces céramiques par le vide. — On sait que les formes en plâtre portent en creux les parties qui seront en relief sur la pièce achevée, et réciproquement. S'il s'agit d'un vase, par exemple, on tassera fortement à l'intérieur du moule une doublure de pâte plastique bien homogène et d'épaisseur régulière, puis on fera le vide sous la couche céramique. La pression atmosphérique fera suivre à cette couche toutes les sinuosités du moule, et cela d'autant mieux qu'il restera moins d'air emprisonné. Le moulage par le vide est employé à la Manufacture de Sèvres pour les grosses pièces à moulures délicates.

Ventilation par aspiration. — Quand on n'a à produire que de légères dépressions, variant entre 3 et 8ᶜᵐ d'eau, on emploie des *ventilateurs aspirants* (*fig.* 111) dont l'axe fait de 500 à 700 tours par minute. Ces dépressions produisent un appel d'air suffisant pour les étuves, pour le nettoyage pneumatique des grains, la ventilation des ateliers, des théâtres, des puits de mine, des galeries souterraines, l'extraction de poussières, etc.

Distribution de la force motrice à domicile par l'air ra-réfié. — Depuis 1885, on distribue à Paris l'air raréfié à domicile pour actionner principalement l'outillage de la petite industrie parisienne qui s'exerce « en chambre ».

Fig. 111. — Ventilateur à hélice (déplacement d'air).

Les moteurs à air raréfié ont beaucoup d'analogie avec les machines à vapeur. La force motrice est la pression atmosphérique qui agit alternativement sur les deux faces du piston ; l'échappement communique avec la conduite de vide. Cette force motrice se paie à raison de 0fr,03 le kilogrammètre-heure.

84. Applications de l'air comprimé. — Les applications de l'air comprimé sont très nombreuses. Parmi les plus intéressantes, relevons les suivantes : tubes pneumatiques pour vélocipèdes et autres véhicules, horloges pneumatiques, scaphandres, appareils pour établir les fondations dans les terrains aquifères, perforatrices pour mines et tunnels, moulage des pièces céramiques et soufflage du verre par l'air comprimé, ventilation des mines, production de froid par détente de l'air comprimé.

Tubes pneumatiques. — Les tubes pneumatiques, appelés vulgairement des *pneus*, sont des tubes en caoutchouc creux contenant de l'air comprimé, que l'on fixe aux roues des bicyclettes, des voitures, des automobiles, etc., afin de supprimer, en mettant à profit leur compressibilité, le bruit du roulement et les chocs sur le sol plus ou moins aboteux. Le pneumatique « boit » l'obstacle, ce qui est une façon de le supprimer ; il en résulte une grande économie de force motrice par diminution des résistances passives. Ainsi, en représentant par 100 l'effort nécessaire pour traîner un break à pneus sur un bon pavé sec, on trouve pour le même break à roues ferrées, 123, et à caoutchoucs pleins, 127. Sur un mauvais pavé sec, les efforts correspondant aux trois dispositions précédentes sont entre eux comme 100, 150 et 113.

Un tube fixé au pneu et dirigé vers le centre de la roue porte une valve qui permet d'introduire dans l'âme du pneu de l'air comprimé avec une pompe à main.

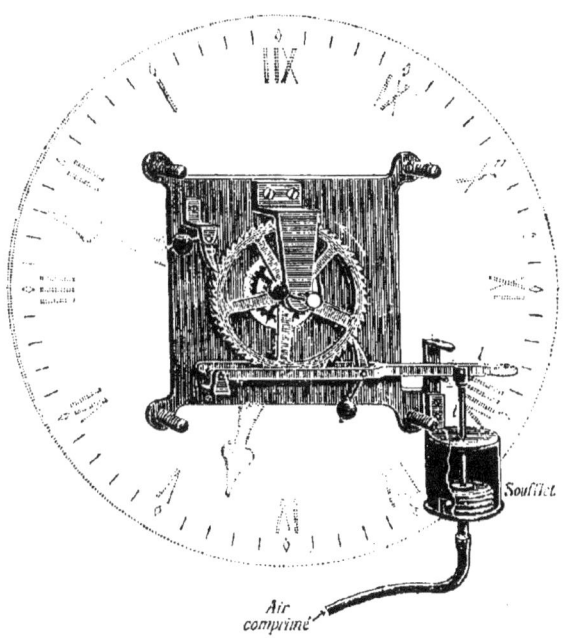

Fig. 112. — Horloge pneumatique.

Une horloge ordinaire, dite horloge *centrale*, porte un excentrique qui, au moment où la grande aiguille marque une minute, met en jeu un déclanchement. Ce déclanchement agit sur une sorte de boîte à tiroir qui établit momentanément la communication entre la canalisation et des réservoirs contenant de l'air comprimé. La pression de l'air qui est ainsi lancé à chaque minute dans la canalisation, surpasse la pression atmosphérique d'environ $\frac{7}{10}$ de kilogramme.

Les horloges *pneumatiques* proprement dites sont de simples cadrans munis de deux aiguilles (*fig*. 112) et reliés à la canalisation par l'intermédiaire d'un soufflet protégé par un cylindre métallique. A chaque arrivée d'air comprimé, le soufflet se gonfle et pousse une tige t, qui soulève à son tour un levier l. Un petit taquet fixé à ce levier fait avancer d'une dent une roue dentée dont l'axe porte la grande aiguille. La roue ayant 60 dents, chaque tour correspond à une heure, ce qui provoque un déplacement correspondant de la petite aiguille.

Scaphandres. — Le scaphandre est une sorte de **vêtement imperméable** permettant aux plongeurs d'exécuter des travaux **sous** l'eau à des profondeurs variables.

La partie essentielle du scaphandre est une sorte de casque en cuivre (*fig.* 113) muni de quatre ouvertures fermées par des glaces grillées, permettant au plongeur de se conduire ; de son sommet part un tube acoustique pour l'échange de communications verbales entre le plongeur et le chef de chantier. L'air comprimé arrive d'abord dans une boîte cylindrique jouant le rôle de *réservoir - régulateur* ; il est ensuite déversé dans le casque par trois orifices plats, de manière à venir lécher toutes les glaces, ce qui a l'avantage d'entraîner les vapeurs de la respiration et d'empêcher les glaces de se ternir. L'air respiré et l'air fourni en excès par la pompe pneumatique s'échappent du casque par une soupape qui s'appuie sur un ressort à boudin et s'ouvre de dedans en dehors. Malgré le poids de l'appareil, le plongeur subit à une certaine profondeur une poussée telle qu'il lui serait difficile de se maintenir au fond ; on

Tube acoustique — Air comprimé

Fig. 113. — Scaphandre.

équilibre cette poussée à l'aide de lest constitué par des masses en plomb suspendues aux parties du casque reposant sur les épaules, le dos et la poitrine du scaphandrier.

Fondations par l'air comprimé. — On construit les fondations à l'aide de l'air comprimé quand il s'agit de terrains aquifères.

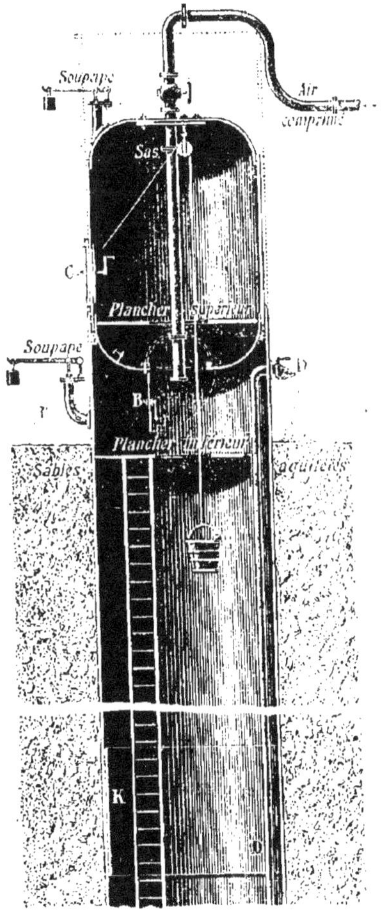

La figure 114 représente l'appareil de Triger. Il comprend essentiellement un tube en fonte qu'on enfonce peu à peu dans le sol et qui porte à sa partie supérieure une cloche appelée *sas*, pouvant être isolée du puits par un tampon B. On lance dans le puits de l'air comprimé ; l'eau est chassée par le plongeur D, et le sol est ainsi maintenu à peu près à sec. Le tampon B étant fermé, on ouvre le trou d'homme C par lequel les ouvriers entrent dans le sas et y introduisent les matériaux ; on referme ce tampon et on ouvre B ; l'équilibre de pression s'établit entre le puits et le sas, on descend alors les hommes et les matériaux.

Pour sortir ou remonter dans le sas, on ferme B pour isoler le puits où la pression se maintient, on fait échapper l'air comprimé du sas, et l'on ouvre C.

Le tube K sert à prolonger la fondation quand cela est utile ; le tout est ensuite rempli de maçonnerie ordinairement en béton ou en ciment.

Quand on a à creuser des tunnels dans des terrains aquifères, on emploie des appareils analogues, mais horizontaux (système Berlier).

Fig. 114. — Appareil de Triger pour fondations par l'air comprimé.

Perforatrices. — Les perforatrices sont des appareils, mus généralement par l'air comprimé, destinés à percer des trous dans les rochers afin de les faire éclater ensuite sous l'action d'explosifs appropriés. On les emploie surtout pour les travaux de mines proprement dits et pour le percement des tunnels. Nous décrirons comme exemple la *perforatrice de Burton*.

Cette perforatrice comprend un robuste affût porteur en fer à I monté sur quatre roues (*fig.* 115). L'affût porte, outre un ou plusieurs cylindres à fleurets, un réservoir à air comprimé relié à une conduite d'air par un tuyau de caoutchouc à spires d'acier (pour éviter son éclatement). Ce réservoir est muni de divers accessoires : robinets d'échappement d'air, de purge d'eau ; soupape de sûreté ; robinets de distribution d'air comprimé aux cylindres moteurs.

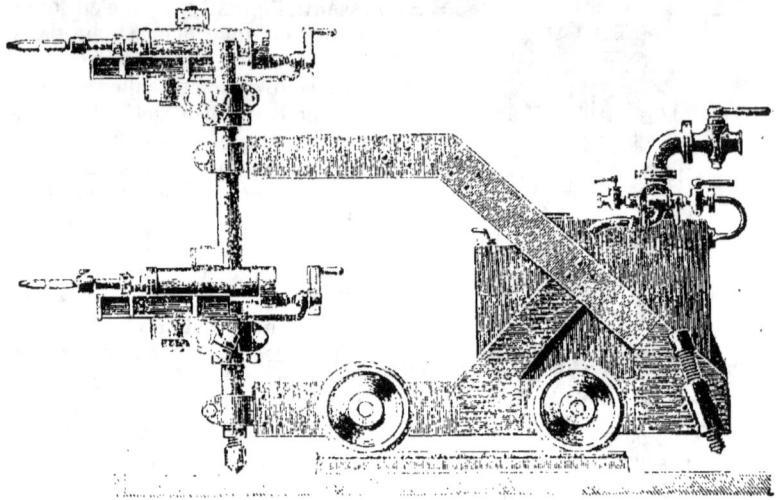

Fig. 115. — Perforatrice système Burton.

Le mécanisme moteur comprend un cylindre dans lequel un piston se meut avec une grande rapidité sous l'influence de l'air comprimé qu'il reçoit alternativement sur ses deux faces. La tige du piston prolongée porte le fleuret, qui est animé, en plus de son mouvement rectiligne alternatif, d'un mouvement lent circulaire continu autour de son axe longitudinal, dans le but de faire engendrer un cercle à la tête du fleuret et de creuser un cylindre. L'air d'échappement sert à ventiler la galerie de mine ou de tunnel.

C'est à l'aide de perforatrices de ce genre qu'ont été creusés les tunnels du Mont-Cenis (12^{km}), du Saint-Gothard (15^{km}) et de l'Arlberg (10^{km}).

Moulage des pièces céramiques. — On peut mouler par l'air comprimé certaines grosses pièces céramiques. On étale la pâte à l'intérieur du moule, on bouche l'ouverture supérieure solidement et on introduit, par une tubulure réservée sur le couvercle, de l'air comprimé qui applique fortement la pâte sur le moule.

Ce procédé de moulage est employé à la Manufacture de Sèvres.

Soufflage du verre. — MM. Appert frères, maîtres-verriers aux environs de Paris, appliquent l'air comprimé au soufflage mécanique du verre ; ils obtiennent une grande régularité de production et un excellent travail.

Frein Westinghouse. — Le frein automatique Westinghouse, destiné à produire l'arrêt rapide des trains, est actionné par l'air comprimé.

L'air, refoulé par une pompe à air Westinghouse (déjà décrite, 82), dans un réservoir principal porté par la locomotive, est emmagasiné dans une série de petits réservoirs auxiliaires, dont un est installé sous la locomotive, un sous le tender et un sous chacune des voitures. Tous ces réservoirs communiquent par un tuyau appelé *conduite générale*, courant sur toute la longueur du train. Enfin chaque véhicule porte aussi un organe de distribution appelé *triple valve*, et un *cylindre à freins* dont les pistons sont reliés aux leviers des sabots destinés à enrayer les roues.

Tant que la pression est maintenue dans la conduite générale, les freins sont desserrés, mais si on laisse échapper l'air de cette conduite, la diminution de pression qui en résulte fait aussitôt fonctionner les triples valves, et une partie de l'air contenu dans les réservoirs auxiliaires passe dans les cylindres à freins. Par suite, les pistons sont repoussés et les sabots sont instantanément appliqués contre les roues des véhicules. Pour desserrer les sabots, on rétablit de nouveau, par le jeu d'un robinet à soupape, la communication entre le réservoir principal et la conduite générale, ce qui recharge les réservoirs auxiliaires ; en même temps, l'air s'échappe des cylindres à freins et les sabots sont écartés des roues.

La pression de l'air dans la conduite est ordinairement de $3^{kg} 1/2$ à 4^{kg} pour tous les trains, rapides ou omnibus.

La figure 116 représente l'application du frein Westinghouse à un fourgon et au wagon qui le suit. On voit en C la conduite générale, en F les triples valves, en G les réservoirs auxiliaires, en H les cylindres à freins. Dans le fourgon, se trouve, à la disposition du chef de train ou d'un conducteur, la soupape S, au moyen de laquelle il peut appliquer les freins ; à côté est le manomètre M indiquant la pression dans la conduite générale. Quand l'air du réservoir principal est admis dans la conduite générale, il pénètre à travers les triples valves et remplit les réservoirs auxiliaires. Tant que la pression est la même dans ces réservoirs et dans la conduite générale, les ouvertures qui font communiquer les triples valves avec les cylindres à freins restent obturées, et les cylindres communiquent avec l'atmosphère ; les sabots sont alors desserrés. Si la pression dans la conduite générale est amenée brusquement à être inférieure à la pression dans les réservoirs auxiliaires, les triples valves changent de position et établissent la communication entre

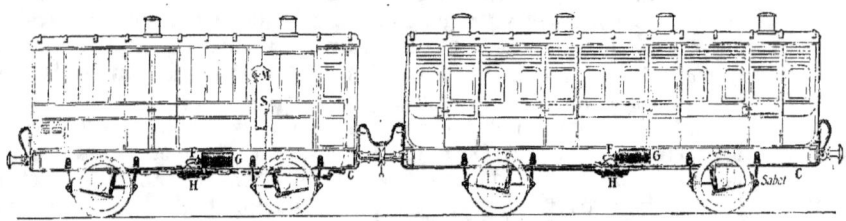

Fig. 116. — Application du frein Westinghouse à un wagon et à un fourgon.

ces réservoirs et les cylindres à freins ; les sabots se trouvent serrés aussitôt.

L'apparition des freins continus, permettant à un mécanicien d'enrayer presque instantanément toutes les roues d'un long convoi, a été une révolution dans l'industrie des chemins de fer et a épargné bien des vies humaines. Alors que le problème était posé d'une façon pressante par l'opinion, les gouvernements, les Compagnies de chemins de fer, les ingénieurs se sont mis à l'étude, et bien des systèmes ont éclos dans l'espace de peu d'années. Le Westinghouse a été mis en service en Amérique en 1873 ; la France a été ébranlée lentement, mais à partir de 1880, sur les injonctions du gouvernement, toutes les grandes Com-

pagnies françaises ont essayé différents systèmes, pour se rallier bien vite au Westinghouse, qui est apparu tout de suite avec un grand degré de perfection.

Le Westinghouse a le précieux avantage d'être automatique, c'est-à-dire qu'il n'obéit pas qu'à la volonté du mécanicien : il agit de lui-même en cas de danger. Qu'un convoi vienne à être disjoint par suite de rupture d'attelage : la conduite générale étant rompue, l'air s'échappe, et les deux tronçons du train s'arrêtent immédiatement. Le frein obéit aussi bien à un agent quelconque du train qu'au mécanicien. Qu'une vigie aperçoive un danger ayant échappé au mécanicien ; vite, elle ouvre son robinet d'échappement d'air, et le train s'arrête. Les voyageurs eux-mêmes ont ce pouvoir, « en cas de danger absolu » ; ils n'ont qu'un anneau à tirer.

Distribution de force motrice par l'air comprimé. — La Compagnie parisienne de l'air comprimé assure différents services : horloges pneumatiques, production d'électricité par des moteurs à air comprimé, distribution de force motrice à domicile, ascenseurs hydro-pneumatiques.

L'air est comprimé par des compresseurs fabriqués au Creusot et distribué à 5ᵏᵍ par des conduites en fonte pour les gros diamètres et en fer pour les petits qui sont en égouts. La température est de 15 à 20° au départ et de 10 à 12 à l'arrivée. Pour les horloges pneumatiques, l'air n'est comprimé qu'à 500ᵍ. Le prix de vente est calculé sur le mètre cube d'air ramené à la pression atmosphérique ; il est de 1 centime 1/2 pour les distributions de force motrice et de 2 centimes pour les autres services.

Poste pneumatique. — La poste pneumatique, appelée quelquefois improprement *télégraphie pneumatique*, fut crée en 1868 pour servir d'auxiliaire à la télégraphie électrique ; depuis 1880, elle sert accessoirement pour acheminer les correspondances plus rapidement que par la poste ordinaire. Le principe de la poste pneumatique consiste à faire glisser des boîtes contenant les paquets de lettres et télégrammes dans des tuyaux cylindriques parfaitement calibrés reliant les bureaux entre eux ; le glissement des boîtes est obtenu en exerçant dans les tuyaux une compression à la station de départ et une aspiration ou un vide à la station d'arrivée.

Les lignes pneumatiques à Paris sont généralement établies dans les égouts. Les tuyaux qui les constituent ont un diamètre de 65 à 80ᵐᵐ.

Les boîtes contenant les télégrammes sont en tôle et insérées dans des étuis en cuir.

RÉSUMÉ DU CHAPITRE X

Les pompes à gaz sont destinées à raréfier ou comprimer un gaz quelconque dans un récipient. La pompe à gaz la plus simple se compose d'un corps de pompe contenant un piston plein, d'une ouverture d'aspiration et d'une ouverture de refoulement munie d'une soupape. Lorsque le piston est en haut de sa course, l'air extérieur pénètre dans le corps de pompe. Lorsque le piston descend, la soupape s'ouvre et l'air est expulsé du corps de pompe.

La *pompe de Carré* est une machine pneumatique qui permet de pousser le vide à moins d'un demi-millimètre de mercure ; elle sert surtout à la fabrication de la glace.

Lorsqu'on soulève le piston, la soupape d'aspiration se soulève, l'air du récipient se répand en partie sous le piston et l'air qui se trouvait au-dessus du piston est expulsé dans l'atmosphère.

Quand le piston descend, l'air contenu au-dessous de lui est comprimé, soulève une soupape et passe au-dessus du piston pour être expulsé au coup suivant.

Les machines pneumatiques *à mercure* donnent un vide encore plus parfait. En principe, leur fonctionnement consiste à répéter un certain nombre de fois l'expérience de Torricelli et à créer ainsi une série de chambres barométriques qui sont mises chaque fois automatiquement en communication avec le récipient contenant le gaz à raréfier.

Les *trompes* aspirent et refoulent l'air par l'intermédiaire d'un courant d'eau ou de mercure. L'aspiration est produite par un double cône dont les orifices sont placés en regard à une petite distance.

L'air comprimé et l'air raréfié ont de nombreuses applications : ventilation, freins continus des chemins de fer, machines perforatrices, moteurs, fondations sous l'eau, scaphandres, évaporation par le vide, horloges pneumatiques, poste pneumatique, etc.

EXERCICES SUR LE CHAPITRE X

29. Dans une machine pneumatique de Carré, la capacité du corps de pompe (parties A et B de la figure 95, diminuées du volume du piston) est v, celle de la chambre du fond (partie C), v'. On aspire dans un récipient de volume V. Quelle est la force élastique de l'air dans ce récipient après n coups de piston, la force élastique initiale étant H ?

30. La capacité du corps de pompe d'une machine pneumatique de Carré est de 500^{cm3} ; celle de la chambre du fond, de 60^{cm3}. On aspire sous un récipient qui a 2 litres de capacité. Trouver le volume d'un corps solide qui est placé sous ce récipient, sachant qu'après un coup de piston la force élastique de l'air est ramenée de 76^{cm} à 54^{cm}.

31. Dans un réservoir contenant $5^{l},6$ d'air sec à 0° et sous la pression de 830^{mm} de mercure, on veut introduire, avec une pompe de compression dépourvue d'espace nuisible, 23^{g} d'air sec pris à 0° et sous la pression normale. Le volume du corps de pompe étant de 560^{cm3}, on demande le nombre de coups de piston à donner et la pression finale dans le réservoir.

Masse du litre d'air dans les conditions normales : $1^{g},3$.

CHAPITRE XI

POMPES A LIQUIDES

85. **Définition et classification.** — Les pompes à liquides sont des appareils destinés à élever des liquides par l'emploi des pressions. On peut les ranger en quatre catégories bien distinctes, suivant leur construction ou suivant la cause qui les fait fonctionner : ce sont les pompes à mouvement rectiligne alternatif ou *pompes à piston*, les pompes à mouvement continu ou *pompes rotatives*, les pompes à colonnes d'eau ou *béliers*, et les *pompes à jets de vapeur*. Ces dernières seront étudiées avec les **autres** applications de la vapeur.

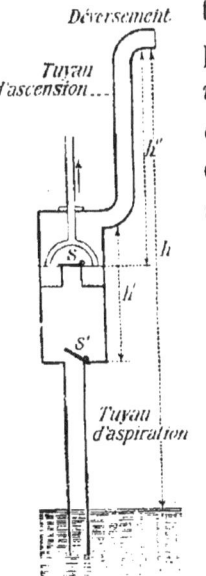

Fig. 117. — Pompe aspirante et élévatoire.

86. **Pompes à piston.** — Elles comprennent les pompes aspirantes et élévatoires, les pompes aspirantes et foulantes et les pompes sans clapets.

I. **Pompes aspirantes et élévatoires.** — Une pompe aspirante et élévatoire (*fig.* 117) comprend essentiellement un corps de pompe ; un *tuyau d'aspiration*, qui plonge par sa partie inférieure dans le réservoir ou *puisard* contenant l'eau à élever ; un *tuyau d'ascension*, situé à la partie supérieure et latéralement, qui se recourbe pour prendre la direction verticale. Deux clapets *s* et *s'* s'ouvrant de bas en haut sont disposés, le premier sur une ouverture que présente le piston, le second sur l'orifice du tuyau d'aspiration.

Au début, le piston repose sur la base du corps de pompe et le tuyau d'aspiration est plein d'air sous la pression atmosphérique. Quand le piston s'élève, le clapet *s* est maintenu fermé par la pression atmosphérique qui agit au-dessus ; le clapet *s'* se soulève et l'air contenu dans le tuyau d'aspiration se répand en partie dans le corps de pompe, ce qui amène une diminution dans sa force élastique et une ascension de liquide dans le tuyau d'aspiration. Dès que le piston est arrivé au haut de sa course, le clapet *s'* se ferme par son propre poids. Quand le piston descend, l'air situé au-dessous de lui se trouve comprimé ; le clapet *s* se soulève et l'air enfermé dans le corps de pompe s'échappe par le tuyau d'ascension.

Les mêmes phénomènes se reproduisant à chaque alternative suivante du piston, l'eau s'élève de plus en plus dans le tuyau d'aspiration et finit par franchir le clapet *s'* : la pompe est alors *amorcée*. A partir de ce moment, l'eau pénètre dans le corps de pompe à chaque montée du piston et est refoulée dans le tuyau d'ascension à chaque descente du piston. Théoriquement, une pompe de ce genre qui aspire de l'eau, par exemple, ne peut fonctionner que si la distance maxima du piston au niveau du liquide dans le réservoir est inférieure à $10^m,33$ (hauteur de la colonne d'eau capable d'équilibrer la pression atmosphérique) ; dans la pratique, à cause des fuites inévitables, des frottements, etc., on ne donne pas au tuyau d'aspiration une hauteur supérieure à 8^m. En revanche, la hauteur à laquelle l'eau peut s'élever dans le tuyau d'ascension n'a d'autre limite que celle qui provient de la force motrice dont on dispose pour abaisser le piston.

Calculons enfin le travail nécessaire pour élever un liquide à l'aide d'une pompe aspirante et élévatoire. Appelons S la surface du piston, h' la longueur de sa course, h et h'' les distances du niveau du liquide dans le puisard et de la face supérieure du piston à l'orifice de déversement, H la hauteur du liquide qui ferait équilibre à la pression atmosphérique du moment et enfin m sa masse spécifique. Supposons la pompe amorcée.

Pendant que le piston descend, le clapet s étant ouvert, la pression est sensiblement la même sur les deux faces du piston, et il n'y a à exercer qu'un effort relativement faible pour vaincre le frottement. L'effort à exercer pendant l'ascension du piston est au contraire relativement considérable. La pression que le piston supporte alors sur sa face supérieure est la pression atmosphérique $SHmg$ augmentée de la pression $Sh''mg$ exercée par la colonne de liquide qui surmonte cette face ; la pression qu'il supporte sur sa face inférieure est $SHmg - S(h - h'')mg$. Par suite, l'effort F à exercer, effort qui représente la différence entre les deux pressions, est égal à

$$SHmg + Sh''mg - SHmg + S(h - h'')mg.$$

On a donc simplement

$$F = Shmg.$$

Quant au travail à effectuer pendant l'ascension du piston, il est égal au produit de la force par le déplacement total h', c'est-à-dire à $Shmg \times h'$ ergs. Ce produit peut se mettre sous la forme $Sh'mg \times h$. Or $Sh'mg$ représente le poids de l'eau qui s'écoule par l'orifice de déversement pendant l'ascension du piston ; donc théoriquement le travail moteur est le même que celui qu'il faudrait effectuer pour élever le liquide directement depuis le puisard jusqu'à l'orifice de déversement.

Dans la pratique, le travail à fournir est un peu supérieur à celui qui vient d'être indiqué, à cause des résistances dues au frottement. Au lieu d'appliquer directement la force au piston lui-même, on l'applique presque toujours à un organe intermédiaire qui la multiplie. Dans la pompe ménagère, par exemple, on utilise le principe du *levier* (10) : l'effort à exercer sur le balancier est d'autant plus petit que le rapport des bras de levier est plus grand. Si ces bras sont dans le rapport assez usité de 6 à 1 et que la manœuvre du

piston exige un effort de 60ᵏᵍ par exemple, il suffira d'appliquer
$\frac{60}{6} = 10^{kg}$ à l'extrémité du grand bras.

PRINCIPAUX TYPES DE POMPES ASPIRANTES ET ÉLÉVATOIRES. — La figure
118 représente une pompe aspirante et élévatoire industrielle. Le
corps de pompe communique avec les tuyaux d'aspiration et d'ascension par l'intermédiaire de deux boîtes qui contiennent, l'une,
le clapet d'aspiration *a*, l'autre, un clapet de retenue *r*; chaque

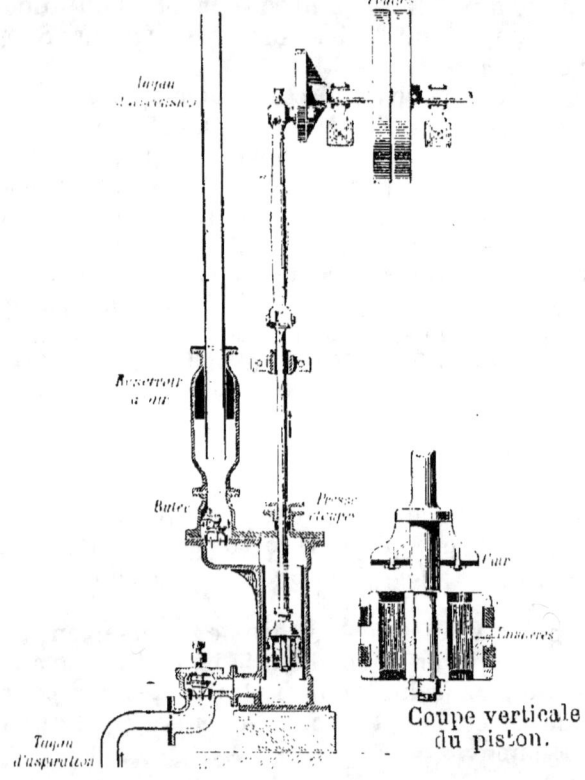

Fig. 118. — Pompe aspirante et élévatoire industrielle.

boîte est munie d'une butée pour limiter le mouvement des clapets. Le piston présente quatre lumières pour le passage de l'eau.
La tige du piston traverse un presse-étoupes rendant la fermeture
du corps de pompe hermétique; elle guide un clapet qui, lorsque le
piston s'élève, ferme les lumières de passage par sa rondelle de cuir.
Enfin le tuyau d'ascension se termine à sa partie inférieure par un
réservoir d'air qui annihile les chocs et régularise l'écoulement.

Quand l'élévation de l'eau se fait à une faible hauteur, le clapet de retenue est supprimé et l'écoulement du liquide a lieu en déversoir. C'est le cas dans les *pompes ménagères* (*fig.* 119).

II. Pompes aspirantes et foulantes. — Dans les pompes aspirantes et foulantes, le tuyau de refoulement est situé à la base du corps de pompe (*fig.*120); un clapet *s*, fixé à la partie inférieure du tuyau de refoulement, s'ouvre et livre passage au

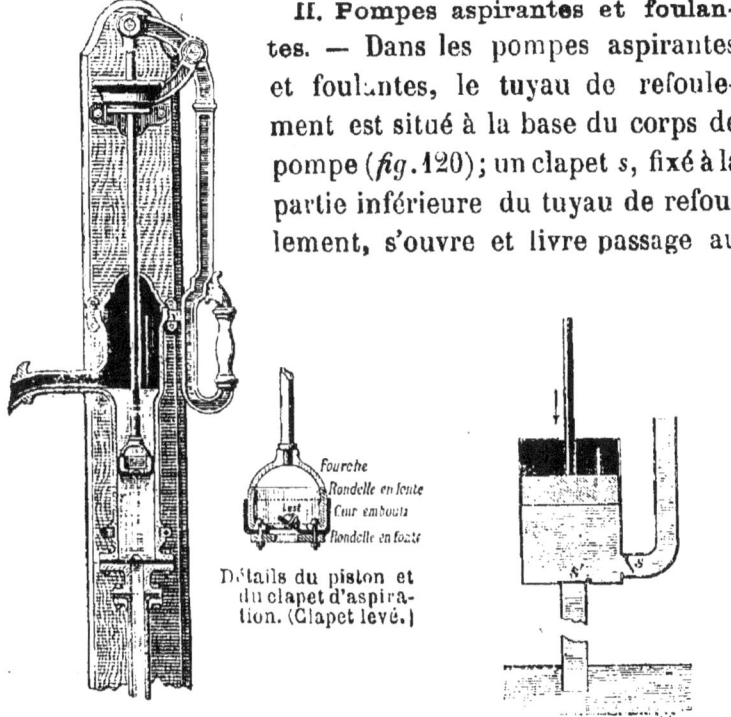

Fourche
Rondelle en fonte
Cuir embouti
Rondelle en fonte

Détails du piston et du clapet d'aspiration. (Clapet levé.)

Fig. 119. — Pompe ménagère aspirante élévatoire.

Fig. 120. — Pompe aspirante et foulante. (Figure schématique.)

liquide quand le piston descend. Le piston n'a plus ni lumière ni clapet ; c'est le plus souvent un piston dit *plongeur*, que l'on fait creux pour l'alléger et qui ne frotte pas contre le corps de pompe. Ces pompes conviennent pour les eaux boueuses, les liquides tenant en suspension des corps solides (lait de chaux, eaux résiduaires, etc.). On les construit à simple effet (le piston aspirant à la montée et refoulant à la descente) et à double effet (le piston aspirant et refoulant en même temps, aussi bien à l'aller qu'au retour).

POMPES A SIMPLE EFFET. — La figure 121 représente une pompe **double** dont les deux corps sont montés sur une plaque de fondation

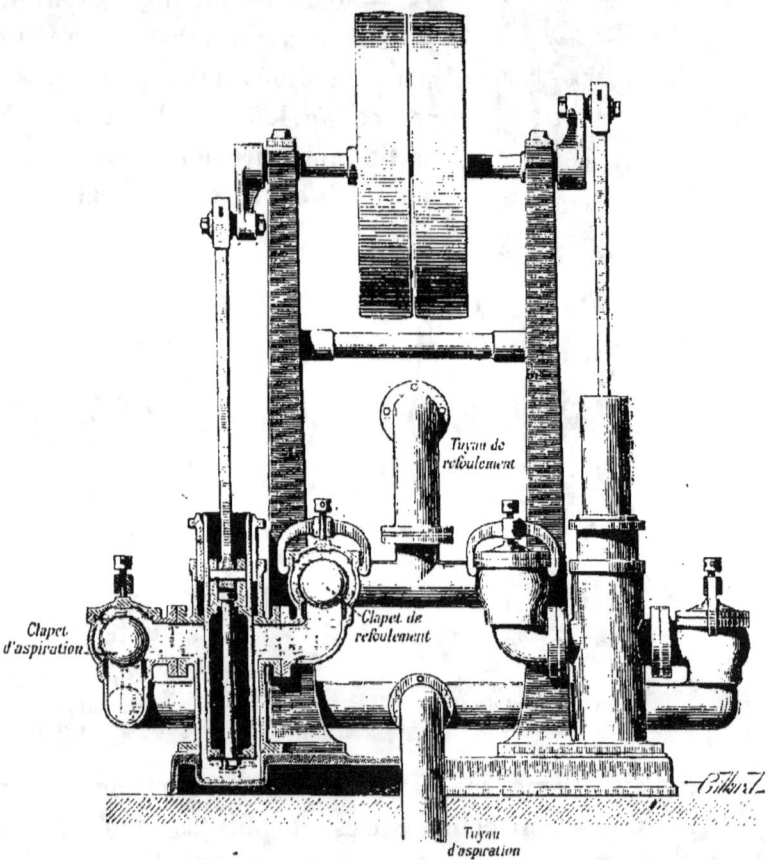

Fig. 121. — Pompe double, aspirante et foulante, à simple effet.

commune. Les clapets d'aspiration et de refoulement sont des boulets creux en fonte ; ils sont recouverts de caoutchouc pour faire joint exactement.

Supposons la pompe amorcée : quand un des pistons descend, le clapet d'aspiration situé du même côté est fermé ; l'eau du corps de pompe correspondant, refoulée par ce piston, soulève le clapet de **refoulement** et passe dans le tuyau d'ascension commun. Pendant ce temps, l'autre piston remonte, le jeu des clapets situés du même côté est inverse du précédent, et le corps de pompe correspondant se remplit de liquide par le tuyau d'aspiration. Les deux corps de pompe étant ainsi *conjugués*, on a deux cylindrées au lieu d'une pour un tour de l'arbre moteur et par conséquent un écoulement régulier à la sortie du liquide.

La *pompe à incendie* (*fig.* 122) est un cas particulier des pompes aspirantes et foulantes à simple effet. Elle comprend deux pompes

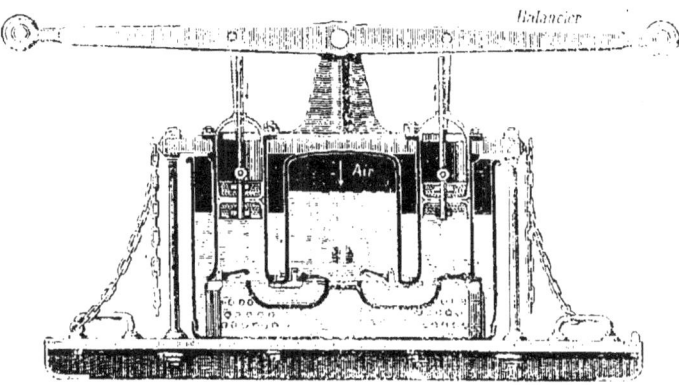

Fig. 122. — Pompe à incendie à bras.

conjuguées qui aspirent l'eau alternativement dans une bâche et la refoulent de même dans un réservoir commun contenant de l'air. celui-ci se trouve ainsi comprimé, et la pression qu'il exerce à la surface du liquide dans lequel plonge le tuyau d'ascension force l'eau à s'élever par cette voie avec une certaine régularité. Le mouvement alternatif des pistons est effectué soit par un balancier mû par huit hommes (pompe à bras), soit par un petit moteur à vapeur (pompe à vapeur).

POMPES A DOUBLE EFFET. — La figure 123 représente un type spécialement étudié pour l'élévation de l'eau dans les villes. Il comprend un corps de pompe horizontal, deux clapets d'aspiration, deux clapets de refoulement, un réservoir d'air et un tuyau de refoulement. Le bâti est creux et sert à l'arrivée de l'eau sous les clapets d'aspiration.

Cette pompe étant amorcée, quand le piston se retire à droite, il aspire à gauche et refoule à droite, et inversement. On a donc pour un tour de l'arbre deux cylindrées au lieu d'une, comme avec les pompes conjuguées.

III. Pompes sans clapets. — Il y en a de bien des systèmes. Celui que représente la figure 124 se compose de deux corps de pompe

communicants, dans lesquels se meuvent en sens contraires deux
pistons creux P et P' con-
tenant chacun une série de
petites lamelles en caoutchouc ou en cuir pouvant se
relever pour livrer passage à
l'eau. Supposons la pompe
amorcée. Dans la période de
rapprochement des pistons,
l'eau soulève le disque du
piston P et passe au-dessus
de lui. Dans la période d'é-
loignement, la capacité qui
existe entre les deux pistons
augmente de volume, ce qui
détermine un appel de liquide
du côté de l'aspiration : le
disque du piston P' se soulève et livre passage à l'eau ;
au même moment, le piston
P, dont le disque est fermé,
fait refluer dans la conduite
de refoulement le liquide qui
y était entré à la faveur de la
période de rapprochement.

Cette pompe convient
pour une foule d'usages
industriels ; son absence

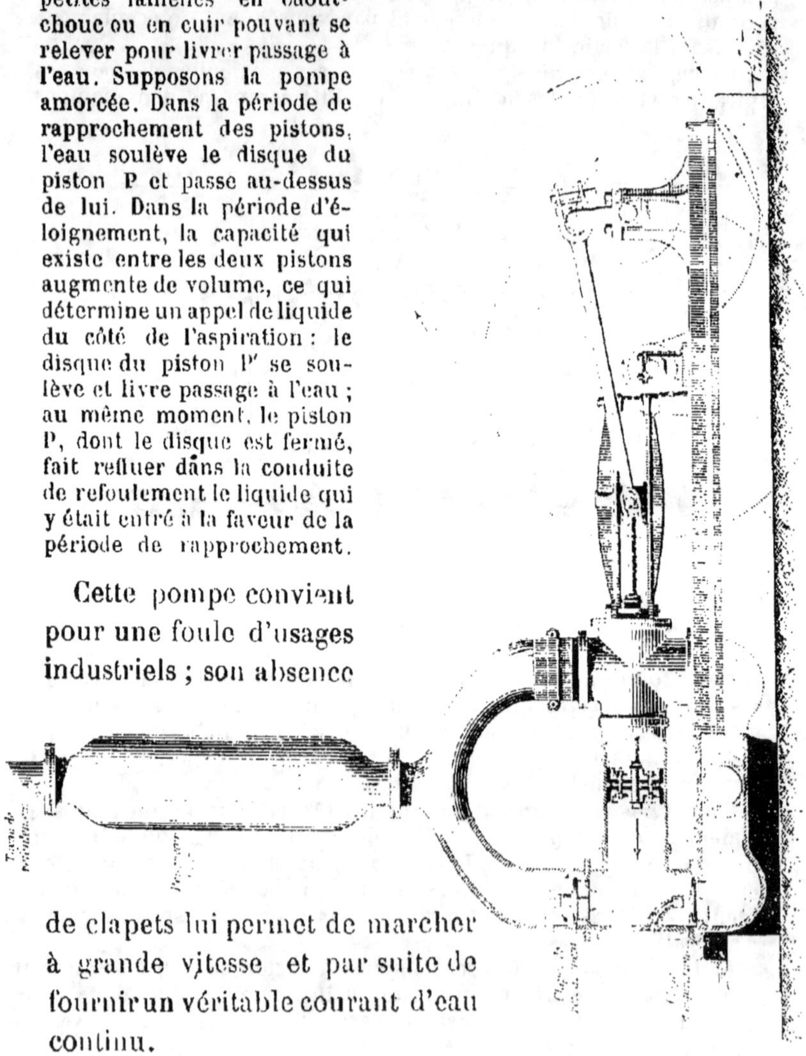

Fig. 123. — Pompe aspirante et foulante à double effet.

de clapets lui permet de marcher
à grande vitesse et par suite de
fournir un véritable courant d'eau
continu.

87. Pompes rotatives ou centrifuges. — Les pompes à
piston ne peuvent communiquer à l'eau un mouvement
uniforme, à cause des variations de vitesse du piston. On

atténue bien ce défaut en employant deux corps de pompe conjugués comme dans la pompe à incendie, ou bien en plaçant un réservoir à air à la partie inférieure du tuyau de refoulement, mais on l'évite complètement par l'emploi des pompes dites *rotatives* ou *centrifuges*. Dans ces pompes, l'eau est mise en mouvement par l'effort constant d'un moteur circulaire ou d'un axe

Caoutchouc
Piston
Nervures évidées
Moyeu du piston

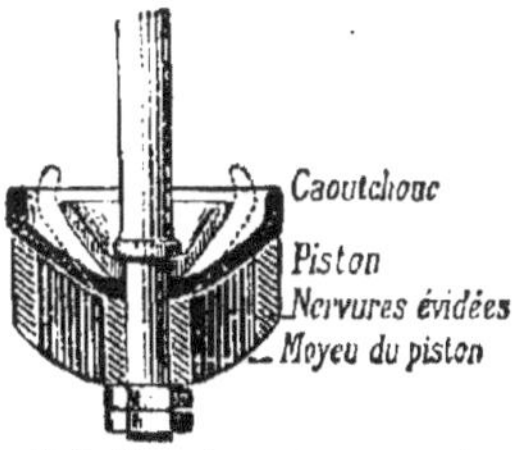

Détails du piston. (Le pointillé indique la position du caoutchouc pendant la descente du piston.)

muni de palettes, et ce mouvement

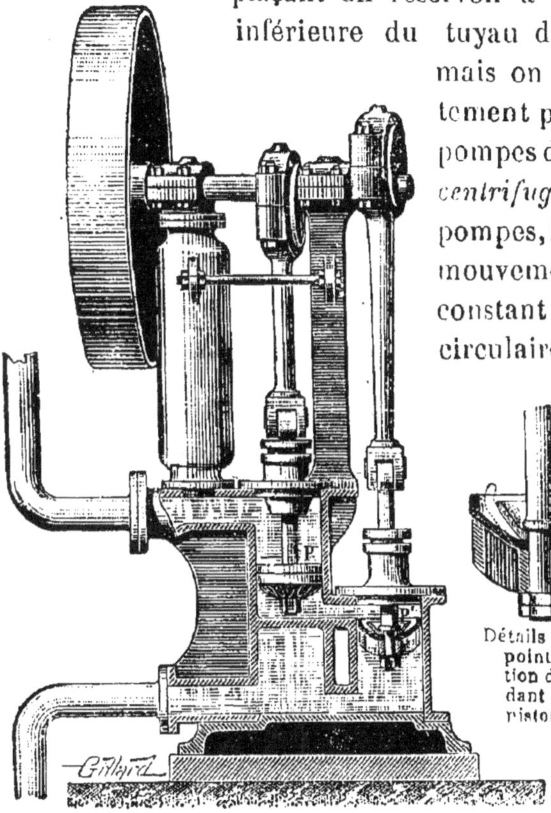

Fig. 124. — Pompe sans clapets.

est, par suite, uniforme et continu.

Si l'on fait tourner rapidement autour de son axe une carafe contenant de l'eau, on constate que l'eau se creuse au centre et s'élève le long des bords (*fig.* 125). Cela tient à ce que le vide tend à se faire au centre et que la pression est très forte à la circonférence.

La valeur de cette pression qui tend à écarter les molécules liquides de l'axe s'appelle *force centrifuge*. Le même phénomène s'observe avec les solides. Si l'on fait tourner un solide quelconque attaché par une corde tenue à la main, cette corde se tend fortement.

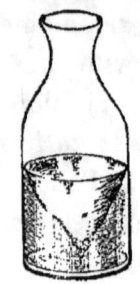

Fig. 125. — Expérience montrant qu'un liquide qui tourne s'écarte de l'axe.

Considérons enfin un axe autour duquel on a fixé des palettes formant entre elles des angles égaux (*fig.* 126), le tout enfermé dans une boîte cylindrique. Si on fait tourner l'axe rapidement, l'air est projeté

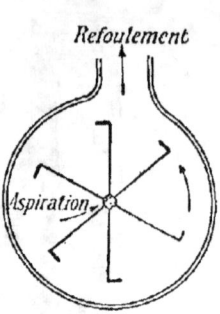

Fig. 126. – Expérience montrant la force centrifuge par la rotation d'un axe.

de l'axe à la circonférence, et il s'échappe par le tuyau de refoulement.

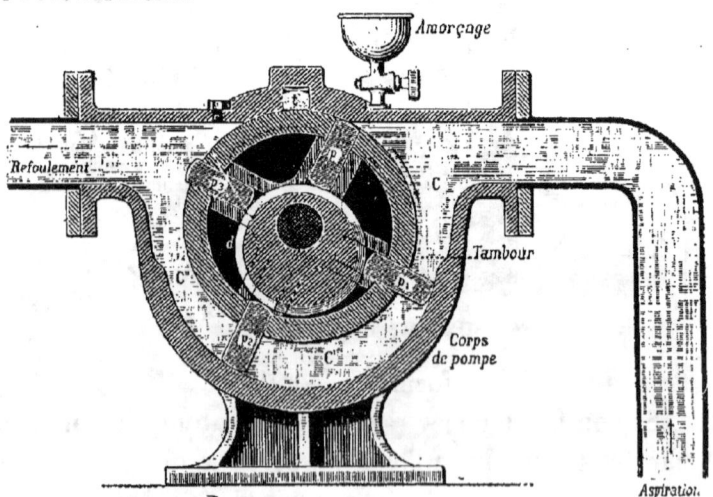

Fig. 127. — Pompe rotative à moteur circulaire.

Les figures 127 et 128 sont des représentations de pompes rotatives industrielles.

I. — La pompe de Moret et de Broquet, dite pompe *à palettes*, se compose d'un corps de pompe portant une tubulure d'aspiration et une tubulure de refoulement (*fig.* 127). Dans le corps de pompe se trouve un tambour clos que l'on fait tourner, et dont l'axe ne coïncide pas avec celui du corps de pompe. Quatre palettes p, p_1, ... s'engagent à frottement doux dans des fentes longitudinales portées par le tambour ; elles s'appuient constamment sur la surface intérieure du corps de pompe grâce à deux bagues d, dont le diamètre extérieur est égal au diamètre intérieur du corps de pompe diminué de la largeur de deux palettes.

Le tambour en tournant frotte contre la partie supérieure du corps de pompe de façon à empêcher la communication de l'aspiration et du refoulement. Les palettes interceptent également cette communication sur un peu plus du quart de la partie inférieure. Le volume compris entre le corps de pompe, le tambour et la palette p_1 augmente pendant la rotation, et l'eau est aspirée. Avant que cette palette cesse d'intercepter la communication entre l'aspiration et le refoulement, elle est remplacée par la suivante p qui vient frotter sur la partie inférieure du corps de pompe et aspire l'eau à son tour. Le volume d'eau emprisonnée entre les palettes p et p_1 est ensuite en communication avec le refoulement ; l'espace compris entre la palette p, le corps de pompe et le tambour diminuant, cette eau est refoulée. — La pompe de Moret et de Broquet est surtout usitée pour le service des caves et des chais.

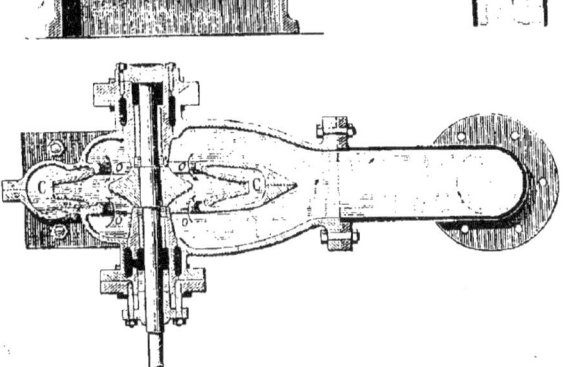

Fig. 128. — Pompe à axe et palettes.

II. — La pompe de M. Dumont (*fig.* 128) a pour pièce principale une *turbine*, constituée par un axe horizontal tournant très vite et supportant un plateau creux à palettes intérieures courbes ; elle est montée dans une caisse en fonte concentrique. Le tuyau d'aspiration se bifurque en deux branches qui communiquent par les *ouïes* o avec l'intérieur de la turbine, et par suite avec le canal CC, lequel aboutit à la tubulure de refoulement.

Sous l'effet de la force centrifuge que développe la rotation de la turbine, il se produit à l'intérieur de la turbine, dans le voisinage de son axe et par suite dans le canal d'aspiration, une dépression variable avec la vitesse de rotation ; de là appel et expulsion d'eau quand le vide est suffisant. Le petit canal *c* a pour but d'expulser dans la conduite de refoulement l'air dégagé de l'eau.

Cette pompe est très facile à installer ; aussi a-t-elle de nombreuses applications : irrigations, épuisements, travaux publics. On l'emploie surtout quand on veut élever de grandes quantités d'eau à une faible hauteur.

88. Béliers hydrauliques. — Les béliers hydrauliques se composent essentiellement d'un cylindre horizontal, muni à une de ses extrémités d'un tube pour l'arrivée de l'eau, et à sa partie supérieure de deux tubulures à clapets (*fig.* 129) ; l'une de ces tubulures se termine en déversoir ; l'autre est surmontée d'un réservoir d'air portant le tuyau de refoulement.

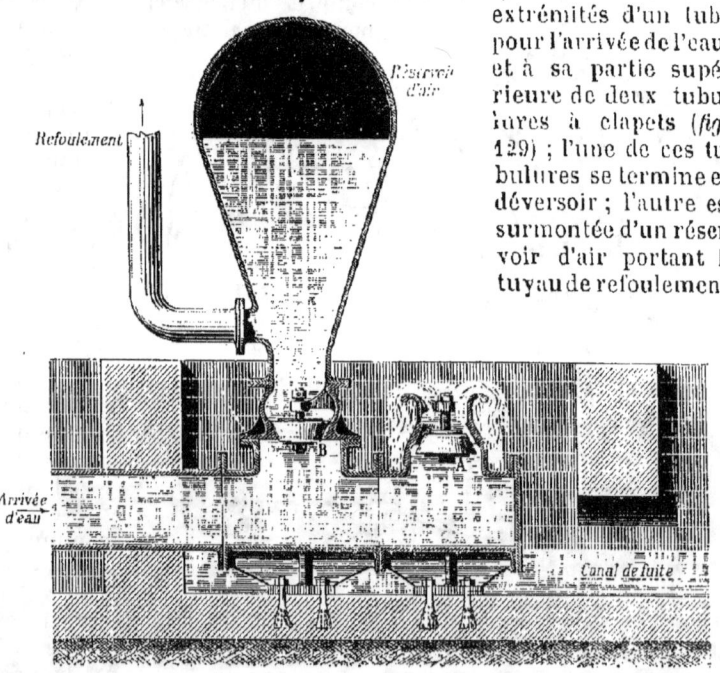

Fig. 129. — Bélier hydraulique.

Quand l'eau arrive dans le bélier, le clapet B repose sur son siège et le clapet A est ouvert. Le liquide s'écoule donc librement par le déversoir ; sa vitesse de sortie augmente peu à peu et devient bientôt suffisante pour soulever le clapet A, ce qui produit un arrêt brusque de la colonne d'eau. Celle-ci réagit, ouvre le clapet B et pénètre en partie dans le réservoir. L'air que contient ce dernier se trouve ainsi comprimé, le clapet B se ferme et l'eau est refoulée à l'extérieur. Le clapet A s'ouvre alors, et les mêmes phénomènes se reproduisent, chaque fermeture du clapet A déterminant un coup de bélier dans le réservoir à air.

Quand on dispose d'une chute suffisante, on se sert avec avantage des béliers hydrauliques pour élever automatiquement à des hauteurs considérables une partie de l'eau d'un ruisseau, d'un étang, d'un réservoir ; on les emploie principalement pour alimenter les maisons de campagne, les châteaux, les stations de chemin de fer.

89. Remarques générales sur les pompes. — Dans la plupart des pompes, l'extrémité inférieure de la conduite d'aspiration est munie d'une *crépine* (*fig.* 130) destinée à arrêter les corps étrangers; on y joint aussi un *clapet de pied* qui, s'ouvrant et se fermant en même temps que le clapet d'aspiration, empêche la pompe de se désamorcer lorsqu'elle cesse de fonctionner.

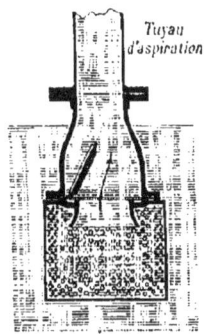

Fig. 130. — Crépine et clapet de pied.

Quand les conduites d'aspiration et de refoulement sont un peu longues, il est utile de placer sur leur parcours un ou plusieurs *clapets de retenue*. Dans les conduites d'aspiration, ces clapets s'ouvrent dans le sens de l'aspiration et ont pour but d'éviter un désamorçage possible; dans les conduites de refoulement, ils s'ouvrent dans le sens du refoulement et divisent la colonne montante en plusieurs tronçons, ce qui diminue la pression sur le clapet de refoulement et évite souvent des chocs dangereux.

PRESSE HYDRAULIQUE

90. Définition. — La presse hydraulique est un appareil qui permet d'exercer des pressions considérables en déployant des efforts relativement faibles. Elle constitue une application directe du principe de Pascal (proportionnalité des pressions aux surfaces).

91. Presse hydraulique de démonstration. — La figure 131 est la coupe schématique d'une presse hydraulique de laboratoire. Cet appareil se compose essentiellement de deux corps de pompe à sections inégales. Le petit corps de pompe est une véritable pompe aspirante et foulante, qui puise de l'eau dans un réservoir latéral et la refoule par un tube métallique dans le grand corps de pompe, le-

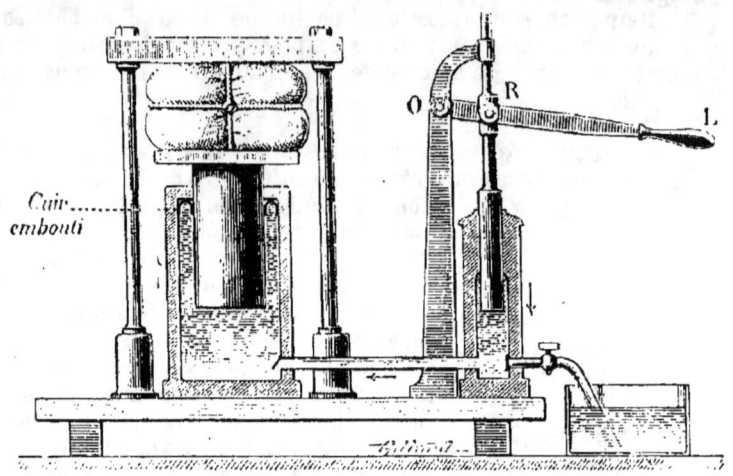

Fig. 131. — Presse hydraulique de démonstration.

quel constitue la presse hydraulique proprement dite. Les objets à comprimer sont placés entre un plateau qui surmonte le gros piston et un sommier maintenu par quatre fortes colonnes de fer. Pour éviter les fuites d'eau dans le grand corps de pompe, on emploie le *cuir embouti* de Bramah : c'est une sorte de rigole circulaire renversée, en cuir épais (*fig.* 132) ; elle est logée dans une gorge creusée à la partie supérieure du grand corps de pompe. Sous l'effet de la pression de l'eau, le cuir embouti

Fig. 132. — Cuir embouti.

s'applique fortement à la fois contre le piston et contre les parois de la gorge, et le joint est d'autant plus étanche que la pression est plus forte.

On n'emploie pas de cuir embouti dans le petit corps

de pompe, car les pressions y sont moins fortes et les fuites y ont moins d'importance ; la fermeture est assurée suffisamment par une boîte à cuir que traverse son piston plongeur. Celui-ci est mis en mouvement par l'intermédiaire d'un levier L, de sorte que sa surface reçoit une pression qui est égale à l'effort exercé directement multiplié par le rapport du grand bras de levier OL au petit OR ; en multipliant encore cette pression par le rapport de la section du grand piston à la section du petit, on obtient la pression finale qui agit sur les corps comprimés.

Remarque. — Il ne faut pas oublier que si l'on obtient ainsi une multiplication de l'effort exercé directement, en revanche le grand piston parcourt moins de chemin que le petit. En effet, soient S et s les sections des deux pistons, h' la hauteur dont le grand s'élève quand le petit s'abaisse de h ; sh et Sh' représentent le volume de l'eau qui est passée d'un corps de pompe dans l'autre.

On a donc $\dfrac{S}{s} = \dfrac{h}{h'}$. D'après cela, si S est 100 fois plus grand que s, h' sera 100 fois plus petit que h. En résumé, ce qu'on gagne en force, on le perd en chemin parcouru : aussi n'emploie-t-on la presse hydraulique que lorsque le point d'application de la force qui comprime a peu à se déplacer.

92. Presses hydrauliques industrielles. — Les presses hydrauliques industrielles sont construites de manière à pouvoir produire des pressions considérables. Une pompe foulante (*fig.* 133) aspire l'eau d'une bâche et la refoule dans le corps de la presse hydraulique à l'aide d'un piston plongeur mû par la vapeur. Lorsque la pression dans le canal d'injection atteint une certaine limite que l'on suppose dangereuse pour la presse ou pour la matière en travail, un petit piston de décharge s'abaisse et agit sur un levier à contre poids mobile, lequel soulève le clapet d'aspiration et fait ainsi cesser la pression.

Quand on veut *dépresser*, on ouvre une vis de décharge qui débouche un trou latéral et permet à l'eau de revenir dans la bâche.

Le corps de presse est muni du cuir embouti de Bramah et contient un long piston creux surmonté d'un plateau. Les objets à comprimer sont maintenus à la partie supérieure par un sommier, relié invariablement à un sommier inférieur par de forts tirants boulonnés.

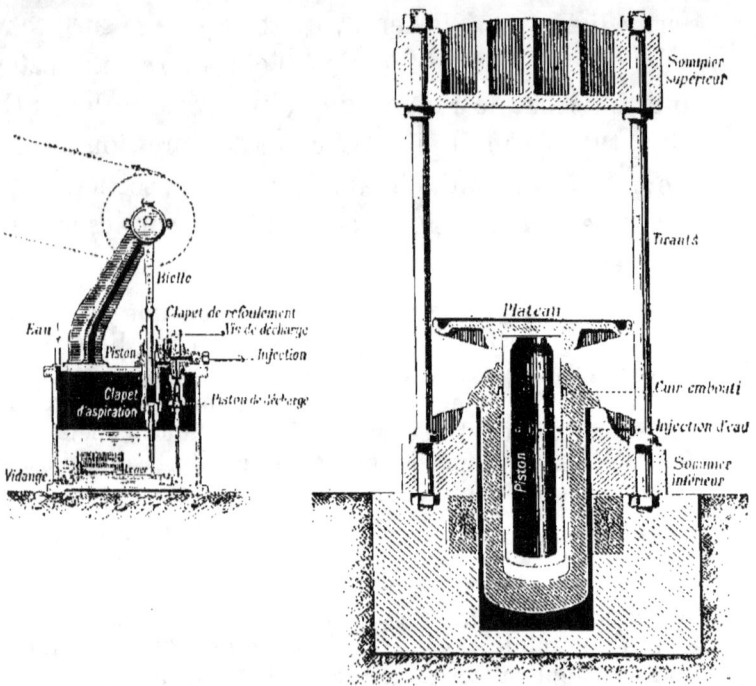

Fig. 133. — Presse hydraulique industrielle avec sa pompe d'injection.

En général, on ne refoule pas directement avec la pompe foulante dans le corps de presse hydraulique ; cela aurait pour inconvénient de faire monter le piston de ce dernier par intermittence. La pompe refoule dans une presse spéciale, appelée *accumulateur*, qui distribue de l'eau sous pression à une ou plusieurs presses hydrauliques. Ces accumulateurs, dont les dispositions varient beaucoup, sont très employés également pour toutes les machines servant aux manœuvres exécutées avec l'eau sous pression ; leur invention a rendu pratique l'emploi de l'eau comprimée, emploi qui se généralise de plus en plus.

93. Usages de la presse hydraulique et de l'eau compri-

mée. — On se sert de la presse hydraulique pour extraire l'huile des graines oléagineuses, pour séparer l'acide oléique des autres acides gras dans la fabrication des bougies, pour réduire à un moindre volume les objets encombrants comme la paille, le coton, le foin, et les rendre ainsi plus facilement transportables ; pour soulever les docks flottants destinés à soutenir les navires que l'on veut réparer, pour essayer les matériaux à la compression et à la traction, etc.

Dans les ateliers de construction, la presse hydraulique sert à fixer sur leurs essieux les roues des locomotives et des wagons, à emmancher les cylindres de laminoirs sur leurs axes, à caler les gros pignons et les grands volants, à cintrer et à gabarier les plaques de blindage, etc.

L'eau sous pression sert à actionner des ascenseurs (ascenseurs hydrauliques), des appareils à découper, des machines à river, à cintrer, à étirer les tubes et les métaux ; des grues, des cabestans, etc. Elle est utilisée pour manœuvrer les ponts tournants, les ponts à tablier mobile, les portes d'écluses. Enfin, c'est avec une pompe foulante qu'on fait l'essai des chaudières à vapeur et qu'on gradue les manomètres métalliques destinés à mesurer de fortes pressions.

SIPHON

94. Définition et description. — Les siphons sont des tubes recourbés, destinés à transvaser les liquides d'un récipient à un vase inférieur.

Le siphon le plus simple est constitué par un tube à deux branches inégales (*fig.* 134). Après l'avoir *amorcé*, c'est-à-dire rempli du liquide à transvaser, on plonge la

petite branche dans ce même liquide ; celui-ci s'écoule de
la petite branche vers la grande. (Voir *Compléments*,
à la fin du volume.)

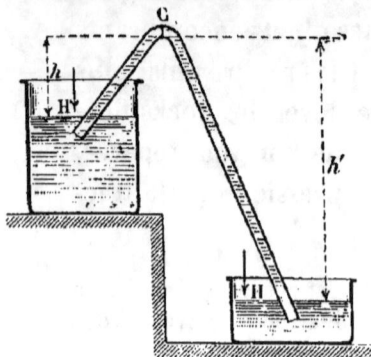

Fig. 134. — Siphon ordinaire.

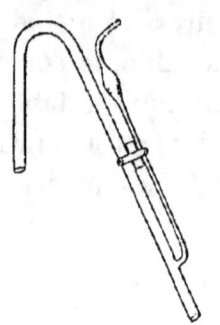

Fig. 135. — Siphon pour
liquide vénéneux.

95. Amorçage du siphon. — Les siphons ont des formes
très variées. Pour les li-
quides ordinaires (eau, vin,
etc.) on se sert d'un simple
tube recourbé, que l'on
amorce en plongeant la petite branche dans le vase
supérieur et en aspirant
avec la bouche par l'extrémité de l'autre branche.
Dans le cas d'un liquide
vénéneux, l'aspiration se
fait par un tube latéral à
renflement (*fig.* 135), la petite branche plongeant dans
le liquide à transvaser et la
grande branche étant fer-
mée avec le doigt. Si enfin

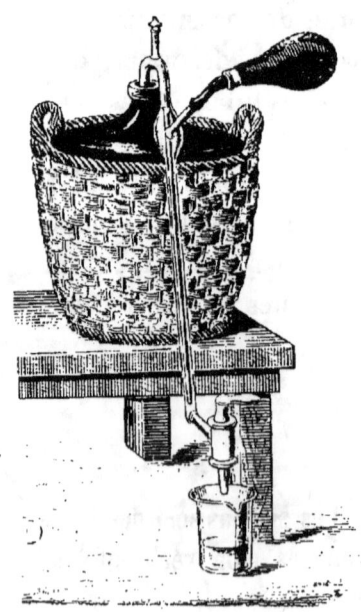

Fig. 136. — Siphon pneumatique
de Rousseau.

le liquide est corrosif (acides, etc.), au lieu de fermer la

grande branche avec le doigt, on la munit d'un robinet à la partie inférieure.

Dans les laboratoires, on se sert avantageusement, pour puiser les acides dans les touries, du *siphon pneumatique* de Rousseau (*fig.* 136); ce siphon s'amorce aisément à l'aide d'un tube latéral muni d'une poire en caoutchouc, et il reste toujours amorcé, ce qui permet de puiser du liquide à des intervalles éloignés sans amorcer à nouveau.

Quand on veut désamorcer, on soulève un **petit bouchon de verre** placé à la partie supérieure.

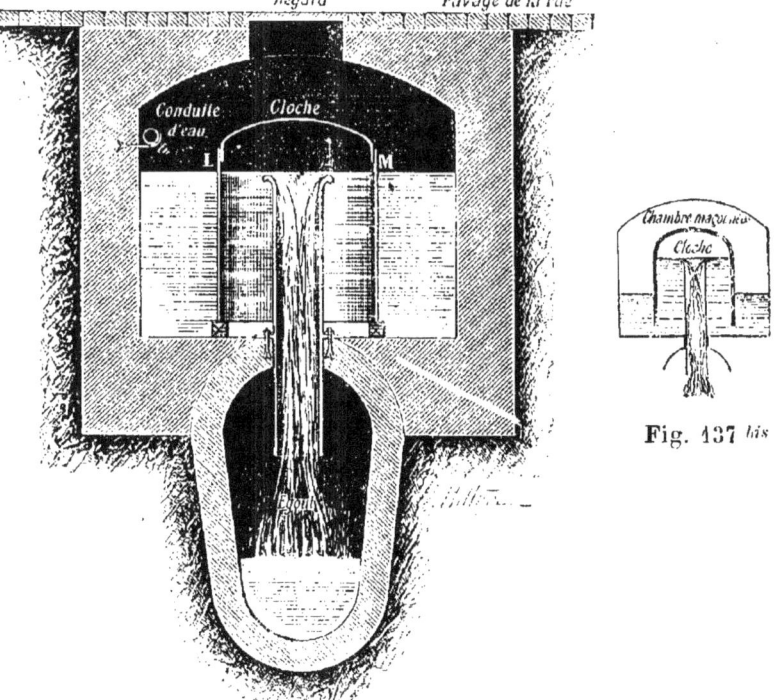

Fig. 137. — Installation d'un siphon de chasse dans un égout.

96. Usages industriels. — En hydraulique, les siphons sont usités pour détourner les rivières, pour maintenir constant le niveau des biefs alimentant les canaux, pour franchir les vallées. pour nettoyer les égouts (siphons de chasse), pour élever l'eau, etc.

La figure 137 représente l'installation d'un *siphon de chasse* dans un égout. Lorsque le niveau de l'eau dans la cloche atteint le plan LM, le déversement par le tuyau en fonte commence à se produire sous forme d'une mince couronne d'eau. Le diaphragme liquide ainsi formé interrompt la communication d'air entre l'égout et la partie supérieure de la cloche ; l'eau entraîne une partie de l'air de la cloche et produit au-dessus d'elle un vide partiel. L'eau contenue dans la chambre maçonnée afflue alors de plus en plus sous la cloche (*fig.* 137 *bis*) et l'écoulement à flots ou *de chasse* ne s'arrête que lorsque le niveau de l'eau dans la chambre est arrivé à hauteur du bord inférieur de la cloche. A ce moment, il y a rentrée et le siphon se désamorce, pour se réamorcer de nouveau lorsque la chambre maçonnée se sera remplie à son tour. Ces phénomènes se reproduiront à intervalles sensiblement réguliers tant qu'on fournira de l'eau par la prise disposée à cet effet.

Un siphon ainsi installé permet de chasser des égouts les matières qui s'y accumulent, avec une très faible dépense d'eau. Il va sans dire qu'on prévoit le volume de l'eau qui doit s'écouler et que la conduite doit fournir en tenant compte de la section, de la pente et de la longueur de la ligne desservie, ainsi que de l'état de la salubrité, de l'encombrement plus ou moins grand, etc.

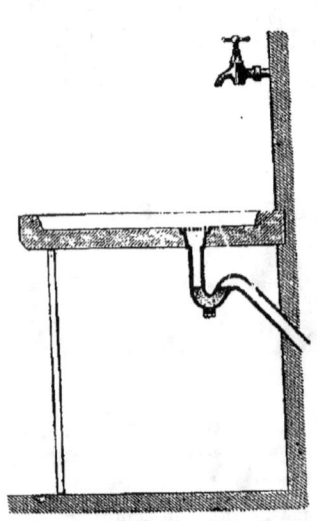

Fig. 138. — Tuyau en forme de siphon pour éviers.

Les siphons peuvent constituer des élévateurs d'eau automatiques d'une grande puissance. Par une disposition spéciale, l'eau en mouvement dans le siphon est captée en partie au sommet, au lieu de s'écouler par la grande branche, et ce résultat n'entraîne pas le désamorçage.

Remarque. — Dans l'industrie, on appelle siphons par abus de langage des *tubes manométriques* servant à équilibrer la force élastique d'un gaz ou d'une vapeur (siphons des appareils de distillation, des conduites de gaz, etc.). Dans les cuisines, on met aux éviers un tuyau d'écoulement en forme de siphon (*fig.* 138) de sorte qu'il y a toujours de l'eau pour arrêter les mauvaises odeurs.

97. Vase de Mariotte. — Fontaines intermittentes naturelles. — Le vase de Mariotte permet d'obtenir l'écoulement régulier d'un liquide. Il se compose d'un flacon en

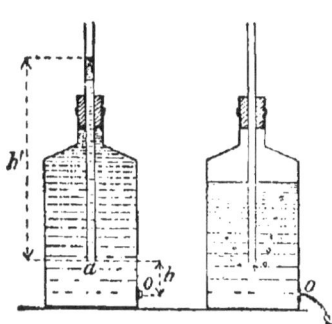

verse dont le bouchon est traversé par un tube ouvert aux
deux bouts (*fig.* 139). Sur la
paroi se trouve un orifice
étroit *o* fermé par un petit tampon de bois. Si on débouche
l'orifice, l'eau descend dans le
tube et s'échappe avec une
vitesse qui devient constante
lorsque le tube est complètement vide.

Fig. 139. — Flacon de Mariotte.

Le vase de Mariotte peut servir à produire l'écoulement
d'un gaz. On chasse alors le gaz du réservoir qui le contient
en y faisant arriver l'eau qui s'écoule du vase de Mariotte.

On peut, avec le siphon, obtenir des écoulements inter-
mittents; le fait se produit dans les fontaines intermittentes naturelles : si l'eau qui s'infiltre dans le sol s'accumule dans une cavité souterraine ne communiquant avec
l'extérieur que par une fissure recourbée ABC formant
siphon (*fig.* 140), tant que l'eau n'atteint pas le niveau B

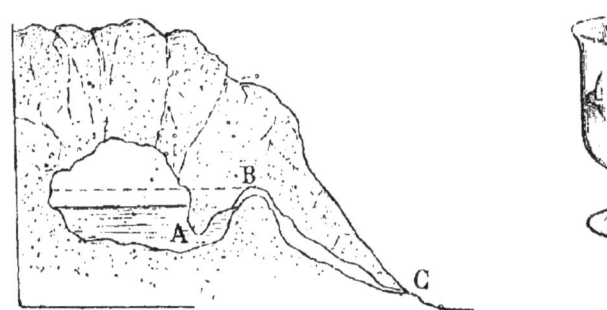 

Fig. 140. — Fontaine intermittente naturelle.   Fig. 141. — Fontaine intermittente artificielle.

de la courbure du siphon, il n'y a pas d'écoulement ; quand

ce niveau est atteint, le siphon se trouve amorcé et l'eau s'écoule en C jusqu'à ce que l'orifice A de la fissure soit découvert ; la source cesse alors de couler jusqu'à ce que le niveau soit revenu en B ; elle fournit donc de l'eau pendant un temps déterminé et à des intervalles sensiblement réguliers.

On réalise une fontaine intermittente dans les laboratoires avec un vase dont le fond est traversé par un tube recourbé (*fig.* 141). Si on remplit complètement le vase, le tube s'amorce seul et l'écoulement se produit jusqu'à ce que le niveau du liquide soit au-dessous de l'orifice supérieur du tube.

RÉSUMÉ DU CHAPITRE XI

Les *pompes* sont destinées à élever les liquides par l'emploi des pressions.

La pompe aspirante et élévatoire comprend un corps de pompe, un tuyau d'aspiration, un tuyau d'ascension et deux clapets s'ouvrant de bas en haut. Quand le piston monte, le clapet du tuyau d'aspiration se soulève et l'air contenu dans ce tuyau se répand en partie dans le corps de pompe, ce qui amène une ascension de liquide dans le tuyau d'aspiration. Quand le piston descend, son clapet se soulève à son tour et l'air enfermé dans le corps de pompe s'échappe par le tuyau d'ascension. Après quelques coups de piston, l'eau dépasse le clapet du tuyau d'aspiration ; la pompe est alors amorcée. A partir de ce moment, l'eau pénètre dans le corps de pompe à chaque montée du piston et est refoulée dans le tuyau d'ascension à chaque descente du piston.

Dans les pompes aspirantes et foulantes, le piston est plein et le tuyau de refoulement est situé à la base du corps de pompe ; un clapet, fixé à la partie inférieure du corps de pompe, s'ouvre et livre passage au liquide quand le piston descend. Ces pompes s'emploient surtout pour les liquides tenant en suspension des corps solides. Les unes sont à simple effet et ont ordinairement deux corps de pompe conjugués (pompe à incendie) ; les autres sont à double effet, et avec un seul corps de pompe réunissent les mêmes avantages que les pompes à simple effet ayant deux corps de pompe.

Les pompes à piston ne peuvent communiquer à l'eau un mouvement uniforme, à cause des variations de vitesse du piston ; on atténue ce défaut par certaines dispositions (réservoir à air, corps de pompe conjugués), mais on l'évite complètement par l'emploi des pompes rotatives. Dans ces pompes, l'eau est mise en mouvement par l'effort constant d'un moteur circulaire ou d'un axe à ailettes, et ce mouvement est, par suite, uniforme et continu.

La *presse hydraulique* permet, en quelque sorte, de multiplier les forces ; elle repose sur le principe de Pascal. Une petite pompe foulante aspire l'eau d'une bâche et la refoule sous le piston plongeur dans un grand corps de pompe, On évite les fuites en plaçant à la partie supérieure de ce dernier une rigole circulaire renversée (cuir embouti de Bramah). Les objets sont comprimés entre un plateau qui surmonte le gros piston et un sommier. L'effort exercé directement est multiplié par le rapport des sections des pistons de la presse et de la pompe foulante ; il est encore amplifié par un levier.

La presse hydraulique sert à comprimer des graines oléagineuses, des acides gras, de la paille, et.; à mettre en mouvement des monte-charges, à essayer des matériaux, etc.

Les *siphons* sont des tubes recourbés, destinés au transvasement des liquides. Le plus simple est constitué par un tube recourbé à deux branches inégales ; après l'avoir amorcé, on plonge la petite branche dans le liquide à transvaser : celui s'écoule de la petite branche vers la grande. Les siphons ont des formes très variées : simple tube recourbé pour les liquides ordinaires, tube recourbé avec tube latéral à renflement pour les liquides vénéneux, siphons à robinet pour les acides, etc.

EXERCICES SUR LE CHAPITRE XI

32. Une pompe a un tuyau d'aspiration dont la hauteur est de 6^m et la section de 8^{cm2}. La section du piston de la pompe est de 80^{cm2}. La course du piston est de 50^{cm} et la pression initiale de l'air dans le tuyau d'aspiration est équilibrée par 10^m d'eau. A quelle hauteur s'élève l'eau dans le tuyau d'aspiration après le premier coup de piston ?

33. Le piston d'une pompe foulante a une surface de 3 décimètres carrés. La course du piston est de 1^m. On se sert de la pompe pour puiser dans un grand réservoir une dissolution saline dont la densité est 1,1 et pour refouler ce liquide à une hauteur de 15^m. On demande : 1° la masse de liquide refoulée à chaque coup de piston ; 2° le travail absorbé par chaque coup de piston.

34. Une pipette cylindrique de 25^{cm} de longueur est plongée sur la moitié de sa longueur dans du mercure. On la ferme alors à sa partie supérieure et on la soulève hors du mercure. Montrer qu'une partie du mercure de la pipette s'écoulera, et lorsque l'équilibre

sera établi, dire quelles seront les longueurs occupées par l'air et par le mercure.

35. Dans une presse hydraulique, les diamètres des pistons de la pompe et de la presse sont entre eux dans le rapport de 1 à 5. On actionne la pompe à l'aide d'un levier. Quel doit être le rapport des deux bras de levier pour qu'un effort de 8^{kᵍ} exercé à l'extrémité du levier se traduise par une pression de 1 000^{kᵍ} sur le piston de la presse?

36. On met la pompe d'une presse hydraulique en communication avec une chaudière déjà remplie d'eau. Quel effort faut-il exercer à l'extrémité a du levier abc commandant en b un piston de 4^{cm} de diamètre, si ab a une longueur de 60^{cm} et ac une longueur de 75^{cm}, pour que les parois de la chaudière supportent une pression de 10^{kg} par centimètre carré?

37. Un siphon est employé à transvaser du mercure d'un vase A dans un vase B. Le siphon est amorcé et ses deux extrémités plongent dans le mercure; il est placé sous le récipient d'une machine pneumatique dans laquelle on diminue progressivement la pression. On demande quelle sera la pression : 1° quand la colonne mercurielle se rompra au sommet du siphon; 2° quand le mercure cessera de s'écouler d'un vase dans un autre. On donne : la distance verticale du sommet du siphon au niveau de A, 25^{cm}; la distance des niveaux A et B, 30^{cm}.

CHAPITRE XII

NOTIONS ÉLÉMENTAIRES SUR LA CAPILLARITÉ

---

98. Phénomènes capillaires. — La capillarité constitue, en quelque sorte, une exception aux conditions d'équilibre des liquides. Les phénomènes qu'elle produit ont d'abord été observés dans des tubes dont le diamètre était assez étroit pour pouvoir être comparé à celui d'un cheveu; c'est ce qui leur a fait donner le nom de *phénomènes capillaires.*

Si l'on examine la surface libre d'un liquide en équilibre, on voit que près des parois verticales, elle cesse
d'être plane ; à un centimètre environ de ces parois la surface commence à se relever ; elle remonte le long de la

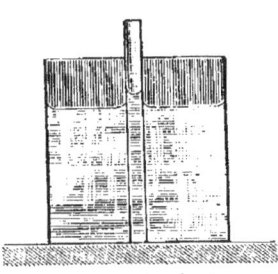

Fig. 142. — Ascension ca-
pillaire d'un liquide qui
mouille les parois.

paroi en formant une courbe dont
la concavité est tournée vers le
haut (*fig*. 142). D'après cela, si
l'on plonge dans un vase un tube
dont le diamètre est inférieur à
2^{cm}, non seulement la surface
libre du liquide dans ce tube ne
sera pas horizontale, mais elle
sera à un niveau plus élevé que

dans le vase et formera une courbe concave.

Supposons maintenant que l'on place dans le même
appareil un liquide qui ne mouille pas les parois, du mercure par exemple. Un phénomène inverse se produira. Il
y aura une dépression convexe le long des parois ; le mercure s'élèvera dans le tube à un niveau inférieur au niveau
extérieur et sa surface libre sera une courbe convexe
(*fig*. 143).

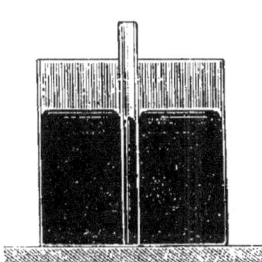

Fig. 143. — Dépression capillaire d'un liquide qui
ne mouille pas les parois.

Si l'on dispose parallèlement
deux lames de verre à une distance de quelques millimètres
dans l'eau (*fig*. 144), le liquide
s'élève entre les lames à plusieurs centimètres de hauteur, et
sa surface entre les lames est
concave. Enfin, en plaçant les

lames de manière qu'elles forment un angle aigu
(*fig*. 145), l'eau s'élève entre les lames ; sa surface
supérieure est concave. Si l'on fait varier l'angle des deux

lames, on constate que l'élévation de l'eau est d'autant plus grande que cet angle est plus petit.

La capillarité joue un rôle important dans l'ascension

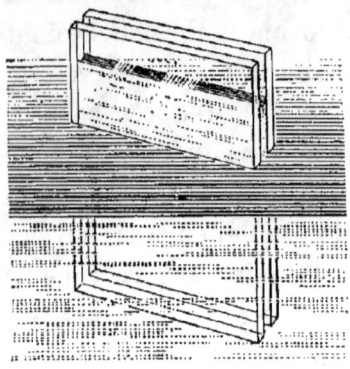

Fig. 144. — Ascension de l'eau entre deux plaques parallèles et voisines.

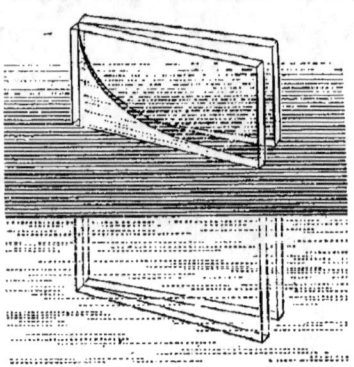

Fig. 145. — Ascension de l'eau dans un coin formé par deux plaques de verre.

de la sève chez les végétaux. C'est à la capillarité que sont dues l'imbibition rapide d'un morceau de sucre ou de craie plongé dans l'eau par un de ses points, l'ascension rapide de l'huile ou de l'alcool dans une mèche de coton, l'aspiration de l'encre par le papier buvard. On attribue à un phénomène de capillarité l'ascension de l'eau dans les terres arables, eau qui provient des couches profondes et plus humides qu'elles. Ce fait a une grande importance en temps de sécheresse.

Remarque. — L'ascension des liquides qui mouillent les parois des tubes capillaires se produit aussi avec l'alcool, la benzine ; de même, les métaux fondus produisent, comme le mercure, une dépression. D'un autre côté, certains corps, comme les métaux polis, l'épiderme des feuilles ne sont pas mouillés par l'eau ; de là la formation sur ces corps de gouttelettes d'eau.

99. Loi de Jurin. — *Pour un même liquide, à une même température, les hauteurs moyennes d'ascension dans les tubes capillaires sont en raison inverse des diamètres de ces tubes.*

On appelle hauteur moyenne d'ascension la hauteur d'un cylindre de même section que le tube considéré et dont le volume serait égal à celui du liquide soulevé.

La loi de Jurin s'applique aussi aux hauteurs moyennes de dépression.

100. Forces de cohésion dans les liquides. — Tension superficielle. — Les phénomènes capillaires s'expliquent facilement en assimilant la surface libre d'un liquide à une membrane élastique uniformément tendue. Voici quelques-unes des expériences qui ont conduit à cette assimilation.

1° Une gouttelette de mercure posée sur un plan de verre qu'elle ne mouille pas y prend une forme à peu près sphérique.

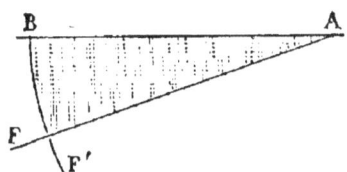

Fig. 146. — Expérience montrant les forces de cohésion dans les liquides.

2° On articule en A deux fils métalliques très légers AB et AF, puis on fixe en B un troisième fil BF' recourbé en arc de cercle pour guider le fil AF dans son mouvement. A l'aide d'un pinceau, on mouille les trois fils avec une dissolution de savon à laquelle on a ajouté un peu de glycérine. En écartant le fil AF du fil AB, on voit se former entre ces fils une mince lame angulaire liquide.

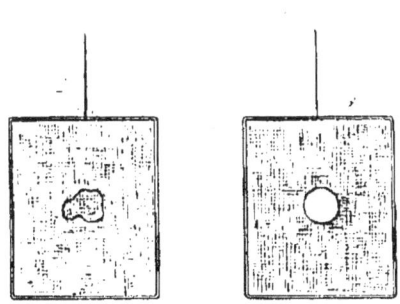

Fig. 147. — Autre expérience montrant les forces de cohésion dans les liquides.

Si l'on abandonne alors AF, il remonte vers AB malgré l'action de la pesanteur (*fig*. 146).

3º Si on plonge dans une dissolution glycérique de savon un cadre fermé, en fil de fer, et qu'on le retire ensuite, on obtient une lame liquide plane, limitée aux bords du cadre (*fig.* 147). On pose alors sur cette lame une boucle formée de fil de soie bien mouillé préalablement, puis on perce, avec une épingle, la lame à l'intérieur de la boucle. On voit immédiatement la boucle prendre la forme circulaire.

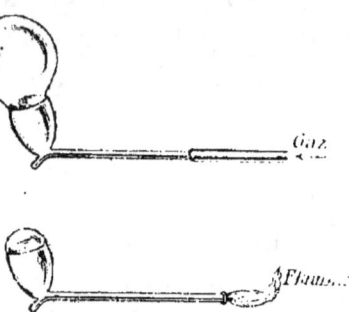

Fig. 148. — Pression d'une bulle de savon sur du gaz d'éclairage.

4º On fixe une pipe à un tube de caoutchouc amenant du gaz d'éclairage et on plonge l'extrémité large dans une dissolution glycérique pour avoir une bulle. Si on enlève le tube, le gaz est chassé par la pression exercée par la bulle et on peut l'enflammer à l'extrémité étroite (*fig.* 148).

On sait que les *forces de cohésion* sont les forces attractives qui s'exercent entre les molécules des corps. Il existe donc des forces de cohésion qui s'exercent, soit entre les molécules liquides, soit entre celles-ci et les molécules de la paroi. Supposons que la surface libre d'un liquide soit coupée normalement par un plan quelconque : il existe une force, située dans le plan tangent à la surface, qui maintiendrait réunis les deux bords de cette section. Cette force, rapportée au millimètre de longueur de la section, est ce que l'on appelle la *tension superficielle* du liquide. On l'exprime ordinairement en milligrammes.

Mesure des tensions superficielles. — On mesure facile-

ment la tension superficielle des liquides qui mouillent le
verre par la méthode
suivante :

Un tube de verre
très léger, supportant
un plateau en papier,
et aux extrémités du-
quel sont fixés deux
disques de liège (*fig.*

Fig. 149. — Détermination de la tension superficielle d'un liquide.

149), est approché d'un fil de coton tendu horizontalement
entre deux points fixes F et F'. A l'aide d'un pinceau,
on garnit l'espace laissé libre entre le tube et le fil d'une
lame mince du liquide à étudier. Le tube se maintient
alors seul par les tensions superficielles des deux faces de la
lame. On ajoute peu à peu des grains de sable sur le plateau
jusqu'à ce que le tube se détache. Désignons par l la longueur de la lame liquide, par M la masse du tube, du plateau et du sable, par S la tension superficielle de chacune
des deux faces de la lame. Le poids Mg de la masse M faisant
équilibre à la somme 2Sl des tensions superficielles, on a

$$Mg = 2Sl,$$

d'où
$$S = \frac{Mg}{2l}.$$

Les lois établies expérimentalement pour la capillarité
peuvent se déduire de la tension superficielle. Dans le cas
d'un tube capillaire plongé dans un liquide qui le mouille,
par exemple, la tension superficielle s'exerce le long de la
circonférence du ménisque concave ; elle fait équilibre au
poids du liquide soulevé. On a donc, en appelant h la hauteur moyenne d'ascension, r le rayon du tube, p le poids
spécifique du liquide,

$$2\pi rS = \pi r^2 hp,$$

d'où
$$h = \frac{2S}{rp},$$

c'est-à-dire que la hauteur moyenne d'ascension est inversement proportionnelle au diamètre du tube. C'est la loi de
Jurin (99).

101. Phénomènes d'adhérence et de teinture. — *Les phénomènes d'adhérence* sont aussi une conséquence des forces
de cohésion qui s'exercent entre les molécules des corps.

Pour montrer l'adhérence entre des corps solides, on prend deux lames de glace bien polies et on les fait glisser l'une contre l'autre en les appuyant.

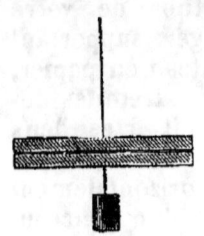

Fig. 150. — Expérience démontrant l'adhérence des solides entre eux.

Les glaces adhèrent l'une à l'autre, et la glace supérieure peut même porter, outre la glace inférieure, une certaine masse fixée à celle-ci (*fig*. 150). Comme le phénomène se produit dans le vide, on ne peut attribuer l'adhérence à la pression atmosphérique. Dans les dépôts de glaces, on évite de les superposer horizontalement, de crainte d'amener leur rupture en les séparant.

L'adhérence des liquides aux solides peut être constatée aussi facilement. Si l'on pose un disque de verre sur la surface d'un liquide, puis qu'on le soulève, le disque emporte une couche de liquide plus ou moins épaisse. De même si l'on plonge une baguette de verre dans l'eau et qu'on la retire ensuite, une goutte reste suspendue à l'extrémité inférieure de la baguette. Le liquide qui est immédiatement en contact avec le verre est retenu par la cohésion qui s'exerce entre le liquide et le solide ; le reste de la goutte est maintenu grâce à la cohésion propre du liquide.

Tous ces phénomènes d'adhérence ne se produisent qu'au contact ; dès que la distance entre les corps devient sensible, aucune trace de cohésion ne se manifeste.

On se base sur les phénomènes d'adhérence pour expliquer les ascensions et les dépressions capillaires qui se produisent au voisinage des parois solides.

Les phénomènes de teinture sont aussi une application des phénomènes d'adhérence ; la cohésion qui s'exerce entre le liquide coloré et le solide fait que ce liquide imprègne complètement l'étoffe. Quelques couleurs se fixent directement sur les tissus ; une solution de fuchsine teint la soie par simple immersion. Le plus souvent il est nécessaire de faire intervenir un mordant, c'est-à-dire un agent chimique qui se combine avec la matière colorante pour former un composé insoluble appelé laque. Par exemple, une bande de coton étant imprégnée d'une solution d'acétate d'aluminium, puis immergée dans un bain d'alizarine, prend une couleur rouge.

RÉSUMÉ DU CHAPITRE XII

Si l'on plonge dans l'eau un tube dont le diamètre est inférieur à 2^{cm}, la surface libre du liquide dans le tube est à un niveau plus élevé qu'à l'extérieur et forme une courbe concave. Avec du mercure, qui ne mouille pas les parois solides, il produit au contraire une dépression convexe.

Comme exemples de phénomènes capillaires, on peut citer l'imbibition rapide d'un morceau de sucre plongé dans l'eau par un de ses points, l'ascension de l'huile dans une mèche.

Les phénomènes capillaires s'expliquent en assimilant la surface libre d'un liquide à une membrane élastique uniformément tendue.

L'expérience montre qu'il existe des forces attractives (forces de cohésion) qui s'exercent, soit entre les molécules liquides, soit entre celles-ci et les molécules de la paroi. La tension superficielle d'un liquide est la force qui maintiendrait réunis les deux bords d'une section faite normalement à la surface libre du liquide.

Comme conséquence des forces de cohésion, on peut citer l'adhérence qui s'exerce entre des corps solides (adhérence de deux glaces polies).

CHALEUR

CHAPITRE XIII

TEMPÉRATURES. — THERMOMÈTRES

102. Effets généraux de la chaleur. — La chaleur est la cause à laquelle nous rapportons nos sensations de *froid* et de *chaud* ; elle provoque chez les corps soumis à son action des phénomènes particuliers appelés *phénomènes calorifiques*, qui consistent le plus ordinairement en des variations de volume ou en des changements d'état physique. Enfin la chaleur est capable d'augmenter ou de diminuer dans un même corps suivant les circonstances où il se trouve placé ; elle s'accumule dans un corps qui s'échauffe ; elle diminue dans un corps qui se refroidit ; d'après cela, la chaleur est une grandeur que l'on peut *mesurer* en choisissant une unité convenable de comparaison.

103. Premières notions sur la dilatation des corps. — Presque tous les corps augmentent de volume quand on les chauffe ; c'est ce qu'on exprime en disant qu'ils se *dilatent*. Cette dilatation, très faible dans les solides, est plus grande dans les liquides et devient considérable dans les gaz ; on peut la mettre en évidence par quelques expériences très simples.

I. Dilatation des solides. — On prend un anneau de cuivre dans lequel peut passer librement une sphère de cuivre ayant à peu près le même diamètre que l'anneau (*fig*. 151). Si l'on chauffe la sphère seule à l'aide d'un brûleur, on constate qu'elle ne peut

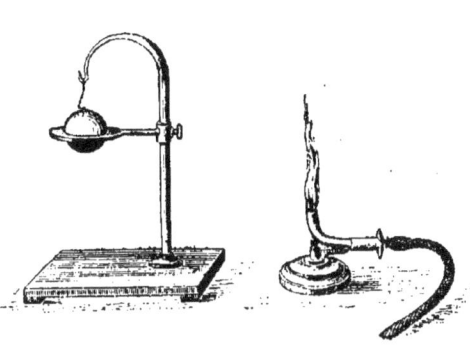

Fig. 151. — Anneau de S' Gravesande.

plus passer à travers l'anneau; au bout de quelque temps, la sphère refroidie a diminué de volume et tombe d'elle-même à travers l'anneau.

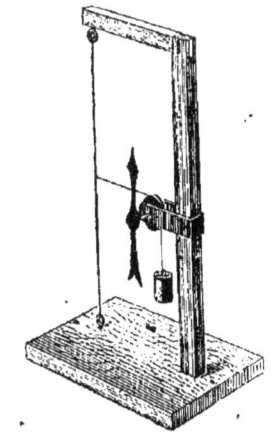

Fig. 152. — Expérience montrant la dilatation linéaire.

Pour montrer que les solides augmentent de longueur quand on les chauffe, on fixe un fil métallique par ses extrémités (*fig*. 152), puis on attache vers son milieu, du fil à coudre tendu par un contrepoids et qui s'enroule sur une petite poulie dont l'axe supporte une aiguille légère.

Si l'on promène une flamme le long du fil métallique, il tend à se recourber, ce qui a pour effet de faire tourner la poulie et en même temps l'aiguille.

On démontre plus simplement l'augmentation de longueur d'un solide avec une tige de cuivre AB reposant par l'extrémité A sur un support et par l'autre extrémité B sur une aiguille à tricoter placée sur une lame de verre

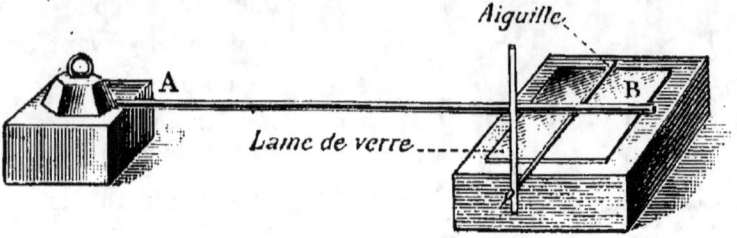

Fig. 153. — Deuxième expérience montrant la dilatation linéaire.

(*fig*. 153). On fixe à l'aiguille un fragment de paille servant d'index, puis on pose une masse en A pour maintenir cette extrémité immobile et on promène un brûleur le long de AB ; on voit le fragment de paille se déplacer rapidement. Cela tient à ce que la tige de cuivre s'allonge et, faisant rouler l'aiguille sur elle-même, celle-ci entraîne le fragment.

L'allongement qu'a subi la tige par la chaleur s'appelle la *dilatation linéaire*, par opposition à la *dilatation cubique*, qui représenterait l'augmentation de volume de la tige tout entière.

II. **Dilatation des liquides.** — Pour montrer la dilatation des liquides, on remplit d'eau colorée un ballon que l'on ferme ensuite avec un bouchon traversé par un tube

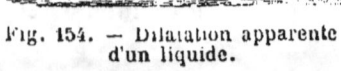

Fig. 154. — Dilatation apparente d'un liquide.

de verre étroit (*fig*. 154). Si l'on plonge brusquement ce

ballon dans de l'eau chaude, on voit d'abord le sommet de la colonne liquide baisser, par suite de la dilatation du ballon ; mais la dilatation du liquide étant bien supérieure à celle du verre, il remonte presque aussitôt et dépasse de beaucoup son niveau primitif. L'augmentation de volume que paraît prendre ainsi le liquide dans une enveloppe qui se dilate moins que lui s'appelle sa *dilatation apparente* : elle est évidemment inférieure à sa *dilatation absolue*, c'est-à-dire à l'augmentation de volume qu'il subit réellement.

III. Dilatation des gaz. — On met en évidence la grande dilatation des gaz avec un ballon à fond plat (*fig.* 155) contenant de l'eau colorée, et fermé par un bouchon traversé par un long tube de verre étroit qui plonge dans le liquide. Il suffit d'appliquer les mains sur le ballon pour voir l'eau colorée monter rapidement dans le tube.

Une seconde expérience permet de constater l'augmentation de force élastique d'un gaz lorsqu'on l'empêche de se dilater. Fermons un ballon par un bouchon muni d'un tube de sûreté ; versons un peu de mercure dans ce tube, puis plongeons le ballon dans de l'eau tiède (*fig.* 156) : le mercure baisse dans la petite

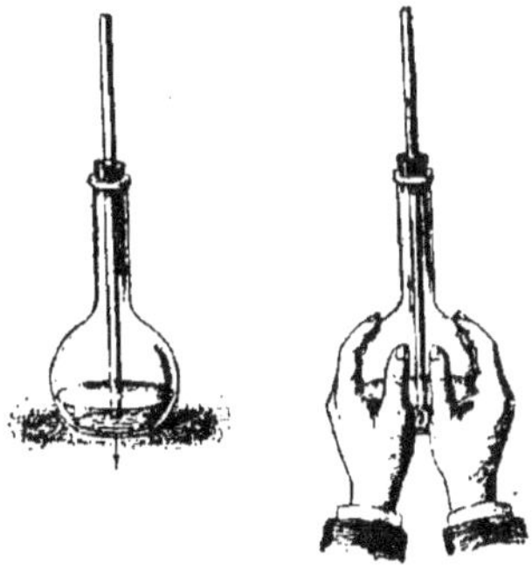

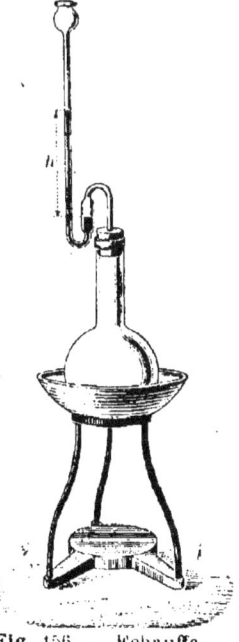

Fig. 155. — Expérience montrant la grande dilatation des gaz.

Fig. 156. — Échauffement d'un gaz à volume constant.

branche et monte dans la grande par suite de l'augmentation

de force élastique du gaz. Versons alors du mercure dans la
grande branche de manière à ramener le mercure à son niveau primitif dans la petite branche : le volume du gaz n'a
pas varié par l'échauffement, mais sa force élastique a augmenté d'une quantité mesurée par la colonne de mercure h.

TEMPÉRATURES

104. Notions générales sur les températures. — Pour
exprimer que des corps sont plus ou moins chauds, on dit
qu'ils ont des températures différentes, le corps le plus
chaud ayant la température la plus élevée. On peut rien
qu'avec la main apprécier par comparaison la température des corps, mais cela ne saurait suffire dans le cas de
corps fortement chauffés, et, dans les conditions ordinaires, on n'aurait pas les températures avec une précision suffisante.

C'est pour les apprécier avec exactitude qu'on a recours
aux variations de volume qu'éprouvent les corps sous l'influence de la chaleur.

Considérons un corps que nous supposons soumis à une
pression extérieure constante. Tant que son volume reste
constant, on dit que sa température est *stationnaire* ; si
son volume augmente, on dit que sa température *s'élève* ;
si son volume diminue, on dit que sa température
s'abaisse. Considérons maintenant deux corps qui sont
mis en contact. Si leurs volumes respectifs ne changent
pas, on dit que ces corps étaient *à la même température*. Si
les volumes varient, les corps étaient *à des températures
différentes* ; le corps dont la température était la plus élevée se refroidit en même temps qu'il diminue de volume,
l'autre s'échauffe en même temps qu'il augmente de
volume, et il arrive un moment où les volumes des deux

corps ne varient plus : ceux-ci sont alors à la même température, température qui est intermédiaire entre les deux températures initiales.

Dans le cas où l'on considère une masse gazeuse qui conserve le même volume, on dira que sa température augmente, diminue ou reste stationnaire suivant que sa force élastique augmente, diminue ou conserve la même valeur.

On voit par ces considérations que *la température n'est pas une grandeur mesurable*, puisque rien ne permet de définir une température égale à la somme de deux autres. Pour pouvoir étudier les températures, il faudra donc employer une échelle conventionnelle ayant des points de repère, et dans laquelle une température sera représentée **par** un nombre d'autant plus grand que cette température sera plus élevée.

105. Températures fixes. — Lorsqu'on porte dans de la glace fondante le ballon qui nous a servi à démontrer la dilatation des liquides (*fig.* 154), on constate que le niveau du liquide dans le tube reste invariable en un certain point aussi longtemps qu'il reste une portion de glace à fondre. En général, un corps plongé dans la glace fondante ne varie pas de volume ; *la température de la glace fondante est donc constante* ; on donne à cette température le numéro d'ordre *zéro*.

Lorsqu'on place le ballon précédent dans de la vapeur d'eau bouillante, la pression atmosphérique étant égale à 76^{cm}, le liquide occupe dans le tube un niveau beaucoup plus élevé que celui qu'il avait dans la glace. Ce niveau ne varie pas tant que la pression atmosphérique ne varie pas elle-même. *La vapeur d'eau bouillante sous la pression de 76^{cm} a donc une température constante.* Par convention, on donne à cette température le numéro d'ordre 100.

L'échelle des températures dont les deux points fixes sont caractérisés par 0 et 100 est seule adoptée en physique ; on l'appelle *échelle centigrade*.

Remarque. — Dans les pays du Nord et principalement en Angleterre, on se sert fréquemment, pour les usages courants, d'une échelle due à Fahrenheit et dans laquelle les points fixes sont caractérisés par 32 (glace fondante) et 212 (vapeur d'eau bouillante). Enfin, nous citerons seulement pour mémoire une troisième échelle, qui fut longtemps employée en France ; c'est l'échelle de Réaumur, dans laquelle les points fixes de l'échelle centigrade sont caractérisés par 0 et 80 (*fig.* 157).

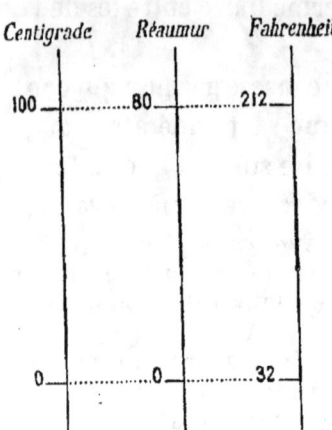

Fig. 157. — Échelles thermométriques.

La formule $\dfrac{t}{100} = \dfrac{n - n_0}{n_{100} - n_0}$ permet de résoudre tous les exercices de conversion de degrés centigrades en degrés Réaumur ou Fahrenheit et réciproquement. Dans l'échelle Réaumur $n_0 = 0$, $n_{100} = 80$; dans l'échelle Fahrenheit, $n_0 = 32$, $n_{100} = 212$. Soit à trouver le degré marqué par un Fahrenheit quand le centigrade marque 40° ; on a $\dfrac{40}{100} = \dfrac{n - 32}{180}$, d'où $n = 104°$ F.

THERMOMÈTRES

106. Substances thermométriques. — Les thermomètres sont des instruments qui, par leurs variations de volume, font connaître la température d'un corps ou d'une enceinte avec laquelle ils sont mis en contact.

Supposons que l'on introduise dans une enceinte quelconque un corps dont la masse est assez faible pour qu'elle ne modifie pas sensiblement par son contact la température de cette enceinte ; il prendra au bout d'un certain temps cette même température et la fera connaître, si sa propre température est elle-même connue.

Le corps ainsi employé constitue une *substance thermométrique*.

Les solides sont de mauvaises substances thermométriques; ils sont trop peu dilatables et surtout ils ne sont pas comparables à eux-mêmes, c'est-à-dire qu'ils ne reprennent pas exactement le même volume lorsque, après avoir été chauffés, ils reviennent à leur température initiale.

Les liquides constituent de bonnes substances thermométriques au point de vue pratique. Dans les thermomètres à liquides, c'est la dilatation apparente de ceux-ci qui définit la température; il en résulte que deux thermomètres, même étant faits avec le même verre et contenant l'un du mercure, l'autre de l'alcool, par exemple, n'indiquent pas des températures identiques dans les mêmes circonstances, ces deux liquides ne suivant pas la même loi de dilatation. Il est donc nécessaire de comparer une fois pour toutes les indications du thermomètre dont on se sert à celles d'un *thermomètre étalon* déterminé. Dans la pratique, on compare les thermomètres à liquides au *thermomètre à mercure en verre dur* employé au Bureau international des poids et mesures.

Enfin les gaz sont les substances thermométriques par excellence, à cause de leur grande dilatabilité, dilatabilité qui permet de négliger complètement l'influence de la dilatation de l'enveloppe; mais leur maniement est assez délicat, aussi ne les emploie-t-on guère que dans les expériences de grande précision. Le *thermomètre à hydrogène* est adopté comme type par tous les physiciens; c'est à lui que l'on rapporte rigoureusement les indications de tous les autres thermomètres.

107. Thermomètres à mercure. — Les thermomètres à mercure se composent d'un réservoir en verre (*fig*. 158), auquel est soudée une tige en verre dans laquelle est creusé un canal capillaire terminé à la partie supérieure par une petite ampoule. Le mercure remplit complètement le réservoir et s'élève dans le canal à une certaine hauteur. Enfin le long de la tige se trouve une échelle de températures dont les degrés extrêmes varient suivant les usages auxquels le thermomètre est destiné. Ainsi un thermomètre médical (*fig.* '159) n'indique généralement que les températures au delà desquelles la vie cesse, et 1/10 de degré occupe sur l'échelle une longueur supérieure à celle d'un degré sur certains thermomètres ordinaires.

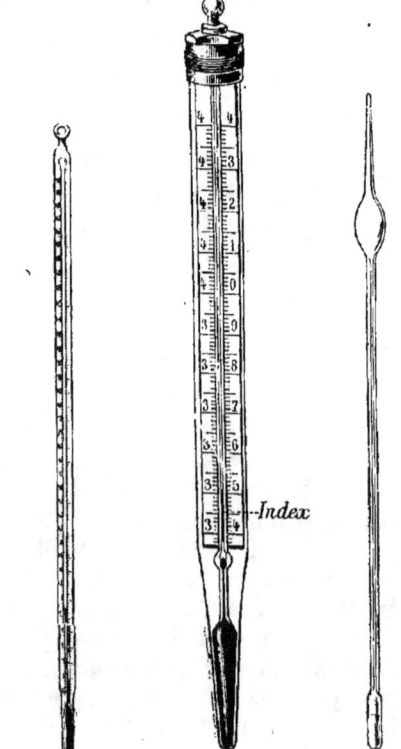

Les thermomètres à mercure ne peuvent indiquer de températures supérieures à 360°, température à laquelle ce liquide entre en ébullition; au delà de 360°, la force élastique de la vapeur de mercure devient supérieure à la pression atmosphérique et le réservoir pourrait éclater.

Fig. 158. — Thermomètre à mercure.

Fig. 159. Thermomètre médical.

Fig. 160. — Tube préparé pour thermomètre à mercure.

Construction et graduation. — On trouve dans le com·
merce des tubes tout préparés formés d'un réservoir cylin
drique, d'une tige capillaire et d'une ampoule terminée par
une pointe effilée et fermée (*fig.* 160). Après avoir brisé la
pointe de l'ampoule, on chauffe légèrement celle-ci avec un
brûleur Bunsen, afin de chasser par dilatation une partie de
l'air qu'elle contient, puis on plonge la pointe dans du mercure
bien pur : l'air contenu dans l'ampoule se contracte par refroidissement, et la pression atmosphérique fait monter dans
l'ampoule une certaine quantité de mercure. On redresse
alors l'instrument, et on le chauffe à l'aide d'une rampe à
gaz (*fig.* 161); une par-
tie de l'air du réservoir
s'échappe à travers le
mercure de l'ampoule.
En laissant refroidir,
le réservoir se remplit
en partie de mercure,
On chauffe de nouveau,
mais en portant le li-
quide à l'ébullition
(360° environ); les va-
peurs mercurielles
chassent complète-
ment l'air ainsi que
l'humidité que le tube
pouvait contenir, et,
par refroidissement, le
réservoir et le tube
se remplissent entiè-

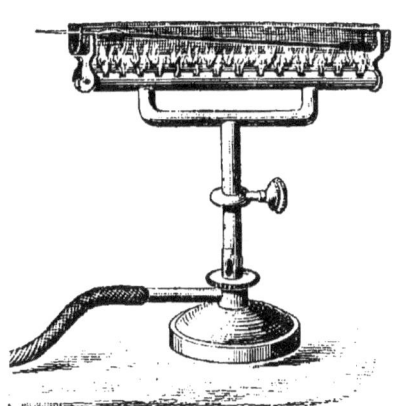

Fig. 161. — Rampe à gaz pour remplissage du thermomètre.

rement de mercure. On porte alors l'instrument à la plus
haute température qu'on veut lui faire marquer, puis on
chauffe l'extrémité du tube à l'aide d'un chalumeau à gaz et
on étire de manière à détacher l'ampoule et à fermer le
tube. Par refroidissement, le mercure rentre en partie dans
le réservoir, laissant au-dessus de lui de l'air très raréfié.

Il faut maintenant graduer l'instrument. Pour avoir le **point**
zéro, on place le thermomètre dans de la glace finement con-
cassée et mouillée (*fig.* 162), en ayant soin que le thermomètre soit entouré de glace dans toute la portion contenant
du mercure. Quand le niveau du mercure est devenu stationnaire, on marque d'un trait sa position.

La détermination du point 100 se fait dans une chaudière (*fig.* 163) surmontée de deux cylindres concentriques, lesquels sont disposés de telle sorte que la vapeur produite par l'ébullition de l'eau circule d'abord autour du thermomètre, puis autour du cylindre central, avant de s'échapper dans l'atmosphère. Le réservoir ne doit pas être immergé dans l'eau.

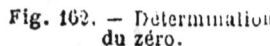

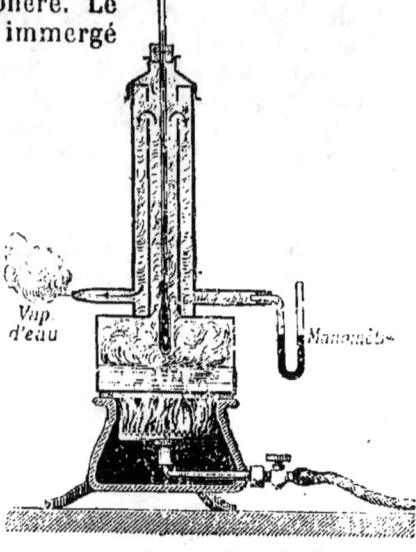

Fig. 162. — Détermination   Fig. 163. — Détermination
      du zéro.   du point 100.

Lorsque le niveau du mercure est redevenu stationnaire, on marque encore d'un trait sa position : ce sera le degré 100 du thermomètre si la hauteur barométrique pendant l'expérience a été de 76ᶜᵐ exactement. Comme il en est rarement ainsi, on calcule le degré correspondant à l'ébullition en s'appuyant sur ce fait qu'au voisinage de 100° l'ébullition est avancée ou retardée d'environ $\frac{1}{27}$ de degré pour chaque différence de pression de 1ᵐᵐ de mercure (101° sous une pression de 78ᶜᵐ,7, 99° sous une pression de 73ᶜᵐ,3, etc.).

Les deux points fixes étant ainsi obtenus, on peut se contenter de diviser leur intervalle en parties d'égale longueur si l'on ne veut pas atteindre une grande précision. On voit que le degré de l'échelle du thermomètre à mercure est la $\frac{1}{100}$ partie de la dilatation apparente qu'éprouve le mercure en passant de la température de la glace fondante à celle de la vapeur d'eau bouillante sous la pression de 76^{cm}.

Déplacement du zéro. — Si, quelque temps après sa construction, on plonge un thermomètre dans la glace fondante, on trouve que le niveau du mercure ne coïncide plus avec le trait 0, et qu'il se tient constamment un peu au-dessus. Ce déplacement du zéro peut varier de quelques dixièmes de degré à quelques degrés ; il est dû à une sorte de résidu de dilatation que le réservoir a conservé après son remplissage, résidu qui met plus ou moins longtemps à disparaître. Les déplacements du zéro ont été considérablement atténués par la substitution du *verre dur préalablement recuit* au cristal dans la construction des thermomètres, et ce n'est plus que dans les mesures de précision qu'il est nécessaire de déterminer de temps en temps directement la position du zéro.

108. Thermomètres à alcool. — Les thermomètres à

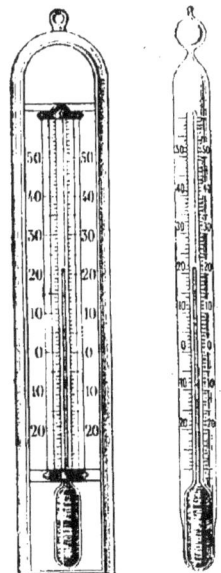

Fig. 164. — Thermomètres à alcool.

alcool ont un canal plus large que celui des thermomètres à mercure, l'alcool étant plus dilatable que le mercure (*fig.* 164). L'alcool qu'ils contiennent est légèrement coloré en rouge par de l'orseille. Ces thermomètres servent pour les usages courants (température d'une salle, d'un bain) ou pour les basses températures, l'alcool ne se congelant que vers 140° au-dessous de zéro. On les gradue par comparaison avec un thermomètre à mercure.

Remarque. — L'alcool devient sirupeux aux basses températures. C'est pour obvier à cet inconvénient que l'on a proposé de substituer à l'alcool, dans les thermomètres destinés à mesurer les basses températures, des liquides qui conservent tou-

jours la même fluidité. Parmi ces liquides, on emploie surtout le *toluène*, qu'il est facile d'obtenir pur et qui ne se
solidifie que vers — 120°. Les thermomètres à toluène sont
gradués par comparaison avec un thermomètre à gaz ;
leurs divisions sont inégales parce que les contractions de
volume que subit le toluène par refroidissement ne sont
pas tout à fait proportionnelles aux abaissements de température. La graduation va généralement de + 30° à — 75°.

109. Thermomètre enregistreur de Richard. — Il se
compose essentiellement d'un tube métallique clos et

Fig. 165. — Thermomètre enregistreur de Richard.

complètement rempli d'alcool (*fig.* 165). Ce tube a une
section elliptique ; une de ses extrémités est fixée sur le
bâti de l'appareil ; l'autre extrémité est reliée par une
bielle à un levier qui porte la plume chargée de tracer la
courbe des températures sur un papier quadrillé. La dilatation de l'alcool fait varier la courbure du tube ; il en
résulte des déplacements de l'extrémité libre, déplacements qui sont considérablement amplifiés par le levier.

La feuille de papier quadrillé est enroulée sur un

cylindre qui tourne d'un mouvement uniforme à l'aide
d'un mécanisme d'horlogerie et fait un tour par semaine.

110. Thermomètres météorologiques. — En météorologie
on emploie, pour déterminer la température de l'air, soit des thermomètres enregistreurs comme celui que nous venons de décrire,
soit des thermomètres spéciaux qui indiquent la plus haute température du jour (thermomètres *à maxima*) et la plus basse température de la nuit (thermomètres *à minima*).

Thermomètre à maximum de Negretti. — C'est un thermomètre à mercure. Une petite tige de verre traverse le réservoir
dans toute sa longueur et vient s'engager dans le canal intérieur
de la tige, de manière à ne laisser entre elle et la paroi intérieure
qu'un petit intervalle (*fig.* 166). Lorsque
la température s'élève, le mercure fran-
chit l'étranglement; si la température
vient à baisser, l'extrémité de la tige de
verre empêche le mercure de retour-
ner dans le réservoir. La température
maxima se trouve donc indiquée par la
position de la colonne thermométrique
la plus éloignée du réservoir.

**Thermomètre à minimum de
Rutherford.** — Le thermomètre de
Rutherford contient de l'alcool dans lequel baigne entièrement un index en
émail (*fig.* 167). Pour le mettre en expérience, on le retourne complètement,
le réservoir en haut, jusqu'à ce que
l'index vienne toucher l'extrémité de la
colonne d'alcool. Cela posé, quand la
température s'élève, l'alcool passe entre
la paroi du canal et l'index, sans déplacer celui-ci; quand la température s'a-
baisse, l'alcool en se contractant entraîne l'index par suite de l'adhérence
qui se produit entre l'extrémité de l'index et le ménisque liquide. La température minima est donnée par l'extrémité de l'index *la plus éloignée* du
réservoir.

Les deux thermomètres précédents
doivent être installés autant que possible au milieu d'un terrain découvert,
à 2ᵐ environ au-dessus d'un sol gazonné

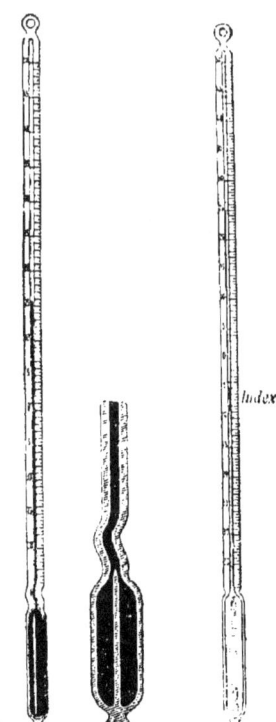

Fig. 166. —
Thermomè-
tre à maxi-
mum de
Negretti.

Fig. 167. —
Thermomè-
tre à mi-
nimum de
Rutherford.

et sous un abri spécial. On doit les placer l'un et l'autre sous une inclinaison d'environ 30°.

111. Thermomètres industriels. — Ils sont de bien des systèmes. Nous ne parlerons que des thermomètres et des pyromètres à cadran.

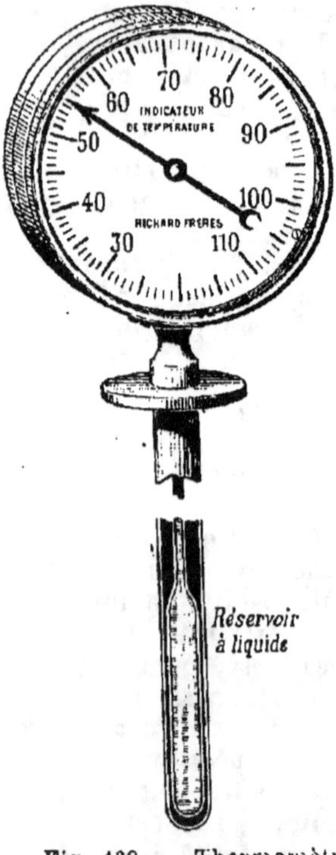

Thermomètres à cadran. — Ils se composent d'un réservoir relié par un canal à un tube manométrique de Bourdon (*fig.* 168). Le tout est rempli d'un liquide.

Quand la température s'élève, le liquide se dilate, fait mouvoir le tube manométrique, et ce mouvement, amplifié par des leviers, est transmis à une aiguille indicatrice. Les thermomètres servent à indiquer la température des étuves, séchoirs, diffuseurs, serres chaudes, etc. : leur graduation ne dépasse pas 350°.

Pyromètres à cadran. — Ce sont des thermomètres à gaz. La partie qui plonge dans les fours est un réservoir en fer, qui communique par un tube filiforme avec un tube manométrique (*fig.* 169). Le tout contient de l'azote. Sous l'influence de la dilatation du gaz contenu dans le réservoir, le tube subit des mouvements, qu'il transmet à l'aiguille indicatrice par un système de leviers. L'appareil est construit et gradué d'après ce principe que la force élastique de l'azote chauffé à volume constant, double pour une élévation de température de 273°.

Fig. 168. — Thermomètre industriel à cadran.

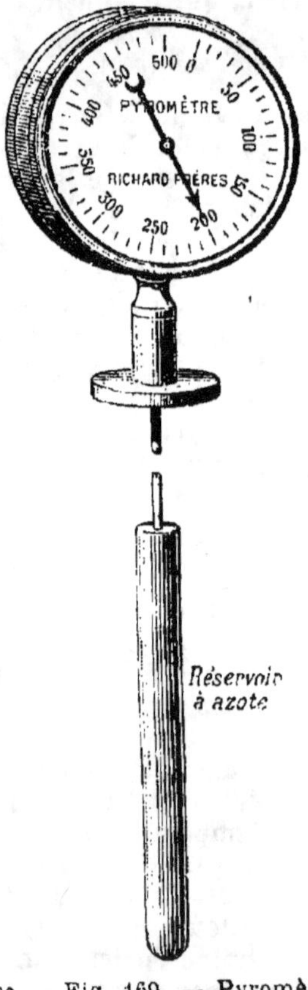

Fig. 169. — Pyromètre à cadran.

Les pyromètres à cadran servent dans les fabriques de produits chimiques, de produits céramiques ; dans les verreries, etc. Ils ne peuvent guère donner de températures supérieures à 700° ; pour des températures plus élevées, comme celles qui règnent dans les fours Siemens, les fours à porcelaine, etc., on emploie ordinairement des pyromètres assez compliqués, appelés *pyromètres à courant d'eau*, qui donnent les températures approximativement jusqu'à 2 500°.

112. Thermomètres à gaz. — Les thermomètres à gaz

constituent les thermomètres de précision par excellence. La grande dilatation des gaz leur donne une supériorité réelle sur les liquides aux points de vue de la sensibilité et de la comparabilité ; aussi est-ce parmi les thermomètres à gaz qu'on choisit le thermomètre normal destiné à servir d'étalon pour tous les autres thermomètres. Le thermomètre étalon employé aujourd'hui par tous les physiciens est un *thermomètre à hydrogène, fondé sur les variations de force élastique d'une masse d'hydrogène à volume constant.* L'hydrogène a en effet un coefficient d'augmentation de force élastique à volume constant indépendant de la pression ; il permet à la fois de mesurer des températures très basses et des températures très élevées.

Soient H_0 la force élastique d'une masse d'hydrogène à la température de la glace fondante, H_{100} la force élastique qu'elle possède sous le même volume à la température de la vapeur d'eau bouillante sous la pression de 76^{cm} ; on appelle *degré centigrade normal* l'élévation de température qui produit une augmentation de force élastique égale à $\dfrac{H_{100} - H_0}{100}$.

Portons le thermomètre à une température inconnue x, toujours à volume constant, et mesurons la nouvelle force élastique H ; les variations de température étant proportionnelles aux variations de force élastique, nous aurons

$$\frac{x}{100} = \frac{H - H_0}{H_{100} - H_0},$$

équation d'où l'on peut tirer x.

Le thermomètre normal installé au Bureau international des poids et mesures se compose essentiellement d'une enveloppe cylindrique en platine iridié ayant un peu plus d'un litre de capacité ; cette enveloppe communique, par l'intermédiaire d'un tube de petit diamètre, avec un manomètre de précision dans lequel on relève les hauteurs du mercure à l'aide de microscopes.

RÉSUMÉ DU CHAPITRE XIII

La chaleur est la cause de nos sensations de chaud et de froid ; les phénomènes qu'elle provoque (phénomènes calorifiques) consistent ordinairement en des variations de volume ou des changements d'état physique. C'est une grandeur mesurable.

Presque tous les corps se dilatent sous l'influence de la chaleur. La dilatation des solides est très faible. Les liquides se dilatent plus que les solides ; mais comme ils sont contenus dans une enveloppe qui se dilate également, on n'observe que leur dilatation apparente et non leur dilatation réelle.

Enfin la dilatation des gaz est très grande.

La température d'un corps se mesure par les variations de volume qu'il subit sous l'influence de la chaleur ; elle s'élève, s'abaisse ou reste stationnaire suivant que le volume augmente, diminue ou ne varie pas. Deux corps à des températures différentes étant mis en présence prennent peu à peu la même température. On rapporte les températures à deux températures fixes (glace fondante et vapeur d'eau bouillante sous la pression de 76^{cm}), auxquelles on donne par convention les numéros d'ordre 0 et 100 (échelle centigrade).

Les thermomètres font connaître les températures par leurs variations de volume. Les substances thermométriques les plus employées sont le mercure et l'alcool.

Le thermomètre à mercure se compose d'un réservoir et d'une tige en verre dur. La tige est traversée par un canal capillaire dans lequel le mercure s'élève à une certaine hauteur. La température la plus élevée que puisse marquer un thermomètre à mercure est 360°.

Les thermomètres à alcool ne servent que pour les usages courants et aussi pour les basses températures ; ils contiennent de l'alcool coloré en rouge et leur canal est plus large que celui des thermomètres à mercure. On les gradue par comparaison avec un thermomètre à mercure.

Le thermomètre à alcool peut être rendu enregistreur (système

Richard). Ce dernier consiste en un tube aplati plein d'aicool et dont l'extrémité libre, sous l'effet des variations de température, subit des déplacements qui sont amplifiés par un levier et tracés sur du papier quadrillé.

Le thermomètre étalon adopté par les physiciens est le thermomètre à hydrogène, fondé sur les variations de force élastique d'une masse d'hydrogène à volume constant.

EXERCICES SUR LE CHAPITRE XIII

38. Un thermomètre centigrade marque 25°; quel est le nombre de degrés marqués, pour la même température, par un thermomètre Fahrenheit et par un thermomètre Réaumur?

39. A quelle température le thermomètre centigrade et le thermomètre Fahrenheit marquent-ils le même nombre de degrés?

CHAPITRE XIV

DILATATION DES SOLIDES

---

113. Formules relatives à la dilatation linéaire. — Appelons l_0 la longueur d'une barre à 0°, l la longueur que prend cette même barre quand on la chauffe à $t°$; la dilatation linéaire totale qu'elle subit entre 0° et $t°$ est $l - l_0$; la dilatation de l'unité de longueur est $\dfrac{l - l_0}{l_0}$, et enfin la dilatation moyenne de l'unité de longueur pour une élévation de température de 1° est $\dfrac{l - l_0}{l_0 t}$. Ce dernier rapport s'appelle *coefficient moyen de dilatation linéaire* de la barre entre 0° et $t°$; nous le représenterons par la lettre grecque λ.

Cherchons maintenant la valeur de l en fonction de l_0.
Il vient successivement :

$$\frac{l - l_0}{l_0 t} = \lambda,$$

$$l = l_0 + l_0 \lambda t,$$

et $$l = l_0(1 + \lambda t).$$

Le binome $(1 + \lambda t)$ s'appelle *binome de dilatation linéaire*. On voit que la longueur d'une barre à t^o s'obtient en multipliant sa longueur à 0° par le binome de dilatation linéaire correspondant à cette même barre. Le même calcul s'applique à une dimension linéaire quelconque.

En appelant l' la longueur de la barre précédente à une température t', on aurait de même

$$l' = l_0(1 + \lambda t').$$

En divisant cette valeur de l' par la valeur de l, on a

$$\frac{l'}{l} = \frac{1 + \lambda t'}{1 + \lambda t}.$$

114. Détermination des coefficients de dilatation linéaire.
— Les coefficients de dilatation linéaire des corps solides ont été déterminés pour la première fois par Lavoisier et Laplace (1782). Leur méthode consistait en principe à amplifier considérablement la dilatation de la barre soumise à l'expérience, comme dans le pyromètre à cadran ; elle n'a plus qu'un intérêt historique.

La méthode appliquée aujourd'hui consiste essentiellement à comparer les accroissements de longueur que subissent, pour des élévations de température déterminées, la règle dont on veut étudier la dilatation et une règle-étalon en platine dont la dilatation est bien connue.

Soient l la longueur de la règle à étudier quand elle est

maintenue à une température constante t, l_0 sa longueur à 0°, λ son coefficient de dilatation linéaire, l' la longueur de la règle-étalon, maintenue à une température constante t'. La différence de longueur d que l'on observe dans ces conditions a pour valeur

$$l - l' \qquad \text{ou} \qquad l_0(1 + \lambda t) - l'.$$

Si l'on porte la règle à étudier à une autre température constante T, la nouvelle différence de longueur d' est représentée par $l_0(1 + \lambda T) - l'$. On a donc

$$d + l' = l_0(1 + \lambda t)$$

et

$$d' + l' = l_0(1 + \lambda T),$$

ce qui donne

$$\frac{d + l'}{d' + l'} = \frac{1 + \lambda t}{1 + \lambda T}.$$

Dans cette équation, d, d', t et T sont donnés par l'expérience ; la longueur l' de la règle-étalon se déduit de sa longueur à 0° mesurée une fois pour toutes ; on calcule donc facilement le coefficient inconnu λ.

L'appareil qui permet d'appliquer cette méthode porte le nom de *comparateur* (*fig.* 170).

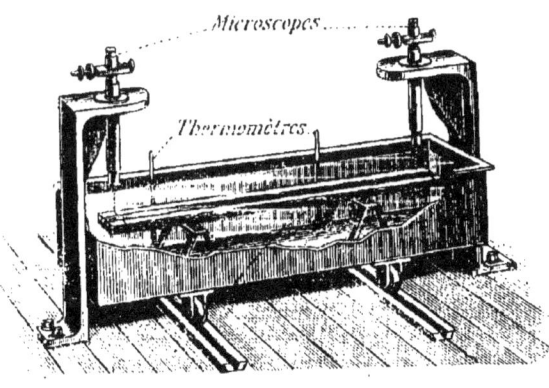

Fig. 170. — Comparateur.

La règle à étudier et la règle-étalon sont placées dans des auges spéciales contenant de l'eau et disposées parallèlement sur un chariot mobile; leur différence de longueur s'apprécie avec une très grande précision à l'aide de deux microscopes verticaux, à axes parallèles, dont on fait coïncider à chaque observation les réticules avec les traits qui limitent la longueur de la barre.

Résultats. — Les mesures de dilatation linéaire ont montré que la dilatation est généralement *temporaire*, c'est-à-dire que les solides qui ont été chauffés reprennent leurs

dimensions primitives lorsqu'ils reviennent à la température initiale.

Ces mesures ont montré aussi que les coefficients
de dilatation linéaire des corps solides sont proportionnels à l'élévation de température, du moins lorsque
les températures ne sont pas très élevées. Supposons que
l'on veuille rattacher entre elles les diverses mesures faites
sur un même corps : sur un axe horizontal on porte les
valeurs de la température, puis on élève aux points mar-
quant ces températures des perpendiculaires de longueurs
proportionnelles aux va-
leurs des dilatations li-
néaires correspondantes
observées. Le trait con-
tinu obtenu en joignant
les extrémités de ces perpendiculaires se confond
très sensiblement avec
une ligne droite (fig.
171).

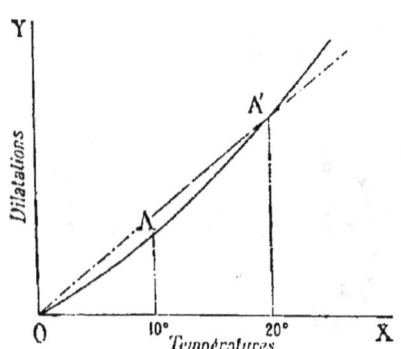

Fig. 171. — Courbe de dilatation.

Le tableau suivant
donne les coefficients de dilatation linéaire du verre et
des principaux métaux :

Corps	Coefficients	Corps	Coefficients
Argent. . . .	0,000019097	Or.. . . .	0,000015136
Laiton. . . .	18782	Platine. . . .	08842
Cuivre rouge. .	17182	Plomb. . . .	28484
Etain.. . . .	21730	Verre.. . . .	09220
Fer. . . .	11821	Zinc.	29680

115. Formules relatives à la dilatation cubique. —

Soient V_0 le volume d'un corps solide à $0°$, V son volume à $t°$; l'accroissement moyen de l'unité de volume lorsque sa température s'élève de $1°$ est exprimé par le rapport $\dfrac{V - V_0}{V_0 t}$. Cet accroissement est le *coefficient moyen de dilatation cubique* du corps entre $0°$ et $t°$; nous le représenterons par k.

Les formules relatives à la dilatation cubique sont analogues aux formules relatives à la dilatation linéaire. On a

$$V = V_0(1 + kt),$$
$$V' = V_0(1 + kt'),$$

d'où
$$\frac{V'}{V} = \frac{1 + kt'}{1 + kt}.$$

Le coefficient de dilatation cubique d'un corps solide est très sensiblement égal au *triple* de son coefficient de dilatation linéaire.

En effet, considérons un cube ayant pour côté 1cm à 0°; son volume est 1cc. Si l'on chauffe ce cube à 1°, la longueur de chaque côté devient $1 + \lambda$, et le nouveau volume est $(1 + \lambda)^3$ ou $1 + 3\lambda + 3\lambda^2 + \lambda^3$. On a donc $k = 3\lambda + 3\lambda^2 + \lambda^3$.

Or λ étant un nombre très petit, le carré et le cube de ce coefficient sont négligeables et l'on peut écrire sensiblement $k = 3\lambda$.

Variation de la masse spécifique avec la température. — Lorsqu'on chauffe un corps, son volume varie, mais sa masse reste constante. On peut donc écrire

$$M = V_0 m_0 = Vm,$$

V_0 et m_0 représentant le volume et la masse spécifique du corps à $0°$, V et m son volume et sa masse spécifique à $t°$. Si l'on remplace V par sa valeur, il vient

$$V_0 m_0 = V_0(1 + kt)m,$$

d'où l'on tire $m = \dfrac{m_0}{1 + kt}$.

Cette relation exprime que la masse spécifique d'un corps à t^o est inversement proportionnelle à son binome de dilatation cubique.

116. Applications des dilatations des solides. — Bien que la dilatation des métaux soit faible, il faut en tenir compte dans la fixation des pièces métalliques : c'est ainsi que les rails des chemins de fer ne sont jamais placés en contact absolu, excepté dans les rares portions de voie qui ne subissent que de très faibles variations de température : que les feuilles de zinc des toitures ne sont clouées que par un de leurs bords ; que les barreaux de grilles ne sont pas scellés, mais posés à repos sur leurs sommiers, avec jeu

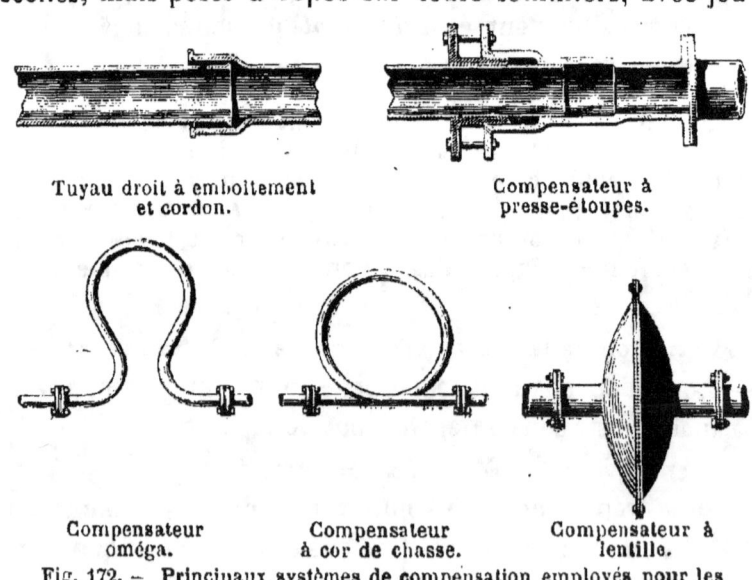

Tuyau droit à emboîtement   Compensateur à
et cordon.   presse-étoupes.

Compensateur   Compensateur   Compensateur à
oméga.   à cor de chasse.   lentille.

Fig. 172. — Principaux systèmes de compensation employés pour les conduites.

aux deux extrémités ; que les tuyaux de conduite, qui

doivent être fixés à contact pour éviter les fuites, sont munis sur leur parcours d'appareils de compensation, etc.

La figure 172 représente les principaux systèmes de compensation employés pour les tuyaux de conduite. Les conduites d'eau et de gaz établies en tranchées sont formées par des tuyaux en fonte à emboîtement et à cordon. Cet emboîtement affecte la forme d'une tulipe dans laquelle s'engage librement l'extrémité du tuyau portant le cordon. L'espace annulaire est rempli de plomb coulé, puis refoulé au mâtoir. Cette disposition laisse le jeu nécessaire à la dilatation. Pour les tuyauteries aériennes, qui se dilatent plus parce qu'elles sont exposées à de brusques changements de température, on compense les variations de longueur par différents dispositifs : boîte à étoupes (conduites d'eau et de gaz), boucle en forme d'oméga ou en forme de cor de chasse (conduites de vapeur, d'air comprimé, etc.), lentilles fonctionnant à soufflet (conduites de grands diamètres), etc.

Pour faciliter la dilatation sans détériorer les culées et les piles, les tabliers métalliques des grands ponts sont montés à leurs points d'appui sur des galets qui roulent sur des sabots en fonte scellés dans les maçonneries (*fig.* 173). — On compense la dilatation des fils de fer servant à manœuvrer, souvent à de très grandes distances, les signaux des chemins de fer, à l'aide d'un contre-poids qui, passant sur une poulie, tend toujours le fil également. — Les grands combles métalliques sont articulés au faîtage (*fig.* 174), de sorte que les variations de longueur dues à la dilatation se traduisent par de petits déplacements des boulons d'articulation dans le sens vertical. Un exemple remarquable de ce mode de construction est la Galerie des Machines construite pour l'Exposition de 1889 ; on peut citer aussi le grand arc du fameux viaduc de Garabit sur lequel passe le chemin de fer de Neussargues à Marvejols.

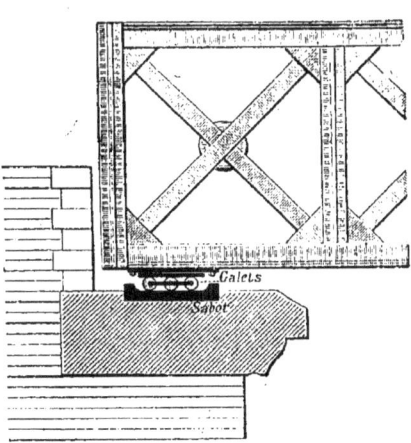

Fig. 173. — Compensateur de dilatation d'un point métallique.

Comme derniers exemples d'applications de la dilata-

tion des solides, nous citerons le cerclage des roues de
voiture, le serrage des pièces métalliques, le frettage, etc.
La *rivure* à chaud de deux feuilles de tôle provoque, par

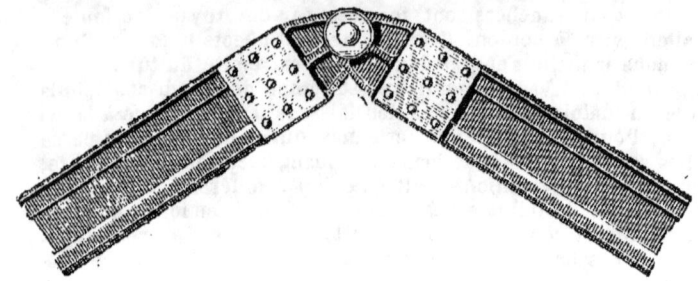

Fig. 174. — Comble articulé au faitage.

le fait de la contraction des rivets revenant du rouge à la
température ordinaire, un serrage énergique des pièces
en contact. Sur cette observation est basé le *rivetage*, si
usité dans la construction des chaudières à vapeur et récipients métalliques. De même, le cerclage des roues de voiture à chaud fait non seulement adhérer le bandage à la
jante, mais il applique encore fortement les raies contre le
moyeu. Le *frettage* des bouches à feu se fait en emman-
chant de force et à chaud des anneaux ou *frettes* calibrés
sur le fût du canon ; par refroidissement, il en résulte un
serrage énergique. Inversement, pour décaler un volant de
son arbre quand les moyens ordinaires échouent, il suffit
de chauffer le moyeu du volant ; ce moyeu se dilatant seul
permet le dégagement. Ce procédé est analogue à celui
qu'on emploie pour déboucher les flacons bouchés à
l'émeri dans lesquels il s'est produit une adhérence entre
le bouchon et le col.

Pendules compensateurs. — On sait que le mouvement
des horloges est régularisé par un pendule dont les oscil-

lations, étant très petites, sont toutes de même durée tant
que sa longueur reste cons-
tante. Cela posé, supposons
le pendule formé d'un seul
métal ; lorsque la température s'élève, il s'allonge, et
comme il oscille alors plus
lentement, l'horloge re-
tarde, l'inverse se produit
lorsque la température s'a-
baisse. Pour remédier à cet
inconvénient, on a imaginé
des *pendules compensateurs*
qui oscillent toujours dans
le même temps quelles que
soient les variations de température. Le type le plus
connu est le pendule à gril.

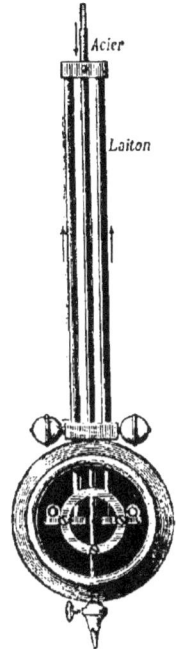

Fig. 175. — Pen-
dule compensa-
teur de Brocot.

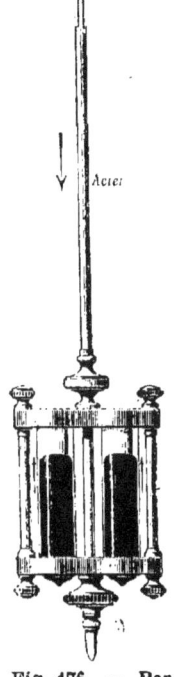

Fig. 176. — Pen-
dule compensa-
teur de Graham.

Le *pendule à gril* est
formé d'une lentille en laiton soutenue par une série
de tiges alternativement en acier et en laiton. Ces tiges
sont fixées de manière que l'allongement des tiges d'acier
ne puisse s'effectuer que de haut en bas et celui des tiges
de laiton de bas en haut. Le plus simple est le *pendule de
Brocot* (*fig.* 175).

Il est facile de calculer la condition de compensation dans
un pendule à gril. Soient L la longueur totale des tiges d'a-
cier à 0°, L' celle des tiges de laiton à la même tempéra-
ture, λ et λ' les coefficients de dilatation linéaire de l'acier et
du laiton. A une température quelconque t, l'allongement
des tiges d'acier est $L\lambda t$ et l'allongement des tiges de laiton
$L'\lambda't$. Pour que la longueur du pendule reste constante, on

doit avoir

$$L\lambda t = L'\lambda' t, \qquad \text{ou} \qquad \frac{L}{L'} = \frac{\lambda'}{\lambda},$$

c'est-à-dire que les longueurs totales des tiges d'acier et des tiges de laiton doivent être en raison inverse des coefficients de dilatation linéaire correspondants.

Enfin dans le *pendule à mercure*, dû à Graham, une tige d'acier soutient deux cylindres en cristal contenant du mercure (*fig.* 176). La dilatation du mercure se produit en sens inverse de celle de l'acier et relève le centre de gravité de l'ensemble ; le pendule conserve ainsi une longueur qui, mesurée de l'axe de suspension à l'axe d'oscillation, reste constante.

RÉSUMÉ DU CHAPITRE XIV

On appelle coefficient de dilatation linéaire d'une barre l'augmentation que subit l'unité de longueur de cette barre pour une élévation de température de 1°. Il résulte de cette définition que la longueur d'une barre à $t°$ s'obtient en multipliant sa longueur à 0° par son binome de dilatation linéaire $1 + \lambda t$. Les coefficients de dilatation linéaire se déterminent en comparant, à l'aide de microscopes, les accroissements de longueur de la règle dont on veut déterminer la dilatation linéaire et d'une règle-étalon en platine dont le coefficient est bien connu. On a trouvé par ces mesures que la dilatation linéaire des solides est faible et qu'elle est temporaire.

L'accroissement que subit l'unité de volume d'un solide pour une élévation de température de 1° s'appelle le coefficient de dilatation cubique de ce solide ; il est égal au triple du coefficient de dilatation linéaire correspondant. La masse spécifique d'un corps diminue à mesure que la température s'élève ; à $t°$, elle est égale au quotient de la masse spécifique à 0° par le binome de dilatation cubique.

On tient compte de la dilatation des solides dans la pose des rails, des feuilles de zinc des toitures, des tuyaux de conduite en métal, pour le cerclage des roues de voiture, etc. Dans les pendules compensateurs, on compense la dilatation de la tige métallique qui soutient la lentille par la dilatation inverse d'un autre métal, de manière à conserver au pendule une longueur constante malgré les variations de température ; le type le plus connu est le pendule à gril (acier et laiton).

EXERCICES SUR LE CHAPITRE XIV

40. Deux lames, l'une de fer, l'autre de cuivre, parallèles et d'égale longueur à 0°, sont soudées ensemble à leurs deux extrémités et maintenues ainsi écartées de 1^{mm} l'une de l'autre. On les chauffe à 200°. En admettant que le système se courbe en arc de cercle, quels seront le rayon et le métal de l'arc extérieur ?

Coefficient de dilatation linéaire: fer, 0,000012; cuivre, 0,000018.

41. Deux barres, l'une de cuivre rouge, l'autre de platine, mises au bout l'une de l'autre, ont une longueur de 4^m à 0° et de $4^m,0057$ à 100°. On demande leurs longueurs respectives. Coefficient de dilatation linéaire : cuivre rouge, 0,000018 ; platine, 0,000008842.

42. Une sphère de cuivre perd 100^{gr} de son poids quand on l'immerge dans de l'eau à 4° ; plongée dans l'eau à 30°, elle y perd $99^g,711$. Calculer, d'après ces données, le coefficient de dilatation cubique du cuivre entre 4° et 30°, sachant que la masse spécifique de l'eau à 30° est $0^g,99577$.

43. Un vase sphérique d'un rayon intérieur égal à $\frac{2}{3}$ de mètre, à 0°, est formé d'un métal dont le coefficient de dilatation linéaire est $\frac{1}{2500}$. On demande combien de kilogrammes de mercure ce vase renferme à 0° et à 25°.

CHAPITRE XV

DILATATION DES LIQUIDES

---

117. Dilatation absolue et dilatation apparente. — Nous avons vu qu'il y a lieu de considérer dans les liquides la *dilatation apparente* et la *dilatation absolue* (103). La dilatation apparente a été démontrée par l'expérience (*fig.* 154). On peut vérifier la dilatation absolue en appliquant une méthode dans laquelle n'intervient pas la dila-

tation de l'enveloppe. Cette méthode repose sur le principe suivant: *dans deux vases communicants, les hauteurs
de deux liquides de masses spécifiques différentes sont inversement proportionnelles à ces masses spécifiques.* On emploie
deux tubes verticaux T et T' réunis par un tube à peu près
capillaire et enveloppés chacun d'un manchon en verre
épais (*fig.* 177). On verse dans l'appareil un liquide quel-

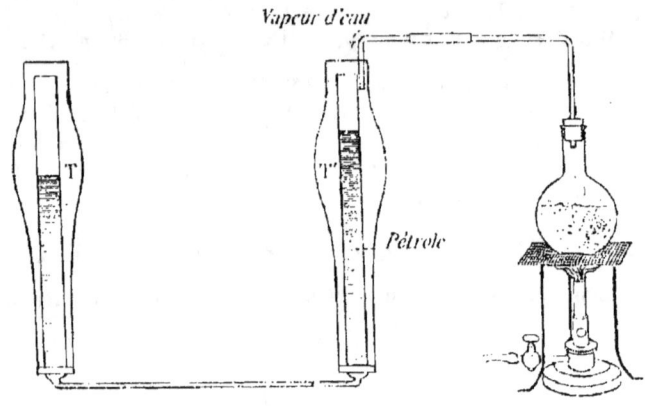

Fig. 177. — Expérience montrant la dilatation réelle d'un liquide.

conque (alcool, pétrole), puis on introduit dans le tube T'
de la vapeur d'eau bouillante ; on remarque alors une
différence de niveau dans les deux tubes.

Aux dilatations apparentes et absolues correspondent
un coefficient moyen de dilatation apparente et un coefficient moyen de dilatation absolue. Ce dernier est l'accroissement réel que prend l'unité de volume d'un liquide
pour une élévation de température de 1° ; il est très sensiblement égal au coefficient de dilatation apparente augmenté du coefficient de dilatation cubique de l'enveloppe.

Considérons en effet l'unité de volume d'un liquide à $0°$,
et appelons Δ le coefficient de dilatation absolue de ce liquide,

δ son coefficient de dilatation apparente. A 1º, le volume réel
du liquide est $1 + \Delta$, par définition ; le volume qu'il paraît
occuper est $1 + \delta$; mais comme chaque unité de capacité
de la partie du vase qui le contient est elle-même devenue $1 + k$, le volume du liquide à 1º est, en réalité,
$(1 + \delta)(1 + k)$. On peut donc écrire

$$1 + \Delta = (1 + k)(1 + \delta),$$

d'où l'on tire $\Delta = \delta + k + k\delta,$

et, en négligeant le produit $k\delta$, formé de deux nombres très
petits, $\Delta = \delta + k.$

118. Étude de la dilatation absolue du mercure. — Le

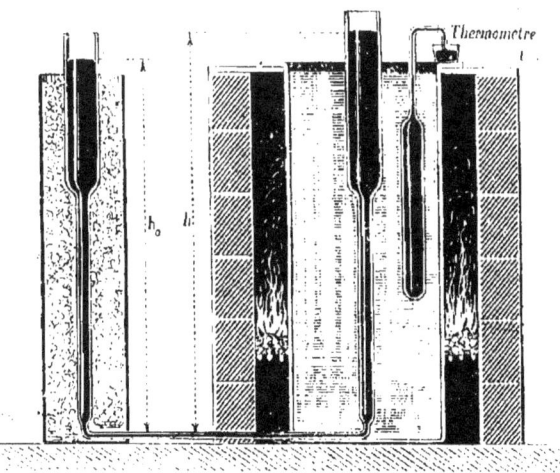

Fig. 178. — Appareil de Dulong et Petit simplifié.

coefficient de dilatation absolue du mercure a été déterminé
par Dulong et Petit en appliquant la méthode de la figure 177.

L'appareil se composait de deux tubes verticaux, réunis
par un tube capillaire horizontal et enveloppés chacun d'un
manchon métallique (*fig.* 178). Du mercure était contenu
dans les deux tubes et s'y élevait au même niveau quand ils
se trouvaient à la même température.

Pour procéder à l'expérience, on remplissait l'un des man-
chons de glace pilée, et l'autre d'huile qu'on chauffait à l'aide
d'un fourneau à une température constante t donnée par
des thermomètres spéciaux.

On mesurait enfin avec un cathétomètre les hauteurs h_0

et h du mercure froid et du mercure chaud, qui se faisaient équilibre de part et d'autre au-dessus du tube horizontal.

Appelons m_0 la densité du mercure à 0°, m sa densité à t° ; on a, en vertu du principe énoncé plus haut,

$$\frac{h}{h_0} = \frac{m_0}{m}.$$

Mais $$m = \frac{m_0}{1 + \Delta t}. \quad (115)$$

Δ étant le coefficient de dilatation absolue du mercure.

On a donc finalement $\dfrac{h}{h_0} = 1 + \Delta t,$

d'où $$\Delta = \frac{h - h_0}{h_0 t}.$$

Dulong et Petit trouvèrent par cette méthode que le coefficient Δ est sensiblement constant entre 0° et 100° et égal à $\dfrac{1}{5550}$ ou 0,00018.

119. Étude de la dilatation des liquides. — Le procédé le plus employé pour étudier la dilatation des liquides est celui du *dilatomètre à tige*. Cet appareil est une enveloppe

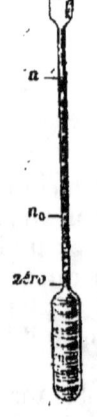

Fig. 179.
Dilatomètre
à tige.

thermométrique dont la tige est divisée en parties d'égale longueur. Le zéro de la graduation est à la naissance de la tige (*fig.* 179).

Il faut d'abord déterminer le coefficient de dilatation k de l'instrument. Pour cela, on introduit du mercure dans le thermomètre, on le porte dans la glace fondante où le mercure s'arrête dans la tige à la division n_0, puis dans un bain d'huile à t° où le mercure s'arrête à la division n. Il suffit d'exprimer qu'à la température t le volume du contenu est égal à la capacité du contenant.

En appelant V_0 le volume du réservoir et v_0 le volume d'une division de la tige à 0° on a, pour le volume du contenu à t°,

$$(V_0 + n_0 v_0)(1 + \Delta t),$$

Δ désignant le coefficient de dilatation absolue du mercure ; la capacité qui contient le mercure à $t°$ est de

$$[V_0 + n_0 v_0 + (n - n_0)v_0]\,(1 + kt),$$

k désignant le coefficient de dilatation du verre. On a donc $(V_0 + n_0 v_0)(1 + \Delta t) = (V_0 + n v_0)(1 + kt).$

On a déterminé par un jaugeage préalable les volumes V_0 et v_0 ; on pourra donc calculer k.

Pour étudier maintenant la dilatation d'un liquide, on opérera dans la même enveloppe avec ce liquide et l'on obtiendra une équation analogue à la précédente, dans laquelle on connaîtra k, et qui donnera le coefficient Δ' de dilatation absolue du liquide. Le coefficient de dilatation apparente s'obtiendra ensuite en retranchant le coefficient k de l'enveloppe du coefficient Δ'.

120. Dilatation de l'eau. — L'eau ne suit pas une loi de dilatation analogue à celle des autres liquides. Si on

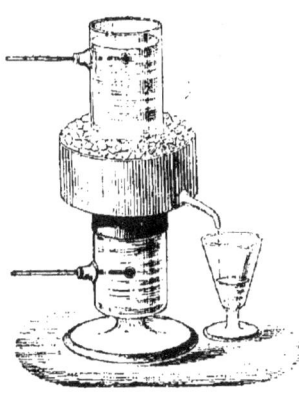

élève progressivement la température d'une masse donnée d'eau à partir de 0°, on constate que jusqu'à 4° elle se contracte au lieu de se dilater ; à 4° elle occupe un volume plus petit qu'à toute autre température, et enfin au-dessus de 4° la contraction cesse et le liquide se dilate. Il en résulte que la masse spécifique de l'eau doit augmenter

Fig. 180. — Appareil de Hope.   de 0 à 4°, pour diminuer ensuite au-dessus de cette dernière température.

Pour montrer que l'eau est plus dense à 4° qu'à toute autre température, on se sert de l'appareil de Hope (*fig*. 180).

Il se compose d'une éprouvette à pied percée latéralement de deux trous livrant passage à deux thermomètres,
l'un à la partie supérieure, l'autre à la partie inférieure ;
un manchon métallique entoure la partie moyenne de
l'éprouvette.

Après avoir rempli celle-ci d'eau à la température ordinaire, on met de la glace dans le manchon et on observe les
deux thermomètres. Le thermomètre supérieur reste
d'abord à peu près stationnaire, tandis que le thermomètre inférieur baisse rapidement, ce qui prouve que l'eau, à
mesure qu'elle se refroidit, devient plus dense et gagne le
fond du vase. Lorsque le thermomètre inférieur est arrivé
à 4°, il ne descend plus ; le thermomètre supérieur baisse
à son tour, atteint et dépasse 4°, pour arriver finalement
à 0°.

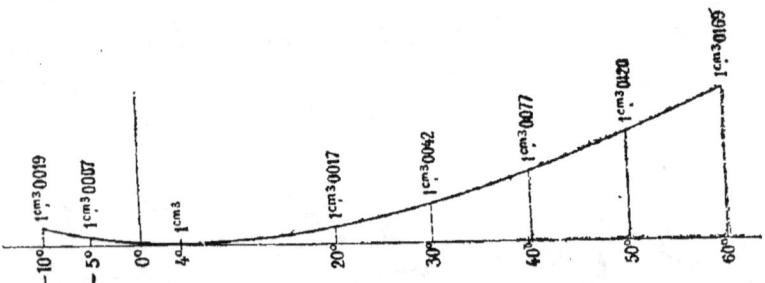

Fig. 181. — Représentation graphique des variations de volume éprouvées
par 1g d'eau à différentes températures.

La figure 181 est la représentation graphique des variations de volume éprouvées par 1g d'eau à diverses températures. On voit que c'est à 4° exactement que le volume
est le plus petit ; il est alors un centimètre cube.

Voici quelques nombres indiquant la masse spécifique de
l'eau, exprimée en grammes-masse, à différentes températures :

0°.	0,999871	4°.	1,000000
2°.	0,999969	10°. . . .	0,999747

L'existence du maximum de masse spécifique de l'eau explique comment, dans les lacs et les rivières, la température de l'eau à partir d'une certaine profondeur demeure constamment égale à 4°, quelles que soient les variations de température qui se produisent à la surface.

121. Applications des dilatations des liquides. — La principale application consiste à utiliser la dilatation apparente des liquides dans la construction des thermomètres à liquides.

Dans les laboratoires, on tient compte de la dilatation du mercure dans l'observation du baromètre. C'est indispensable, car la masse spécifique du mercure variant avec la température, une même pression atmosphérique est équilibrée à des températures différentes par des colonnes de mercure de hauteurs différentes. Aussi, pour rendre les observations barométriques faites dans un même lieu comparables entre elles, convient-on de les ramener toujours par le calcul à ce qu'elles seraient à 0°.

Appelons H la hauteur observée à $t°$, H_0 la hauteur correspondante à 0°, m et m_0 les masses spécifiques du mercure à $t°$ et à 0°; on a (113)

$$\frac{H_0}{H} = \frac{m}{m_0}.$$

Mais

$$m = \frac{m_0}{1 + \Delta t}.$$

Par suite,

$$H_0 = \frac{H}{1 + \Delta t}.$$

Telle est la hauteur barométrique corrigée de la dilatation du mercure.

Si la hauteur H est lue sur une règle métallique dont la graduation a été effectuée à 0°, il faut la multiplier par le binome de dilatation linéaire du métal pour avoir la hauteur réelle de la colonne barométrique. On a donc dans ce cas

$$H_0 = \mathrm{H}\,\frac{1 + \lambda t}{1 + \Delta t},$$

ou sensiblement $\quad H_0 = \mathrm{H}[1 - (\Delta - \lambda)t]$.

RÉSUMÉ DU CHAPITRE XV

On distingue dans les liquides un coefficient de dilatation apparente et un coefficient de dilatation absolue. Ce dernier est égal au coefficient apparent augmenté du coefficient de dilatation cubique de l'enveloppe.

On étudie la dilatation des liquides par la méthode du *dilatomètre*, méthode qui consiste à construire avec le liquide un thermomètre à tige et à porter ensuite successivement le thermomètre aux températures 0° et t°. On exprime alors qu'à t° le volume du contenu est égal à la capacité du contenant, et le calcul donne le coefficient de dilatation absolue.

L'eau présente à 4° sa masse spécifique maxima : cela tient à ce qu'elle diminue de volume en passant de 0 à 4°, puis augmente de volume au-dessus de cette température. On met en évidence ce maximum par l'expérience de Hope.

Les hauteurs barométriques observées doivent être ramenées à ce qu'elles seraient à 0° pour être comparables dans un même lieu. Le calcul consiste à diviser la hauteur observée à t° par le binome de dilatation absolue du mercure.

EXERCICES SUR LE CHAPITRE XV

44. On sait que dans un thermomètre à mercure le rapport entre le volume du réservoir jusqu'à 0° et le volume d'une division est 6480. Ceci posé, on admet qu'après avoir ouvert et vidé un thermomètre à mercure divisé en degrés, on y introduit un liquide dont le coefficient de dilatation est $\dfrac{1}{2\,000}$. Dans la glace fondante le liquide remplit le thermomètre jusqu'à 0°. On demande à quelle division il s'élèvera à 20°.

Le coefficient de dilatation du verre est $\dfrac{1}{38\,700}$.

45. Un flacon possède à 0° une capacité de 40^{cm3}. Peut-on verser dans ce flacon une quantité de mercure telle que, lorsque la température varie, le volume non occupé par le mercure demeure indépendant de la température ? Quelle est la masse de mercure à employer ?

Coefficient de dilatation du verre, $\dfrac{1}{45\,000}$; du mercure, $\dfrac{1}{5\,500}$.

Masse spécifique du mercure à 0°, 13ᵍ,6.

46. La température étant de 25°, la hauteur de la colonne de mercure dans un baromètre normal est trouvée égale à 758,5 divisions d'une règle de laiton dont chaque division a une longueur de 1ᵐᵐ quand la règle est à 0°.

Calculer : 1° La hauteur barométrique réduite à 0° ;

2° La pression atmosphérique par centimètre carré. Masse spécifique du mercure à 0°, 13ᵍ,6. Coefficient de dilatation du mercure, 0,00018 ; coefficient de dilatation du laiton, 0,000018.

CHAPITRE XVI

DILATATION DES GAZ

---

122. Considérations générales. — Le volume d'une masse gazeuse déterminée dépend de sa température et de la pression qu'elle supporte. Si la température reste constante, le gaz n'est soumis qu'à la loi de Mariotte : $VH = V'H'$. Si la température varie, trois cas peuvent se présenter : 1° *la pression que supporte le gaz est constante* ; le gaz se dilate librement et les variations de volume que l'on observe sont dues uniquement aux changements de température ; 2° *le volume du gaz est constant ;* sa force élastique augmente alors progressivement (103) ; 3° *le volume et la force élastique du gaz varient à la fois ;* c'est le cas le plus général.

123. Dilatation des gaz sous **pression constante.** —

Considérons une même masse gazeuse ayant pour volumes V_0 et V à 0° et à $t°$ sous pression constante. Le rapport $\dfrac{V - V_0}{V_0 t}$ exprime l'accroissement éprouvé par l'unité de volume pour une élévation de température d'un degré; on l'appelle *coefficient de dilatation du gaz sous pression constante*. Nous le représenterons par la lettre grecque α.

On a donc

$$V = V_0(1 + \alpha t),$$

et comme on aurait de même

$$V' = V_0(1 + \alpha t'),$$

on peut écrire

$$\frac{V}{1 + \alpha t} = \frac{V'}{1 + \alpha t'},$$

c'est-à-dire que les volumes occupés à différentes températures par une même masse de gaz qui supporte une pression constante sont proportionnels aux binomes de dilatation. La relation précédente s'appelle ordinairement l'*équation de Gay-Lussac*.

Comme conséquence d'expériences peu précises, Gay-Lussac avait établi la loi suivante :

Le coefficient α de dilatation d'un gaz sous pression constante est indépendant de cette pression, de la température et de la nature du gaz.

Regnault trouva que la loi de Gay-Lussac n'est qu'approximative, que les divers gaz ont des coefficients de dilatation un peu différents, et que ces coefficients sont d'autant plus grands que les gaz sont plus rapprochés de leur point de liquéfaction.

Voici les coefficients moyens de dilatation sous pression constante de quelques gaz entre 0 et 100° :

Coefficients

Air . . . . 0,003670 ou sensiblement $\frac{1}{273}$.

Hydrogène. 0,003661
Azote 0,003668
Gaz carbonique. 0,003710
Gaz sulfureux . . . . 0,003903.

**124. Action de la chaleur sur les gaz à volume cons-
tant.** — Pour montrer cette action, on prend un ballon

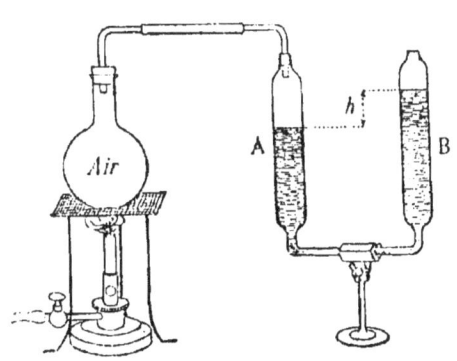

relié par un tube
de verre et un tube
de caoutchouc à
deux tubes com-
municants conte-
nant de l'eau co-
lorée (*fig.* 182). Si
on chauffe le bal-
lon, la force élas-
tique de l'air qu'il
contient aug -
mente, fait des-

Fig. 182. — Augmentation de la force élastique
d'un gaz par la chaleur.

cendre le liquide dans le tube A et monter dans le tube B.
Soient H_0 la force élastique d'une masse gazeuse à $0°$, H
sa force élastique à $t°$, le volume du gaz n'ayant pas varié ;

le rapport $\dfrac{H - H_0}{H_0 t}$ est le *coefficient d'augmentation de force*

élastique à volume constant. Appelons β ce coefficient ;
il vient $H = H_0(1 + \beta t).$

Le binome $1 + \beta t$ est le *binome d'élasticité* du gaz.

Les coefficients d'augmentation de force élastique à volume
constant ont été déterminés avec beaucoup de soin par Regnault. Comme les gaz ne suivent pas rigoureusement la loi

de Mariotte, le coefficient β pour un même gaz est un peu différent du coefficient de dilatation sous pression constante, et l'écart est d'autant plus grand que la loi réelle de compressibilité du gaz s'écarte plus de la loi de Mariotte. Dans la pratique on peut, à cause de leur faible différence, confondre les coefficients α et β, surtout pour les gaz qui, comme l'air et l'hydrogène, ne se liquéfient qu'à de très basses températures.

125. Dilatation des gaz à volume et pression variables. — Désignons par V le volume d'une masse gazeuse à t^o et sous la pression H, et cherchons le volume V′ de cette même masse à t'^o et sous la pression H′.

Supposons d'abord que la pression seule varie et devienne H′ ; le volume V_1 que prendra la masse gazeuse est donné par la loi de Mariotte : $VH = V_1H'$. On a donc

$$V_1 = V\,\frac{H}{H'}.$$

Supposons maintenant que la pression H′ restant constante, la température devienne t'^o. On peut appliquer l'équation de Gay-Lussac (123), ce qui donne

$$\frac{V_1}{1 + \alpha t} = \frac{V'}{1 + \alpha t'}.$$

Remplaçons enfin V_1 par sa valeur ; il vient

$$\frac{VH}{1 + \alpha t} = \frac{V'H'}{1 + \alpha t'}.$$

Cette relation importante réunit les lois de Mariotte et de Gay-Lussac ; aussi est-elle appelée quelquefois *équation des gaz parfaits*, un gaz parfait étant un gaz qui obéirait rigoureusement à ces deux lois. Elle a lieu pour toutes valeurs correspondantes entre elles de volume, de température et de pression ; on peut donc dire que le produit du volume d'une masse gazeuse par la pression qu'elle supporte, divisé par le binome de dilatation, est un nombre constant.

126. Densité des corps gazeux. — On appelle masse spécifique d'un gaz la masse d'un centimètre cube de ce gaz à 0° et
sous la pression de 76^{cm} de mercure. Par exemple, la masse
spécifique de l'air dans ces conditions est 0^g,001293.

La pression exercée par une colonne de mercure ue 76^{cm}
à 0° variant légèrement d'un lieu à un autre (22), la masse
spécifique d'un gaz n'est pas une quantité constante. Il
n'en est pas de même du rapport entre la masse d'un certain volume de gaz et la masse du même volume d'air, ces
volumes étant considérés à la même température et sous la
même pression : ce rapport, constant en tous les points du
globe, s'appelle la *densité du gaz par rapport à l'air*. Mais tous
les gaz ne suivant pas les mêmes lois de compressibilité et de
dilatation que l'air, la densité d'un gaz par rapport à l'air
dépend des conditions de température et de pression ;
c'est pour cette raison qu'on détermine les densités à 0°
et sous la pression de 76^{cm}, conditions bien définies. Les
densités ainsi obtenues ont reçu le nom de *densités normales*. On appelle donc densité normale d'un gaz le rapport
entre les masses de volumes égaux de ce gaz et d'air à 0° et sous
la pression de 76^{cm}.

Régnault a déterminé avec précision les densités **normales**
des gaz en effectuant les deux opérations suivantes:
1° Détermination de la masse du gaz à étudier, qui remplit
un grand ballon de verre à 0° et sous une pression connue ;
on en déduit, par le calcul, la masse de gaz qui remplirait le
ballon à 0° et sous la pression 76^{cm} ;
2° Détermination de la masse de l'air qui remplit le même ballon à 0° et sous une pression également connue ; on en déduit
la masse de l'air qui le remplirait à 0° et sous la pression 76^{cm}.
La densité du gaz est le quotient des deux masses de **gaz**
et d'air ainsi obtenues.
On trouvera les densités normales des **différents** gaz dans le
cours de *Chimie*.

127. Applications des dilatations des gaz. — **Détermination de la densité d'un gaz dans les laboratoires**. — Soit à trouver *la masse d'un certain volume d'air* V à *t*° et sous la pression H ; le volume V_0 qui serait occupé par la même masse à 0° sous la pression de 76^{cm} s'obtient en appliquant l'équation des gaz parfaits :

$$V_0 \times 76 = \frac{VH}{1 + at},$$

d'où l'on tire

$$V_0 = V \frac{H}{76} \frac{1}{1 + at}.$$

Or, on sait que la masse d'un centimètre cube d'air à 0° et sous la pression de 76^{cm} est 0^g,001293 ; par suite, la masse M du volume V_0 sera donnée par la formule

$$M = V \times 0{,}001293 \times \frac{H}{76} \times \frac{1}{1 + at}.$$

Dans cette formule, V est exprimé en centimètres cubes, H en centimètres ; M est donné en grammes-masse. Si l'on prend le litre comme unité de volume, la masse spécifique de l'air est 0,001293 × 1000 = 1^g ,293.

Cherchons maintenant la *masse d'un gaz quelconque* qui aurait pour volume V^{cm3} à *t*° et pour pression H^{cm} ; il suffit de multiplier la masse de l'air qui occuperait le même volume que le gaz à 0° et 76^{cm} par la densité normale *d* du gaz. On a donc

$$M' = V \times 0{,}001293 \times d \times \frac{H}{76} \times \frac{1}{1 + at}.$$

Détermination de la densité d'un gaz. — Soit à déterminer la densité *d* du chlore.

On prend un flacon en verre mince, bouché à l'émeri, de 2^l de capacité environ ; on le jauge à l'eau afin de

connaître son volume V, puis on le remplit de chlore pur
et sec par déplacement d'air. Avant de fermer le flacon,
on note la température t et la hauteur barométrique H.
On le porte sur une balance et on fait la tare.

Le flacon est ensuite rempli d'air sec et reporté sur la

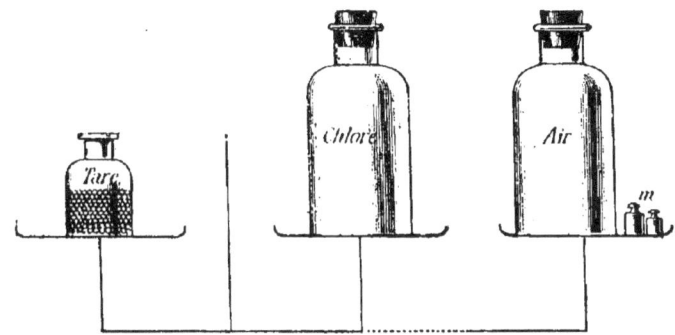

Fig. 183. — Détermination de la densité d'un gaz.

balance. Pour rétablir l'équilibre, il faut ajouter du côté
du flacon des masses marquées m qui représentent la
quantité dont la masse M du chlore surpasse la masse M
de l'air sec. On a donc

$$M - M' = m.$$

Or, les masses M et M' sont connues par les formules

$$M = \frac{V}{1 + \alpha t} \times 0,001\,293 \times d \times \frac{H}{76},$$

$$M' = \frac{V}{1 + \alpha t} \times 0,001\,293 \times \frac{H}{76}.$$

Par suite, on a l'équation

$$m = \frac{V}{1 + \alpha t} \times 0,001\,293 \times \frac{H}{76}\,(d - 1),$$

d'où l'on tire la valeur de d.

RÉSUMÉ DU CHAPITRE XVI

Un gaz peut être chauffé, soit sous pression constante, soit à volume constant, soit à volume et pression variables.

Sous pression constante, le gaz se dilate librement et son volume à $t°$ s'obtient en multipliant son volume à $0°$ par le binome $1 + \alpha t$. Gay-Lussac a trouvé que le coefficient de dilatation sous pression constante est sensiblement le même pour tous les gaz et égal à 0,00375.

Lorsqu'on chauffe un gaz à volume constant, sa force élastique augmente.

Étant donné le volume V d'un gaz à $t°$ et sous la pression H, on calcule facilement le volume qu'il occuperait à $t°$ sous la pression H' en appliquant les lois de Mariotte et de Gay-Lussac. Ces lois sont réunies dans la proportion $\dfrac{VH}{1 + \alpha t} = \dfrac{V'H'}{1 + \alpha t'}$, les rapports qui y entrent étant constants pour un même gaz.

La masse spécifique d'un gaz est la masse d'un centimètre cube de ce gaz à $0°$ et 76^{cm}. Comme cette masse n'est pas constante, on prend les densités normales, c'est-à-dire la masse spécifique du gaz rapportée à celle de l'air à $0°$ et sous la pression de 76^{cm}.

La masse d'un volume d'air V à $t°$ et sous la pression H est donnée par la formule

$$M = V \times 0,001\ 293 \times \frac{H}{76} \times \frac{1}{1 + \alpha t}.$$

EXERCICES SUR LE CHAPITRE XVI

47. Un ballon de 10^l de capacité à $0°$ a été rempli d'air sec à $0°$ et sous la pression de 76^{cm}. La pression extérieure étant devenue 75^{cm}, on chauffe le ballon à $100°$ après l'avoir ouvert. Quelle est la masse d'air qui s'échappe ? Masse spécifique de l'air, $0°,001293$; coefficient de dilatation de l'air, $\dfrac{1}{273}$.

48. Un vase d'argent contenant un gaz à $100°$ et sous la pression de 80^{cm} de mercure, est chauffé à une température t telle que la pression du gaz s'élève à $1^m,658$. Calculer la température t : 1° en négligeant la dilatation du vase; 2° en en tenant compte, sachant que le coefficient de dilatation cubique de l'argent est égal à 0,00006.

49. Un ballon vide pèse $150^s,475$; plein d'air, il pèse $160^s,158$; plein d'un autre gaz, $162^s,235$. On demande :

1° La densité du second gaz par rapport à l'air, la pression étant invariable ;

2° La densité du second gaz par rapport à l'air, en admettant que la pression est de 75^{cm} pendant la pesée de l'air et de 77^{cm} pendant la pesée du gaz.

50. Deux ballons dont les capacités sont A = 1^l et B = 2^l sont pleins d'air sec à 0° et 76^{cm}. On les met en communication par un tube étroit, de volume négligeable, et on porte le ballon A à 60°, le ballon B à 80°. On demande : 1° la pression finale dans l'appareil ; 2° le rapport des densités α et β par rapport à l'eau, de chacun des gaz renfermés dans les deux ballons.

On ne tiendra pas compte de la dilatation du verre.

51. Deux cubes ayant, l'un 10^{cm} de côté, l'autre 1^{cm} de côté, sont suspendus sous les plateaux d'une balance ; celle-ci est en équilibre quand les deux cubes sont placés dans le vide. On met sur le cube le plus gros une surcharge de 1^g et on plonge les deux cubes dans une masse d'air à une pression x et à 15°. On demande la valeur de x pour laquelle l'équilibre est rétabli. Masse du litre d'air dans les conditions normales, 1^g ,3.

CHAPITRE XVII

MESURE DES QUANTITÉS DE CHALEUR

---

128. Unité de quantité de chaleur. — La chaleur est une grandeur *mesurable* : si l'on fait brûler successivement 1^g, 2^g, 3^g, ... de carbone, par exemple, de manière que toute la chaleur produite se transmette à une masse d'eau déterminée, on constate, d'après l'échauffement de l'eau, que les quantités de chaleur dégagées par la combustion du carbone et absorbées par l'eau sont proportionnelles aux nombres 1, 2, 3, ... Ces quantités peuvent donc être considérées comme des grandeurs et mesurées avec une unité conventionnelle. L'unité adoptée pour évaluer les quantité de chaleurs qui entrent en jeu dans les phénomènes calorifiques s'appelle la *calorie*.

La calorie est la quantité de chaleur qu'il faut céder à un gramme-masse d'eau pour élever sa température de 0° à 1°.

L'expérience démontre qu'il faut toujours très sensiblement une calorie pour élever ou abaisser de 1° la température d'un gramme d'eau. En effet, si l'on mélange rapidement 1^g d'eau à 0° et 1^g d'eau à 2°, on obtient 2^g d'eau à 1° ; on en conclut que le second gramme, en se refroidissant de 2° à 1°, a abandonné une calorie, et, réciproquement, qu'il faut céder une calorie à 1^g d'eau pour l'échauffer de 1° à 2°. En général, si l'on répète la même expérience avec 1^g d'eau à $t°$ et 1^g d'eau à $t'°$, la température finale du mélange est toujours la moyenne $\dfrac{t + t'}{2}$, à condition toutefois que la température la plus élevée ne dépasse pas sensiblement 50°. D'après ce qui précède, pour élever la température d'un gramme d'eau de $t°$ à $t'°$, il faut lui céder $(t' - t)^{cal}$; donc la quantité Q de chaleur nécessaire pour élever de $t°$ à $t'°$ la température de M^g d'eau est donnée par la formule

$$Q = M(t' - t)^{cal}.$$

129. Chaleurs spécifiques en général. — Lorsqu'on fait brûler 1^g de carbone de manière que la chaleur dégagée soit employée à chauffer 1000^g d'eau, la température de ce liquide s'élève à peine de 8°. Si la même quantité de chaleur était employée à chauffer la même masse de fer, de cuivre, de mercure, l'élévation de température serait d'environ 70° pour le fer, 80° pour le cuivre, 240° pour le mercure. On voit ainsi que les diverses substances, à masse égale, ne s'échauffent pas du même nombre de

degrés quand on leur fournit la même quantité de chaleur; en d'autres .termes, elles exigent des quantités de
chaleur différentes pour s'élever d'un même nombre de
degrés.

On appelle chaleur spécifique d'un corps la quantité de calories
qu'il faut céder à un gramme-masse de ce corps pour élever sa
température de 1°.

Désignons par c la chaleur spécifique d'un corps ; la
quantité de chaleur nécessaire pour élever de $t°$ à $t'°$ la
température de M^g de ce corps sera donnée par la formule

$$Q = Mc(t' - t)^{cal}.$$

Le produit Mc de la masse d'un corps par sa chaleur spécifique est appelé la *capacité calorifique* de ce corps ; il représente soit le nombre de calories nécessaires pour élever de
1° la température du corps tout entier, soit la valeur de la
masse d'eau qui exigerait la même quantité de chaleur pour
éprouver une variation de température de 1°; de là le nom
d'*équivalent en eau* donné quelquefois à la capacité calorifique.

**130. Détermination des chaleurs spécifiques des solides
et des liquides.** — Les méthodes les plus employées pour
déterminer les chaleurs spécifiques des solides et des
liquides sont la méthode des mélanges et la méthode du
calorimètre à glace de Bunsen.

I. Méthode des mélanges. — *Principe.* Soit une certaine masse M d'un corps solide ou liquide chauffé à T°,
et dont on veut déterminer la chaleur spécifique x. On
introduit ce corps dans une masse M' d'eau froide à $t°$:
l'eau s'échauffe, le corps se refroidit, et le mélange finit
par prendre une température uniforme θ, intermédiaire
entre t et T. Si l'on fait abstraction du vase et du thermomètre qui prennent part aux échanges de chaleur, et s'il

n'y a aucune perte par rayonnement, on peut écrire que la chaleur absorbée par l'eau est égale à la chaleur perdue par le corps. On a donc l'équation

$$Mx(T - \theta) = M'(\theta - t),$$

équation d'où l'on tire x.

Fig. 184. — Calorimètre à eau.

Le vase destiné à contenir l'eau et le corps se nomme le *calorimètre à eau* ; c'est un cylindre en laiton très mince (*fig.* 184) dont la surface externe est bien polie afin de diminuer son pouvoir émissif. Ce cylindre repose par trois pointes de liège, corps mauvais conducteur, sur le fond d'une enveloppe cylindrique en laiton, polie intérieurement, qui lui renvoie par réflexion presque toute la chaleur émise. Enfin, la température initiale de l'eau et la température finale du mélange sont données par un thermomètre très sensible fixé à un support en bois.

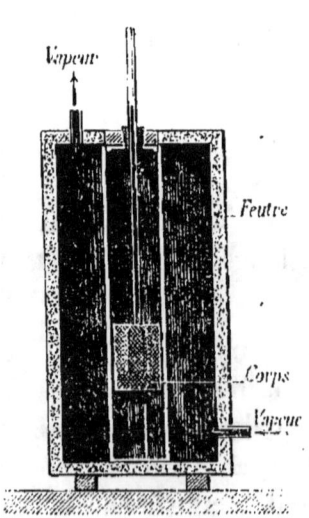

Fig. 185. — Étuve à vapeur pour calorimétrie.

Le corps, réduit en menus fragments, est placé dans une corbeille en fils de laiton, dont l'axe porte un cylindre de toile métallique dans lequel vient se loger le réservoir d'un thermomètre. La corbeille est suspendue par un fil de soie dans un tube métallique vertical chauffé extérieurement par un bain d'huile ou par la vapeur d'un liquide bouillant (*fig.* 185). Le tout est entouré de feutre épais.

Lorsque le thermomètre indique une température stationnaire, on retire la corbeille et on la plonge *immédiatement* dans le calorimètre, qui doit être placé très près de l'étuve afin de diminuer les échanges de chaleur avec l'extérieur. Tout en agitant l'eau du calorimètre avec la corbeille, que l'on soutient par son fil de soie, on observe la marche du thermomètre. Il monte d'abord très vite, puis plus lentement, et au bout de deux à trois minutes il indique la température finale θ qui doit figurer dans l'équation fondamentale.

Si le corps est liquide, on l'enferme dans une ampoule de verre que l'on porte à l'étuve aux lieu et place de la corbeille. Le thermomètre destiné à fournir la température T plonge dans le liquide même.

CALCUL. — Appelons m la masse du laiton dont est formé le calorimètre, m' la masse du mercure du thermomètre, m'' la masse du verre de cet instrument, c, c', c'' les chaleurs spécifiques respectives de ces trois corps ; la capacité calorifique de l'eau, du calorimètre et du thermomètre est $M' + mc + m'c' + m''c''$. D'un autre côté, la capacité calorifique du corps et de la corbeille est $Mx + m_1 c_1$, m_1 et c_1 désignant la masse et la chaleur spécifique du laiton qui constitue la corbeille. Écrivons que la chaleur gagnée par le calorimètre et son contenu en s'élevant de $t°$ à $0°$ est égale à la chaleur cédée par le corps et la corbeille en s'abaissant de $T°$ à $0°$; nous aurons l'équation

$$(M' + mc + m'c' + m''c'')(\theta - t) = (Mx + m_1 c_1)(T - \theta),$$

dans laquelle tout est connu, sauf x.

Il faut encore tenir compte de la chaleur perdue par rayonnement pendant le temps qui s'écoule entre l'immersion du corps et l'instant où l'on observe la température finale θ. Si l'expérience ne dure que quelques minutes, les échanges de chaleur du calorimètre avec l'extérieur peuvent être négligés. Dans le cas contraire, il faut calculer cette perte par une méthode assez compliquée basée sur la *loi du refroidissement*.

II. Méthode du calorimètre à glace de Bunsen. — Le calorimètre à glace de Bunsen est fondé sur la diminution de volume qu'éprouve la glace en passant à l'état liquide. Cet instrument est tout en verre. Il se compose d'un tube laboratoire (*fig.* 186), auquel est soudé un gros réservoir terminé inférieurement par un tube recourbé. La partie supérieure du réservoir contient de l'eau privée

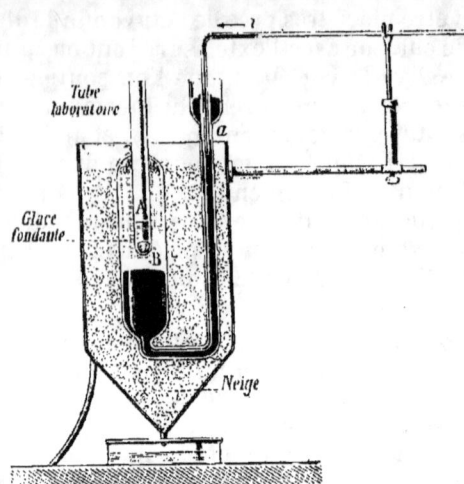

d'air que l'on a en partie congelée en utilisant le froid produit par l'évaporation d'éther ou de chlorure de méthyle; la partie inférieure contient du mercure, qui remplit complètement le tube coudé et s'avance jusqu'à un certain niveau dans un tube ho-

Fig. 186. — Calorimètre à glace de Bunsen.

rizontal calibré qui fait suite à l'appareil et sert à mesurer les variations de volume de la glace fondante. Enfin le réservoir et le tube coudé sont entourés d'un vase rempli de neige ou de glace fondante, qui les protège contre les causes extérieures d'échauffement.

Il faut d'abord déterminer la valeur d'une calorie en divisions du tube calibré. Pour cela, on introduit dans le tube laboratoire, à l'aide d'une pipette, 10^{cm3} d'eau pure à la température ordinaire : une partie de la glace qui entoure ce tube fond, et la contraction qui en résulte fait reculer la colonne mercurielle de n divisions du côté de l'appareil.

L'eau, en se refroidissant jusqu'à 0°, a cédé $10t^{cal}$; par suite, 1^{cal} correspond à un déplacement de $\frac{n}{10t}$ divisions.

Soit maintenant à déterminer la chaleur spécifique x d'un corps; on en prend une masse M (ne dépassant pas 3 à 4^g), on le chauffe à T° dans une petite étuve et on le fait tomber directement dans le tube laboratoire, lequel contient de l'eau distillée à 0°. Le mercure rétrograde de N divisions, valant

$\dfrac{N \times 10t}{n}$ calories; on a donc

$$M x T = \dfrac{10Nt}{n},$$

d'où
$$x = \dfrac{10Nt}{MnT}.$$

131. Résultats. — *De tous les corps solides ou liquides, c'est l'eau qui a la plus grande chaleur spécifique.* Celle-ci étant 1^{cal} par définition, les chaleurs spécifiques des autres corps sont exprimées par des fractions de calorie.

C'est parce que l'eau a une chaleur spécifique supérieure à celle de tous les autres corps que les océans ne subissent pas de grandes variations de température. La chaleur de l'été ne dure pas assez pour que la température de ces grandes masses d'eau puisse s'élever beaucoup; elle varie peu. C'est ce qui explique pourquoi les climats marins et insulaires ne présentent pas entre l'été et l'hiver les mêmes écarts que les climats continentaux.

Pour une même substance, la chaleur spécifique varie :

1° *avec l'état physique.* La chaleur spécifique est généralement plus petite à l'état solide qu'à l'état liquide; ainsi la chaleur spécifique de la glace est la moitié de celle de l'eau;

2° *avec la température.* La chaleur spécifique croît légèrement entre 0 et 100° ; au delà de 100°, la variation est notable et va en croissant à mesure que la température s'élève:

3° *avec l'état moléculaire.* Dans le tableau ci-après, on remarquera qu'un même corps, comme le carbone, n'a pas la même chaleur spécifique sous ses différents états.

Chaleurs spécifiques moyennes des principaux solides
entre 0 et 100°.

Argent.	0cal,057	Laiton.	0cal,094
Carbone (Charb. de bois)	0 ,241	Or.	0 ,032
» (Diamant) . .	0 ,147	Platine.	0 ,032
» (Graphite) . .	0 ,202	Plomb.	0 ,031
Cuivre.	0 ,095	Soufre cristallisé. . .	0 ,202
Etain.	0 ,056	» mou. . . .	0 ,184
Fer.	0 ,114	Zinc	0 ,095
Glace	0 ,504	Verre ordinaire. . .	0 ,198

Chaleurs spécifiques des principaux liquides à 15°.

Alcool éthylique. . .	0cal,579	Essence de térébenthine.	0cal,425
» méthylique . .	0 ,594	Éther sulfurique. . .	0 ,523
Benzine.	0 ,399	Huile d'olive. . . .	0 ,310
Chloroforme. . . .	0 ,225	Mercure	0 ,033
Eau.	1 ,000	Sulfure de carbone. .	0 ,238

Loi de Dulong et Petit. — Dulong et Petit ont montré que le produit ac de la masse atomi ue d'un corps simple par sa chaleur spécifique à l'état solide a une valeur sensiblement constante et égale à 6,4.

Cette loi n'est qu'approchée et le produit ac varie dans des limites assez étendues (6,87 pour l'iode, 6,16 pour l'argent) ; mais elle conduit à un énoncé remarquable :

Soit m la masse d'un atome d'hydrogène ; la masse d'un atome d'un corps simple est ma, et sa capacité calorifique mac, puisque c représente la chaleur spécifique de l'unité de masse. Or m est constant ; il en est de même de ac, d'après la loi de Dulong et Petit ; donc *tous les atomes des corps simples ont la même capacité calorifique*. En d'autres termes, il faut la même quantité de chaleur pour élever de 1° la température des atomes des différents corps simples.

132. Chaleurs spécifiques des gaz. — Il y a lieu de considérer pour chaque gaz une chaleur spécifique sous pression constante et une chaleur spécifique à volume constant.

La chaleur spécifique d'un gaz sous pression constante est la quantité de chaleur qu'il faut céder à 1ᵍ de ce gaz pour élever sa température de 0° à 1°, en le laissant librement se dilater de manière que la pression reste constante. On la représente ordinairement par C. Les chaleurs spécifiques des gaz sous pression constante se déterminent en faisant passer une masse connue de gaz, chauffé à une température connue, dans un calorimètre à eau. On a trouvé ainsi que tous les gaz, à l'exception de l'hydrogène, ont une chaleur spécifique inférieure à celle de l'eau. Cette chaleur spécifique est indépendante de la pression.

Chaleurs spécifiques de quelques gaz sous pression constante.

Air	0cal,2374	Acide chlorhydrique . 0cal,1852
Azote	0 ,2438	Gaz ammoniac . . . . 0 ,5083
Hydrogène	3 ,409	» carbonique . . . . 0 ,2169
Oxygène	0 ,2175	» sulfureux . . . . 0 ,1544

On appelle chaleur spécifique d'un gaz à volume constant la quantité de chaleur qu'il faut céder à 1ᵍ de ce gaz pour élever sa température de 0° à 1° en l'empêchant de se dilater. Cette chaleur spécifique se représente par c ; on ne peut la mesurer directement, mais des méthodes spéciales, dont la description sortirait du cadre de cet ouvrage, permettent de déterminer le rapport $\dfrac{C}{c}$. Pour l'air, par exemple, il est égal à 1,41, ce qui donne pour valeur de sa chaleur spécifique à volume constant $\dfrac{0,2374}{1,41}$ ou 0cal,169. D'une façon générale, la chaleur spécifique à volume constant est plus petite que la chaleur spécifique sous pression constante.

RÉSUMÉ DU CHAPITRE XVII

La chaleur est une grandeur mesurable ; elle s'évalue en calories. La calorie est la quantité de chaleur nécessaire pour élever de 0° à 1° la température d'un gramme d'eau. Comme il faut sensiblement 1cal pour élever 1ᵍ d'eau de t° à $(t+1)$°, Mᵍ d'eau, pour passer de t° à t'°, absorbent $M(t'-t)$cal.

On appelle chaleur spécifique d'un corps la quantité de chaleur nécessaire pour élever de 1° la température de 1ᵍ de ce corps. Si celui-ci a une masse M, il faut lui céder $Mc(t'-t)$cal pour élever sa température de t° à t'°.

Pour déterminer la chaleur spécifique d'un solide ou d'un liquide par la méthode des mélanges, on en immerge une masse M chauffée à T°, dans une masse M' d'eau froide à $t°$ contenue dans un calorimètre; la température du corps et celle de l'eau varient en sens contraire jusqu'à devenir égales (température finale 0). On exprime ensuite que la chaleur perdue par le corps est égale à la chaleur gagnée par l'eau : $Mx(T — 0) = M'(0 — t)$. On emploie aussi le calorimètre de Bunsen, fondé sur la contraction qu'éprouve la glace en fondant.

L'eau a une chaleur spécifique plus grande que celle de tous les autres corps, ce qui explique pourquoi les climats marins et insulaires ne présentent pas entre l'été et l'hiver les mêmes écarts que les climats continentaux. La chaleur spécifique d'une substance varie avec son état physique et son état moléculaire; elle augmente un peu avec la température.

Dulong et Petit ont trouvé que le produit de la masse atomique d'un corps simple par sa chaleur spécifique à l'état solide est sensiblement constant et égal à 6,4.

EXERCICES SUR LE CHAPITRE XVII

52. Une masse de plomb pesant 200^g est plongée dans 800^g d'eau à 12°, contenue dans un calorimètre en laiton dont la masse est 615^{gr}. La chaleur spécifique du plomb est 0,031 ; celle du laiton, 0,094. La température finale est 15°. On demande la température initiale.

53. Deux morceaux de fer pesant 231^g et 249^g ont été chauffés à une température x. On les a plongés respectivement dans de l'eau dont les masses sont 360^g, 450^g, et les températures 10° et 12°. Les températures finales sont 17°,5 et 18°,4. On demande la température initiale x et la chaleur spécifique du fer.

54. Un morceau d'argent a été chauffé à 101°,9, puis immergé dans un calorimètre contenant 81^g,34 d'eau dont la température s'élève de 11°,09 à 11°,71. La valeur en eau du calorimètre, de l'agitateur et du thermomètre était de 2^g,91.

Le même morceau d'argent fut chauffé à 101°,2, puis immergé dans 75^g,3 d'essence de térébenthine, dont la température s'éleva de 10°,98 à 12°,5.

L'appareil était le même que dans la première expérience. Quelle est la chaleur spécifique de l'essence de térébenthine ?

CHAPITRE XVIII

FUSION ET SOLIDIFICATION

133. Changements d'état en général.— Outre les changements de volume que nous avons étudiés sous le nom de *dilatations*, les corps peuvent éprouver des changements d'état lorsqu'ils sont soumis à des variations de température. Parmi ces changements d'état, les uns sont purement physiques, comme la *fusion*, la *vaporisation*, la *liquéfaction*, la *solidification*; les autres sont du domaine de la Chimie, tels sont les phénomènes de *combinaison* et de *décomposition*.

ÉTUDE DE LA FUSION

134. Phénomène de la fusion. — On appelle fusion le passage d'un corps de l'état solide à l'état liquide sous l'influence de la chaleur.

Tous les corps solides fondent à une température plus ou moins élevée, à l'exception de quelques composés comme le bois, le papier qui, lorsqu'on les chauffe, se décomposent avant de perdre l'état solide. Pour certains corps, comme le verre, le fer, la cire à cacheter, les propriétés du solide se modifient progressivement; ces corps se ramollissent, puis deviennent visqueux avant de prendre l'état parfaitement liquide : on dit que leur fusion est *pâteuse*. C'est cette fusion pâteuse qui permet le soufflage et l'étirage du verre.

Un grand nombre de corps, au contraire, passent de l'état parfaitement solide à l'état parfaitement liquide sans passer par un état intermédiaire : ils subissent la fusion *brusque* ; tels sont la glace, le soufre, l'étain.

135. Lois de la fusion brusque. — 1re **Loi :** Sous une pression constante, la fusion se produit toujours, pour un même solide, à une température déterminée qu'on appelle point de fusion.

Quand on veut obtenir rapidement le point de fusion d'une substance qui fond à une température peu élevée, comme la paraffine, la naphtaline, on introduit une petite boulette de cette substance dans

Paraffine

Fig. 187. — Détermination du point de fusion de la paraffine.

un tube à essais soutenu par un tube plus large et on chauffe modérément avec un brûleur (*fig.* 187). La température s'élève progressivement puis, lorsque la fusion commence, reste stationnaire jusqu'à ce que le solide soit fondu. Elle croît de nouveau lorsque la substance est devenue liquide.

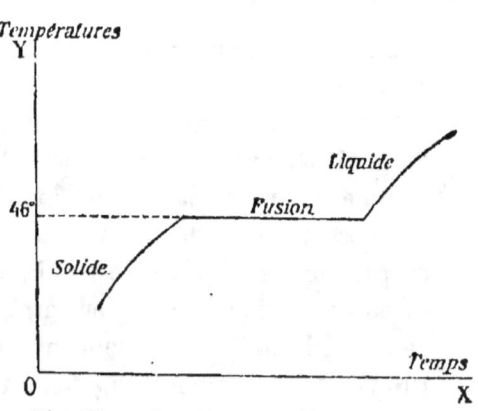

Fig. 188. — Graphique du point de fusion de la paraffine.

La graphique du phénomène de la fusion s'obtient en por-

tant les temps en abscisses et les températures correspondantes en ordonnées (*fig.* 188).

Le tableau suivant donne les points de fusion, sous la pression atmosphérique, des corps les plus usuels.

Corps	Points de fusion	Corps	Points de fusion
Mercure.	— 39,5	Plomb	327
Eau de mer.. . . .	— 2,5	Zinc.	419
Eau distillée. . .	0	Aluminium.. . .	625
Phosphore. . .	44,2	Argent.	960
Acide stéarique . .	70	Cuivre.	1054
Soufre.	114,5	Or	1060
Etain..	232	Platine.	1775

L'échelle des points de fusion est, comme on le voit, très
étendue. Certains corps qui ne figurent pas dans le tableau
précédent et qui étaient regardés autrefois comme des corps
infusibles ou *réfractaires* (chaux, silice) ont pu être fondus
à l'aide du four électrique, dans lequel on utilise la haute
température (3500° environ) produite par l'arc voltaïque.

2· **Loi : La fusion n'est pas instantanée ; dès qu'elle est
commencée, la température reste invariable jusqu'à ce que la
fusion soit complète.**

Cette loi se vérifie aisément en plongeant un thermomètre dans des corps en fusion (glace fondante, etc.).

136. Chaleur de fusion. — La constance de la température pendant toute la durée de la fusion indique que la
chaleur cédée par le foyer à la masse en fusion est employée uniquement à amener les molécules dans des positions relatives différentes de celles qu'elles occupaient à
l'état solide à la même température. Cette chaleur ainsi
transformée en travail varie d'un corps à un autre et cons-·
titue pour chacun d'eux une propriété spécifique. La

quantité de chaleur absorbée par un gramme d'un corps solide pour passer à l'état liquide sans changer de température s'appelle la *chaleur de fusion* du corps solide.

La chaleur de fusion de la glace, par exemple, est 80^{cal}; cela veut dire qu'un gramme de glace à $0°$ absorbe 80^{cal} pour se transformer en eau liquide également à $0°$.

Les chaleurs de fusion se déterminent ordinairement par la méthode des mélanges.

Chaleur de fusion de la glace. — Soit M la masse d'un morceau de glace à $0°$; on le plonge dans de l'eau chaude à $t°$ et dont la masse M' est suffisante pour fondre toute la glace. Dès que la fusion est complète, on lit la température finale θ du mélange. L'eau, en se refroidissant de $t°$ à $0°$, a abandonné $M'(t-\theta)^{cal}$. D'un autre côté, la glace pour fondre sans changer de température a absorbé Mx^{cal}, x représentant sa chaleur de fusion; en outre, l'eau provenant de la fusion a absorbé $M\theta^{cal}$ pour passer de $0°$ à $\theta°$. On a donc l'équation

$$M'(t-\theta) = Mx + M\theta,$$

équation qui donne x.

Chaleur de fusion d'un solide quelconque. — La méthode employée consiste en principe à plonger dans l'eau d'un calorimètre une masse connue du corps préalablement porté à une température supérieure à celle de son point de fusion. On écrit ensuite que la quantité de chaleur gagnée par l'eau est égale à la somme des quantités de chaleur abandonnées par le corps: 1° pour se refroidir à l'état liquide jusqu'à son point de solidification; 2° pour se solidifier sans changer de température; 3° pour se refroidir à l'état solide jusqu'à la température finale.

Soit à déterminer la chaleur de fusion du soufre, dont le point de fusion est $114°$. Une masse M de soufre est placée dans une petite bouteille de cuivre mince, munie d'un thermomètre; on fait fondre entièrement ce corps et on porte le liquide à une température connue T notablement supérieure à $114°$, puis on immerge le tout dans l'eau d'un calorimètre. Au contact de l'eau froide, le soufre abandonne successivement $Mc'(T-114)^{cal}$ pour revenir à son point de solidification (c' désignant la chaleur spécifique du soufre à l'état liquide), $M x^{cal}$ pour se solidifier en restant à 114°, et $Mc(114 — \theta)^{cal}$ pour se refroidir jusqu'à la température finale. Pendant ce temps, l'eau et le calorimètre s'échauffent de $t°$ à 0° et gagnent $(M' + C)(\theta — t)^{cal}$, C désignant la capacité calorifique ou équivalent en eau du calorimètre. On a donc

$$Mc'(T — 114) + Mx + Mc(114 — \theta) = (M' + C)(0 — t).$$

Il faut tenir compte en outre de la chaleur cédée par la bouteille et par son thermomètre, et corriger la température finale observée, θ, comme dans la méthode ordinaire.

L'équation précédente contient deux inconnues : c' et x. On fait une deuxième expérience dans les mêmes conditions, mais en portant le soufre à une température T' différente de T ; on obtient ainsi une deuxième équation qui, jointe à la première, permet de calculer c' et x.

Chaleurs de fusion de quelques corps solides.

Argent..	21,7	Mercure solide	2,8
Etain..	11,2	Plomb.	9,37
Glace	80,0	Soufre.	9,4
Iode.	11,7	Zinc	28,1

137. Applications des lois de la fusion. — Les points de fusion des différents corps solides constituent autant de températures fixes, parmi lesquelles on a choisi le point de fusion de la glace comme 0° de l'échelle centigrade.

La connaissance exacte de ces températures et leur constance pour un même corps sont souvent employées soit pour découvrir la nature d'un corps, soit pour en vérifier la pureté.

Dans le commerce, les suifs pour les usages de la stéarinerie sont achetés suivant leurs points de fusion. Il en est de même pour un certain nombre de produits industriels.

138. Changements de volume accompagnant la fusion. — La plupart des corps solides, en passant à l'état liquide, augmentent de volume ; le liquide obtenu est, par suite, moins dense que le solide, ce qui explique pourquoi dans

la fusion du soufre, de la cire, du plomb, les parties restées solides tombent toujours au fond du vase.

Certains corps, cependant, comme la glace, la fonte,
le bismuth, éprouvent en passant à l'état liquide une diminution de volume et, par suite, un accroissement de
masse spécifique ; aussi pour tous ces corps, les parties
restées solides surnagent-elles

139. Influence de la pression sur la fusion. — Les variations de la pression extérieure ne produisent un changement appréciable dans la valeur du point de fusion d'un
corps que lorsqu'elles sont considérables.

Pour les corps qui augmentent de volume en se liqué-
fiant, ce qui est le cas général, la pression extérieure est
un obstacle à la dilatation ; par suite, un accroissement de
pression extérieure élèvera la température de fusion.
C'est ainsi, par exemple, que la paraffine, qui fond à
46°,3 sous la pression atmosphérique, ne fond plus qu'à
46°,9 sous une pression 100 fois plus grande.

Inversement, pour les corps dont le volume diminue
par la fusion, un accroissement de pression abaisse leur
point de fusion. Ainsi M. Mousson, en comprimant à plusieurs milliers de kilogrammes un cylindre de glace
maintenu à 18° au-dessous de zéro, est parvenu à le liquéfier.

ÉTUDE DE LA SOLIDIFICATION

140. Phénomène de la solidification. — La solidification est le passage de l'état liquide à l'état solide par refroidissement.

Ce phénomène est soumis à deux lois, qui correspondent à celles de la fusion.

1re Loi : Pour chaque corps défini chimiquement, la solidification se produit à une température déterminée, qui n'est autre que celle de la fusion.

2e Loi : La température de la masse qui se solidifie est constante pendant toute la durée de la solidification, quelles que soient les causes de refroidissement extérieures.

Il résulte de cette deuxième loi que la solidification est accompagnée d'un dégagement de chaleur. Cette chaleur qui maintient ainsi constante la température de la masse malgré le refroidissement, est rigoureusement égale à la chaleur qui a été absorbée pendant la fusion.

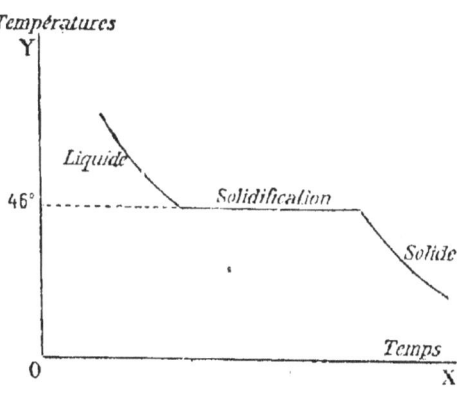

Fig. 189. — Graphique de solidification de la paraffine.

Le graphique de solidification est l'inverse du graphique de fusion (*fig.* 189).

141. Surfusion. — On dit qu'il y a *surfusion* lorsque la température d'un liquide s'abaisse au-dessous de son point de solidification, sans cependant qu'il se solidifie. Cette exception à la première loi de la solidification se produit avec la plupart des liquides lorsqu'on les laisse refroidir à l'abri de toute agitation, et surtout lorsqu'il ne reste dans le liquide aucune parcelle solide de la même substance. Quand un liquide a été ainsi amené à l'état de surfusion, ses molécules sont dans une sorte d'équilibre peu stable qu'une faible cause est capable de détruire ; l'agitation, le contact de l'air suffisent le plus souvent pour amener une solidification qui s'opère toujours brusquement ; mais le moyen le plus sûr pour faire cesser l'état de surfusion consiste à projeter dans le liquide une parcelle solide semblable à celles dans lesquelles il se transformerait. Dans tous les cas, dès que la surfusion cesse, la température remonte sensiblement à la température normale de solidification du corps.

On démontre habituellement le phénomène de la surfusion par les expériences suivantes :

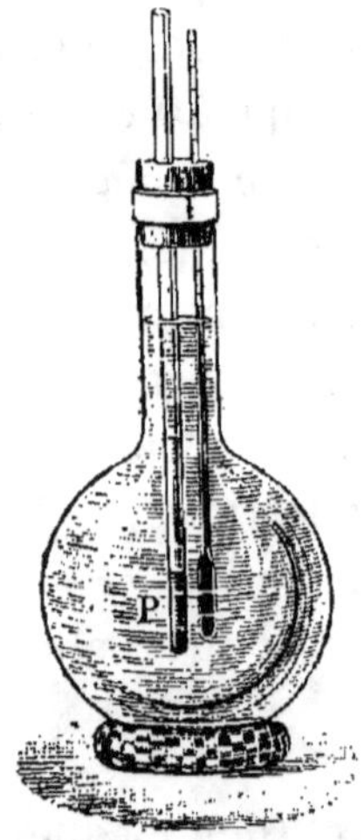

1º Dans un grand ballon rempli d'eau on assujettit un thermomètre et deux larges tubes contenant l'un et l'autre du phosphore ordinaire recouvert d'une couche d'eau (fig. 190). On chauffe le tout à une température un peu supérieure au point de fusion du phosphore (44°,2), puis on laisse refroidir. Le thermomètre descend, dépasse le point de solidification et peut même baisser jusqu'à 30° sans que le phosphore se solidifie. A ce moment, on descend dans l'un des tubes une baguette de verre à l'extrémité de laquelle adhère une parcelle de phosphore : dès que cette extrémité arrive au contact du phosphore en surfusion, celui-ci se solidifie ; en même temps, la température remonte rapidement. Le phos-

Fig. 190. — Surfusion du phosphore.

phore rouge ne produit aucun effet : si l'on touche le
phosphore contenu dans le second tube
avec une baguette à l'extrémité de laquelle
adhère du phosphore rouge, on n'amène
pas la solidification.

2º On place dans un mélange réfrigérant
un thermomètre ordinaire dont le réservoir
est enchâssé dans un cylindre renfermant
de l'eau privée d'air (*fig.* 191). L'eau reste
liquide à plusieurs degrés au-dessous de
zéro. On soulève le thermomètre et on
l'agite brusquement ; la congélation s'opère
à l'instant et la température remonte, à
cause de la chaleur produite par ce changement d'état.

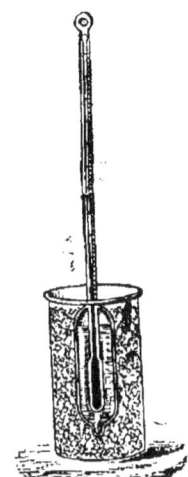

Fig. 191. — Expé-
rience démon-
trant la surfu-
sion de l'eau.

**142. Changements de volume accompa-
gnant la solidification.** — Pour les corps
qui augmentent de volume en fondant,
la solidification est accompagnée d'une diminution
de volume ; on dit qu'ils éprouvent *un retrait;* c'est
pour cela que le phosphore n'adhère pas aux tubes dans
lesquels on le moule. Quand on scelle une lame de fer
dans la pierre, on est obligé d'ajouter à plusieurs reprises
du soufre fondu pour combler les vides produits pendant
la solidification.

Inversement, les corps qui éprouvent en fondant une
diminution de volume augmentent de volume en se solidifiant. Ainsi le bismuth brise les tubes de verre dans
lesquels on le coule. Pour le moulage il y a avantage à se
servir de ces corps : lorsque la fonte grise, par exemple,
est versée à l'état liquide dans un moule, elle se dilate en
se solidifiant et remplit toutes les cavités du moule.

143. Congélation de l'eau. — L'eau se transforme en glace dès que sa température s'abaisse au-dessous de 0°. La glace est plus légère que l'eau ; sa masse spécifique est égale à 0ᵍ,92, aussi flotte-t-elle à la surface de ce liquide. Cette propriété a des conséquences importantes dans la nature : pendant les froids rigoureux, l'eau des lacs et des rivières se congèle à la surface ; les glaçons se soudent et forment une couche compacte qui préserve de la congélation les parties profondes et y rend la vie possible aux animaux et végétaux.

Fig. 192. — Fleurs de la glace.

La glace est formée, comme l'a montré le physicien anglais Tyndall, par la réunion d'un très grand nombre de petits cristaux étoilés (*fleurs de glace*), présentant en leur centre un petit espace vide (*fig.* 192). L'existence de ces espaces vides résulte de l'augmentation de volume qui a accompagné la congélation.

Force expansive de la glace. — L'augmentation de volume qu'éprouve l'eau en se solidifiant peut exercer des effets mécaniques puissants. On le démontre dans les cours en plaçant dans un mélange réfrigérant un tube à essais rempli d'eau et fermé par un bon bouchon : le tube se brise dans toute sa longueur avec un bruit sec au moment où l'eau intérieure se solidifie. Cette force expansive explique pourquoi des tuyaux qu'on a laissés remplis d'eau sont fréquemment rompus en hiver. Les pierres dites *gélives* sont des pierres poreuses qui se désagrègent au moment des gelées et sont par suite impropres aux constructions ; cette désagrégation est due à la congélation de l'eau de pluie qu'elles avaient absorbée.

Regel de la glace. — Nous avons dit (139) que la glace soumise à une forte pression pouvait fondre au-dessous de 0°. On le montre par l'expérience suivante : on pose sur un bloc de glace un fil de fer tendu par des masses assez fortes (*fig.* 193); la glace fond sous la pression du fil ; le bloc est traversé peu à peu ; mais il se ressoude après le passage du fil, parce que l'eau de fusion n'étant plus pressée se regèle.

Fig. 193. — Regel de la glace.   Fig. 194. — Expérience de Tyndall.

On peut aussi répéter la belle expérience de Tyndall. Entre deux blocs de buis présentant chacun une cavité lenticulaire, on introduit de la glace pilée et on comprime fortement le tout à l'aide d'une presse (*fig.* 194). La glace se brise d'abord en une multitude de fragments plus petits, mais ces fragments se soudent bientôt et l'on retire du moule une lentille de glace parfaitement compacte et transparente.

Ce moulage de la glace par pression a permis à Tyndall d'expliquer la formation et le mouvement des *glaciers*. La neige qui tombe dans les régions élevées descend vers la plaine et se transforme d'abord, sous l'influence d'une fusion partielle suivie d'une congélation, en une masse granuleuse composée de neige tassée et de petits glaçons ; c'est ce qu'on appelle le *névé*. Les couches profondes du névé, comprimées par les nouvelles couches qui s'accumulent sans cesse à la partie supérieure, fondent et donnent de l'eau qui tend à s'écouler ; mais dès que celle-ci n'est plus pressée, elle *regèle*, formant ainsi peu à peu une masse transparente qui constitue le glacier proprement dit. Ces alternatives de fusion et de regel font que le glacier se moule exactement sur les rochers et progresse vers la vallée jusqu'à l'endroit où la température n'est plus assez basse pour produire le regel.

144. Dissolution des solides dans les liquides. — On appelle *dissolution* le passage d'un corps de l'état solide à l'état liquide en se mélangeant à un liquide qu'on appelle *dissolvant*. Ainsi, le sel marin se dissout dans l'eau, le soufre et le phosphore se dissolvent dans le sulfure de carbone, etc. La dissolution est, en somme, un mode particulier de fusion accompagné de la diffusion du liquide produit dans la masse du dissolvant ; mais elle diffère essentiellement de la fusion ordinaire en ce qu'il n'y a pas de température fixe de dissolution.

La quantité d'un corps solide qui peut se dissoudre dans un liquide est très variable : elle dépend surtout de la nature de ce solide et de la température du liquide. En général, on appelle *coefficient de solubilité* d'un corps solide le nombre maximum de grammes qu'en peut dissoudre un litre du dissolvant à la température que l'on considère.

Soit à étudier la solubilité du chlorure de sodium dans l'eau. On prend 100^g d'eau et on détermine à différentes températures la quantité de sel qu'il faut y dissoudre pour que cette eau en contienne tout ce qu'elle peut en contenir à la température de l'expérience. On trace alors deux droites rectangulaires (*fig.* 195) et, sur l'horizontale, on prend des longueurs égales qui représentent les degrés de température. Aux points qui correspondent aux températures des expériences, on élève des perpendiculaires de longueurs proportionnelles au coefficient de solubilité observé. En joignant les extrémités de ces perpendiculaires par un trait continu, on obtient la *courbe de solubilité* du chlorure de sodium.

La figure 195 représente aussi les courbes de solubilité de quelques sels autres que le chlorure de sodium. Tandis que le dernier sel n'est guère plus soluble à chaud qu'à

froid, la solubilité du chlorate et de l'azotate de potassium
augmente rapidement avec la température ; la solubilité

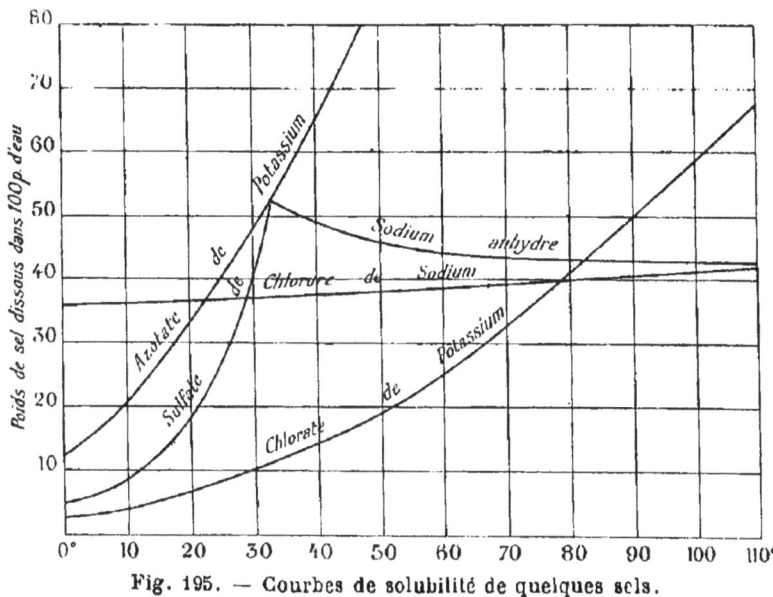

Fig. 195. — Courbes de solubilité de quelques sels.

du sulfate de sodium atteint sa plus grande valeur à 33°.

Le phénomène de la dissolution est accompagné, comme
celui de la fusion, d'une absorption de chaleur. Cette
absorption est due ici à la fois au passage du corps solide à
l'état liquide et à la diffusion du liquide produit dans le
dissolvant ; elle a pour effet d'abaisser la température de
ce dernier. Si l'on dissout par exemple de l'azotate d'ammonium en proportions convenables dans l'eau, on obtient
un abaissement de température d'au moins 25°.

Sursaturation. — La sursaturation est un phénomène
analogue à la surfusion. Une dissolution saturée à chaud
peut généralement, quand on prend certaines précautions,
subir un abaissement de température plus ou moins considérable sans que le corps dissous se dépose ou cristal-

lise; on dit alors qu'il y a *sursaturation*. Quand une dissolution est sursaturée, on provoque une cristallisation instantanée en y introduisant une parcelle de cristal de
même nature que le solide dissous ; en même temps, on
constate un dégagement sensible de chaleur.

Le phénomène de la sursaturation peut être mis en évidence aisément avec les dissolutions d'hyposulfite, de sulfate
ou d'acétate de sodium, d'azotate de calcium, etc. On fait par
exemple une dissolution saturée à chaud d'acétate de sodium

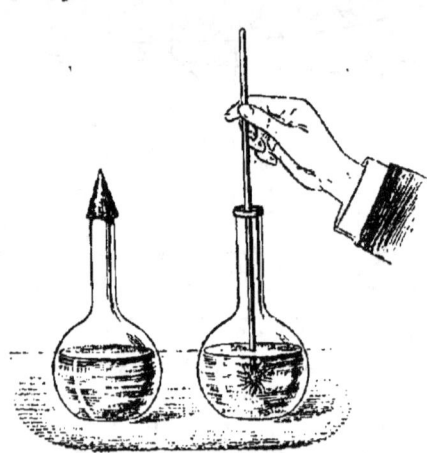

Fig. 196.— Sursaturation d'une dissolution
d'acétate de sodium.

dans une fiole à fond plat
(*fig.* 196), puis on recouvre
le col d'un petit cône de
papier-filtre pour empê-
cher la chute des par-
celles du même sel qui
pourraient se trouver
dans l'atmosphère et on
laisse refroidir à l'abri de
toute agitation. La cristallisation ne se produit pas ;
mais si l'on vient à introduire, à l'aide d'une ba-
guette de verre, une par-
celle d'acétate de sodium
dans la liqueur, des ai-
guilles cristallines se pro-
duisent autour de cette parcelle et envahissent rapidement
toute la masse. Avec l'azotate de calcium, sel qui est déli-
quescent et ne peut par suite se rencontrer dans l'atmosphère
à l'état de poussières solides, la sursaturation est plus facile
à produire ; on verse la dissolution saturée de ce sel sur une
plaque de verre et, au bout d'un certain temps, on promène
dans le liquide sursaturé une baguette à l'extrémité de
laquelle adhère un fragment d'azotate de calcium ; on voit
alors la cristallisation se produire instantanément autour
des points touchés et se propager rapidement dans le
liquide.

Mélanges réfrigérants. — Les mélanges réfrigérants
sont destinés à abaisser la température des corps qui y

sont plongés; leur emploi repose sur l'absorption de chaleur qui accompagne la fusion et la dissolution.

Dans quelques mélanges réfrigérants, on utilise simplement le froid qui accompagne la dissolution; nous citerons comme exemple la dissolution d'azotate d'ammonium dans l'eau. Dans les autres, la dissolution est accompagnée d'une combinaison effectuée avec dégagement de chaleur; mais on s'arrange de manière que l'effet résultant soit un abaissement de température. Si l'on mélange par exemple une partie d'acide sulfurique avec 4 parties de neige, la chaleur absorbée par la fusion de cette dernière est bien plus considérable que la chaleur dégagée par la combinaison de l'acide avec l'eau provenant de la fusion : on obtient un abaissement de 20° au-dessous de la température initiale du mélange. Si l'on avait pris 4 p. d'acide pour 1 p. de neige, on eût constaté au contraire une élévation de température d'environ 80° ; dans ce cas, la chaleur absorbée par la fusion de la neige est bien inférieure à la chaleur dégagée par la formation de l'acide sulfurique hydraté.

Les mélanges réfrigérants sont utilisés pour liquéfier certains gaz; pour fabriquer des glaces, des sorbets, etc. Les plus employés sont formés de glace ou de neige et de sels divers (chlorure de calcium, sel marin). Pour chacun de ces mélanges, il existe une limite d'abaissement de température, qui n'est autre que le point de congélation de la dissolution aqueuse du sel qui entre dans le mélange considéré.

Soit, par exemple, un mélange de sel marin et de glace pilée. L'abaissement de température est dû à la fois à la fusion de la glace et à la dissolution du sel dans l'eau provenant de la fusion : il est limité par le point de congélation de la dissolution saturée de sel marin, car si la température du mélange descendait au-dessous de ce point, les cristaux de sel se reformeraient en dégageant de la chaleur. Or l'expérience montre que si l'on refroidit progressivement une dissolution saturée de sel marin, il se forme à la fois des cristaux de sel et des cristaux de glace quand un thermomètre plongé dans la dissolution indique une température d'environ — 21°. D'après cela, la limite inférieure donnée par un mélange de glace et de sel marin est environ — 21°. Pour un mélange de neige et de chlorure de calcium (4 parties de chlorure et 3 de neige), la limite est environ — 48°, ce qui permet de produire avec ce mélange la congélation du mercure.

RÉSUMÉ DU CHAPITRE XVIII

La fusion est le passage d'un solide à l'état liquide par l'action de la chaleur. Certains corps subissent la fusion pâteuse, comme le verre ; d'autres fondent nettement sans passer par aucun état intermédiaire (fusion brusque). La fusion de ces derniers est soumise à la loi suivante : pour un même corps, la fusion se produit toujours à la même température ; cette température, appelée point de fusion, ne varie pas pendant toute la durée du changement d'état. La chaleur fournie par la source à l'unité de masse du corps solide pour passer à l'état liquide sans changer de température s'appelle chaleur de fusion. On détermine les chaleurs de fusion par la méthode des mélanges. Celle de la glace est 80cal.

La solidification est l'inverse de la fusion. Comme cette dernière, elle se produit à une température fixe (point de solidification), qui est celle de la fusion ; de plus, cette température est constante pendant toute la durée du phénomène. La chaleur qui avait été absorbée pendant la fusion est restituée pendant la solidification.

Si un corps préalablement fondu se refroidit à l'abri de toute agitation, sa température peut s'abaisser au-dessous de son point de solidification sans qu'il se solidifie. Ce phénomène, appelé surfusion, ne se produit que si le corps fondu ne renferme aucune parcelle solide de même substance ; on le met en évidence avec du phosphore.

En général, la fusion est accompagnée d'une augmentation de volume et la solidification d'une contraction. Certains corps (glace, fonte) suivent des règles inverses : l'eau, en se solidifiant, augmente de volume ; la glace formée a par suite une densité moindre, ce qui fait qu'elle surnage.

Les variations de la pression extérieure n'ont d'influence sur le point de fusion que si elles sont considérables. Un accroissement de pression élève la température de fusion des substances qui augmentent de volume en fondant (soufre) ; il abaisse celle des substances qui diminuent de volume (glace). L'expérience du regel de la glace est une conséquence de l'abaissement du point de fusion dans ce dernier cas.

La dissolution d'un solide dans un liquide est une sorte de fusion accompagnée d'une diffusion du corps dissous dans le dissolvant. Ce phénomène entraîne, comme la fusion, un abaissement de température. Quand il y a combinaison entre le solide et son dissolvant, la chaleur dégagée par la combinaison peut être plus grande que la chaleur absorbée par la dissolution, et celle-ci paraît accompagnée d'une élévation de température. Souvent une dissolution saturée à chaud ne laisse pas déposer le corps dissous, malgré l'abaissement de température ; il y a alors sursaturation ; mais on provoque la cristallisation immédiate en introduisant dans le liquide une parcelle cristalline de même espèce que le sel dissous.

Dans les mélanges réfrigérants, on utilise l'abaissement de température produit par la fusion et la dissolution. Ces mélanges peuvent être constitués par de simples dissolvants (azotate d'ammonium et eau) ; le plus souvent, ce sont des mélanges de glace et d'un sel (chlorure de sodium) ; l'abaissement de température qui a lieu dans ce cas est dû à la fois à la fusion de la glace et à la dissolution du sel dans l'eau formée.

EXERCICES SUR LE CHAPITRE XVIII

55. Un morceau de glace pesant 725^g est placé dans un vase contenant 2500^g d'eau à 5°. L'équilibre thermique étant établi, on trouve que la glace pèse 64^g de plus qu'au début. Quelle était la température initiale de la glace ?

La chaleur spécifique de la glace est 0,5 ; sa chaleur de fusion, 80 calories.

56. Le sol étant couvert d'une couche de neige épaisse de 0^m,02 et dont la température est — 5°, on suppose qu'il vienne à tomber une pluie dont la température soit 10°. Quelle doit être la hauteur de pluie pour qu'elle produise la fusion totale de la neige ? Densité apparente de la neige, 0,78.

CHAPITRE XIX

ÉTUDE DES VAPEURS

145. Vaporisation en général. — On dit qu'un liquide se *vaporise* quand il se transforme en un gaz; on donne à ce gaz le nom particulier de *vapeur*, qui ne se rapporte pas à un quatrième état de la matière, mais qui indique seulement que le corps considéré n'est pas gazeux à la température ordinaire. La vaporisation a lieu à toute température pour la plupart des liquides et même pour quelques solides (iode, camphre); il n'y a donc pas à considérer de *point de vaporisation* analogue au point de fusion.

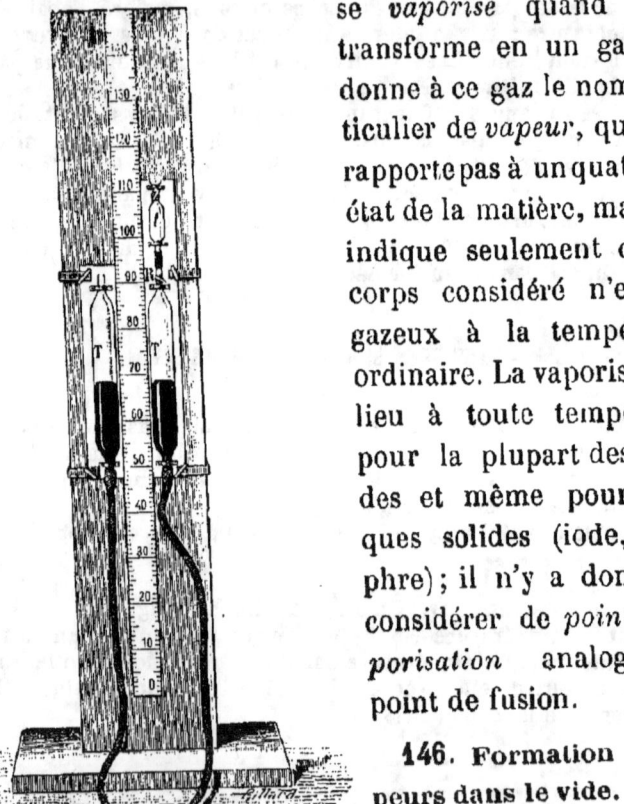

Fig. 197. — Appareil pour l'étude des vapeurs dans le vide.

146. Formation des vapeurs dans le vide. — Lorsqu'un liquide est introduit dans le vide, il y a production *instantanée* de vapeurs dont la force élastique est comparable à celle des gaz.

Pour le démontrer, on emploie l'appareil qui nous a servi pour démontrer la loi de Mariotte (64). On adapte au-dessus du tube T' un entonnoir à robinet (*fig.* 197), terminé inférieurement par un petit tube *t*, puis on soulève le tube T jusqu'à ce que le mercure remplisse complètement le tube T'. On ferme alors le robinet R et on abaisse le tube T; on crée ainsi dans le tube T' une chambre barométrique. Si l'on ouvre ensuite le robinet R pendant une fraction de seconde, de manière à faire pénétrer seulement quelques gouttes d'éther dans la chambre barométrique, le liquide ainsi introduit disparaît instan-

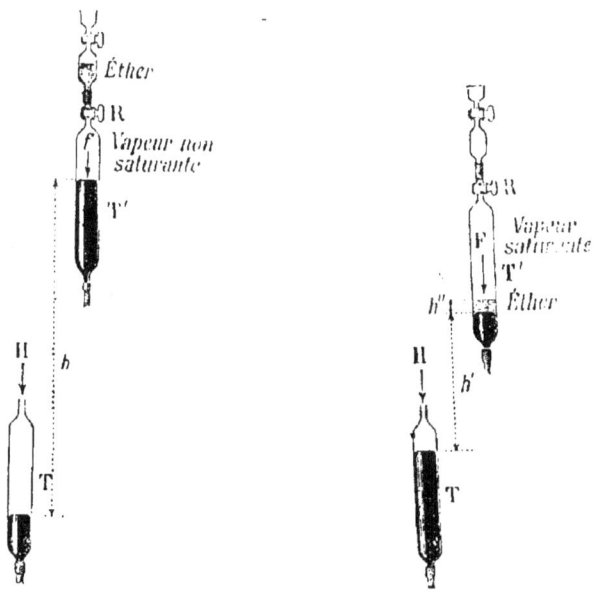

Fig. 198. — Formation d'une
vapeur non saturante.

Fig. 199. — Formation d'une
vapeur saturante.

tanément et en même temps le mercure se déprime dans le tube T' (*fig.* 198).

La force élastique de la vapeur d'éther qui occupe l'espace situé au-dessus du mercure est évidemment égale à la pression atmosphérique, diminuée de la différence h des niveaux du mercure dans les deux tubes.

On fait passer de nouveau quelques gouttes d'éther dans le tube T'; il se vaporise encore et le mercure subit une nouvelle dépression, indiquant que la force élastique de la vapeur d'éther a augmenté. Cependant la force élastique de cette vapeur ne s'accroît pas indéfiniment; si l'on continue d'introduire de l'éther, il arrive un moment où la vaporisation cesse; le liquide forme alors une petite couche à la surface du mercure dont le niveau ne varie plus (*fig.* 199). Lorsqu'un excès d'éther subsiste ainsi en conctact avec la vapeur, l'espace situé au-dessus du mercure renferme la quantité maxima de vapeur d'éther qu'il puisse contenir à la température de l'expérience : on dit qu'il est *saturé*, ou encore que la vapeur est *saturante*. La force élastique de celle-ci, mesurée en tenant compte de la petite couche h'' d'éther qui surmonte le mercure, ne peut également devenir plus grande; on l'appelle *force élastique maxima* de la vapeur d'éther à la température de l'expérience. D'après cela, tant que la vapeur n'est pas en contact avec un excès de liquide générateur, l'espace situé au-dessus du mercure n'est pas saturé et la vapeur qui le remplit n'est pas saturante. Les vapeurs non saturantes se comportent comme les gaz et suivent sensiblement les lois de Mariotte et de Gay-Lussac; les vapeurs saturantes ont des propriétés spéciales que nous allons étudier.

147. Propriétés générales des vapeurs saturantes. — 1º Disposons l'appareil représenté par la figure 197 de manière que le tube T' contienne de la vapeur d'éther saturante, puis essayons de faire varier la force élastique maxima de cette vapeur en déplaçant le tube T. Si l'on soulève le tube T, le volume de la vapeur d'éther diminue, mais sa force élastique *ne varie pas* ; on voit seulement que l'épaisseur de la couche d'éther augmente, une partie de la vapeur d'éther repassant à l'état liquide. Si l'on abaisse le tube T de manière à augmenter le volume de la vapeur, la force élastique reste encore invariable ; le liquide se transforme partiellement en vapeur et sa hauteur diminue.

En abaissant suffisamment le tube T, on peut déterminer la vaporisation complète du liquide. On constate alors, en continuant à abaisser T, que la force élastique de la vapeur devenue non saturante va en diminuant à mesure que son volume augmente, et cela conformément à la loi de Mariotte, ce qui montre que *les vapeurs non saturantes se comportent comme tout autre gaz.*

2° Si l'on promène la flamme d'un brûleur Bunsen le long du tube T' quand il contient de la vapeur saturante, la différence de niveau h diminue, ce qui indique que la force élastique de la vapeur augmente de plus en plus. Si on laisse le tube T' revenir à la température ordinaire, le mercure remonte peu à peu et finit par reprendre son premier niveau. Donc *la force élastique maxima d'une vapeur saturante augmente à mesure que la température s'élève.*

3° Enfin répétons l'expérience que nous avons faite au n° 146 en employant successivement différents liquides, alcool, eau, etc. ; nous observerons les mêmes phénomènes qu'avec l'éther, mais la différence des niveaux sera plus grande avec l'alcool qu'avec l'éther, plus grande avec l'eau qu'avec l'alcool. On en conclut *qu'à une même température, la force élastique maxima d'une vapeur saturante varie avec la nature du liquide générateur.*

148. Principe de Watt ou de la paroi froide. — Nous venons de voir qu'on condense une vapeur saturante en diminuant son volume ; on peut aussi produire cette condensation en abaissant sa température.

Considérons un tube recourbé, complètement fermé et dont les deux branches A et B contiennent un même liquide maintenu à des températures différentes T° et $t°$

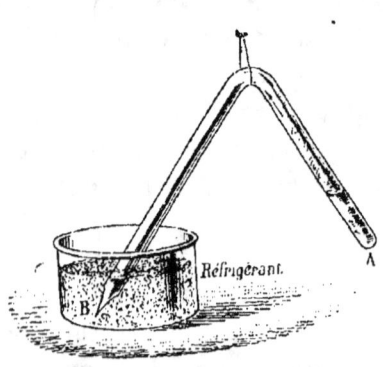

Fig. 200. — Principe de Watt

(*fig.* 200) ; il ne peut y avoir équilibre, la force élastique maxima correspondant à T° étant supérieure à celle qui correspond à $t°$. Les vapeurs émises par le liquide de la branche A se rendent dans la branche B et, ne pouvant y exister au-dessus de la force élastique maxima correspondant à $t°$, s'y condensent. Il se produit donc une véritable *distillation* de A vers B jusqu'à ce que tout le liquide soit réuni dans cette dernière branche. Le principe de Watt est le suivant : *lorsque tout le liquide est réuni dans la partie la plus froide, la vapeur n'a dans tout l'appareil que la force élastique maxima qui correspond à la température de la région ou paroi la plus froide.*

Le principe de Watt présente de nombreuses applications en Physique.

149. Forces élastiques maxima de la vapeur d'eau à différentes températures. — Les variations de la force élastique maxima sont particulièrement importantes à considérer pour la vapeur d'eau, à cause de son emploi comme force motrice. Ces variations ont été déterminées très exactement par Regnault, pour des températures variant de — 30° à 230°.

Première méthode (de 0° à 60°). — Deux tubes baro-

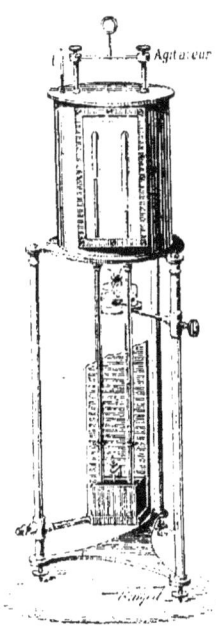

Fig. 201. — Appareil de Regnault (de 0° à 60°).

métriques disposés l'un à côté de l'autre (*fig.* 201), pénètrent par leur partie supérieure dans une caisse métallique, fermée sur l'une de ses faces par une glace et contenant de l'eau. Dans l'un des tubes, on a introduit au-dessus du mercure une couche d'eau suffisante pour fournir de la vapeur saturante aux diverses températures de l'expérience. En chauffant graduellement l'eau de la caisse, on voit le sommet de la colonne mercurielle s'abaisser dans le baromètre à eau. La différence des niveaux du mercure dans les deux tubes représente, pour chaque température, la valeur de la force élastique maxima de la vapeur d'eau.

Cet appareil ne permet pas de dépasser 60°, parce qu'à cette température le niveau du mercure dans le baromètre à eau est déprimé jusqu'au fond de la caisse.

Soit *h* la différence de niveau du mercure dans les deux baromètres à une température *t* ; cette différence ramenée à 0°

a pour valeur $\dfrac{h}{1 + \Delta t}$, Δ étant le coefficient de dilatation absolue du mercure. Indépendamment de cette correction, il faut tenir compte de la hauteur de la petite couche d'eau qui surmonte le mercure dans le baromètre à vapeur et des dépressions capillaires, dépressions qui ne sont pas égales dans les deux tubes, le mercure étant mouillé d'un côté tandis qu'il est sec de l'autre.

Deuxième méthode (de 60° à 230°). — PRINCIPE : *Quand un liquide est en ébullition, la force élastique de la vapeur qu'il émet est égale à la pression qui s'exerce sur sa surface libre.*

Pour vérifier ce principe dans le cas de l'ébullition à l'air libre, on se sert d'un tube recourbé dont la petite branche est fermée et la grande ouverte (*fig.* 202). Après avoir rempli la petite branche de mercure, on y fait passer une petite quantité d'eau préalablement privée d'air par ébullition, puis on engage le tube dans un ballon contenant de l'eau, qu'on porte à l'ébullition. Dès que la vapeur se dégage, l'eau que renferme la petite branche se réduit elle-même en vapeur et l'on voit les niveaux du mercure se mettre à la même hauteur dans les deux branches. Il ne peut en être ainsi que si ces niveaux supportent de part et d'autre la même pression ; donc la force élastique de la vapeur formée dans la petite branche est égale à la pression atmosphérique.

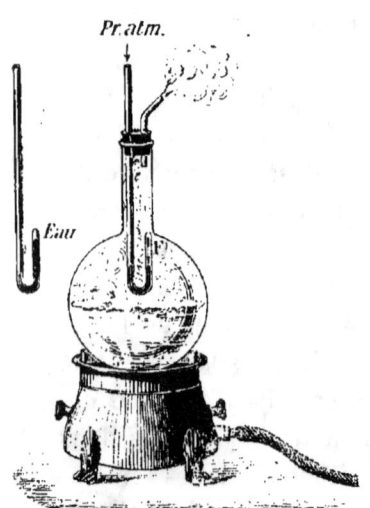

Fig. 202. — Expérience montrant que la force élastique de la vapeur d'eau bouillante est égale à la pression extérieure.

D'après ce principe, si l'on fait bouillir de l'eau dans une enceinte fermée sous des pressions connues et progressivement croissantes, l'ébullition se produira à des

températures qui croîtront en même temps et il suffira de
déterminer ces températures pour avoir les forces élastiques maxima correspondantes.

La figure 203 représente l'appareil employé par Regnault. Il comprend une petite chaudière en cuivre contenant de l'eau et chauffée par un fourneau, un tube

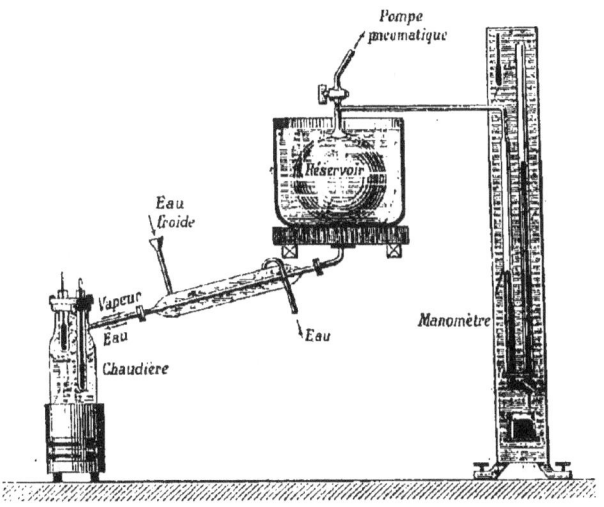

Fig. 203. — Appareil de Regnault (de 60° à 230°).

incliné, enveloppé d'un manchon parcouru par un courant d'eau froide, et un gros réservoir en cuivre enfermé
dans un vase plein d'eau à la température ambiante. Le
réservoir porte à sa partie supérieure un ajutage à deux
branches : la branche latérale communique avec un manomètre de précision destiné à mesurer les pressions ; la
branche verticale peut être raccordée avec une pompe
pneumatique. La vapeur formée dans la chaudière monte
dans le tube incliné, s'y condense au contact de l'eau
froide, et le liquide qui résulte de cette liquéfaction
retombe dans la chaudière. Enfin quatre tubes en fer con-

tenant du mercure traversent le couvercle de la chaudière et plongent dans l'intérieur à des profondeurs différentes ; des thermomètres maintenus dans ces tubes sont
destinés à indiquer, les uns, la température du liquide,
les autres, la température de la vapeur.

On sait que la force élastique maxima de la vapeur d'eau à
100° est égale à 76cm. Cela posé, pour mesurer les forces
élastiques maxima au-dessous de 100°, on raréfie l'air dans
le réservoir et par suite dans la chaudière ; l'eau que contient
cette dernière entre en ébullition à une température d'autant
moins élevée que la pression est plus faible. Dès que ce phénomène se produit, les thermomètres contenus dans la chaudière deviennent stationnaires : on note la température
d'ébullition ; la force élastique maxima de la vapeur d'eau
pour la température observée n'est autre que la pression
indiquée au même moment par le manomètre. Pour les températures supérieures à 100°, la pompe pneumatique doit
fonctionner comme pompe foulante. On soumet l'air du
réservoir et de la chaudière à des pressions croissantes, supé-

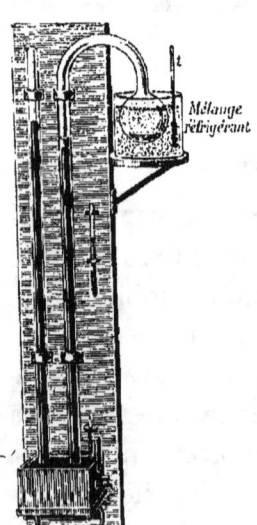

Mélange réfrigérant

rieures à 76cm ; l'ébullition est alors retardée, et il suffit de noter simultané-
ment les indications des thermomètres
et du manomètre pour avoir la force élastique correspondant à la température
à laquelle s'est produite l'ébullition.

L'appareil représenté par la figure 175
fut employé pour les pressions inférieures à la pression atmosphérique et
pour les pressions peu supérieures.
Mais pour les fortes pressions Regnault
se servit d'un appareil plus robuste
et de plus grandes dimensions.

**Troisième méthode (de — 30° à
0°).** — L'appareil se compose de
deux baromètres, l'un contenant une
couche d'eau au-dessus du mer-

Fig. 204. — Appareil de
Gay-Lussac.

cure, l'autre destiné à donner la
pression atmosphérique du moment (*fig.* 204). Le baro-

mètre à vapeur d'eau est recourbé à sa partie supérieure
et se termine par un petit ballon qui plonge dans un mélange de neige et de chlorure de calcium. L'eau qu'on a
introduite dans ce baromètre distille de la partie chaude
à la partie froide (148), où elle se congèle. Lorsqu'il ne
reste plus d'eau au-dessus du mercure, la force élastique
maxima dans le tube est égale, d'après le principe de
Watt, à la force élastique maxima correspondant à la température du mélange réfrigérant. Il n'y a donc qu'à ins-
crire, en regard de la température donnée par le thermomètre plongé dans ce mélange, la différence de niveau du

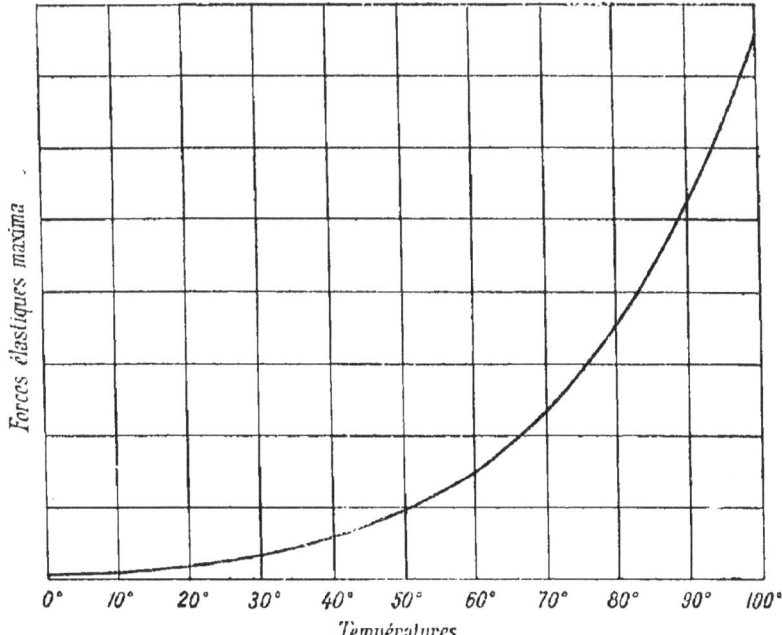

Fig. 205. — Représentation graphique des variations de la force
élastique maxima de la vapeur d'eau (de 0° à 100°).

mercure dans les deux tubes, différence observée au
cathétomètre et réduite à 0°.

RÉSULTATS. — Les résultats obtenus par Regnault furent

représentés graphiquement : sur une droite horizontale on prit des longueurs égales représentant les températures (*fig.* 205), puis on éleva aux températures observées dans les expériences des perpendiculaires de longueur proportionnelle aux forces élastiques correspondantes. Tous les points ainsi obtenus se placèrent sur une courbe continue et régulière.

L'examen de la courbe montre que *là force élastique maxima de la vapeur d'eau augmente avec la température* et qu'*il n'y a pas de relation simple entre la température de la vapeur d'eau et sa force élastique maxima*. De là la nécessité d'établir des tables qui indiquent, en regard de chaque température, la force élastique maxima correspondante ou plutôt la hauteur de mercure à 0° qui ferait équilibre à cette force élastique.

Dans les calculs industriels, on représente l'ensemble des résultats fournis par l'expérience en utilisant la formule empirique de Duperray : $F = T^4$, formule qui est suffisamment approchée. F représente la force élastique maxima en kilogrammes par centimètre carré, T la température en centaines de degrés.

Le tableau suivant indique, en chiffres ronds, les températures auxquelles la force élastique maxima vaut un nombre entier de kilogrammes :

	kil.		kil.
99°.	1	158°	6
120°.	2	164°	7
133°.	3	170°	8
143°.	4	175°	9
151°.	5	179°	10

Applications. — C'est à la table des forces élastiques maxima de la vapeur d'eau qu'on a recours pour déterminer le second point fixe du thermomètre (107).

Cette table trouve encore son emploi avec les *hypsomètres*. Ce sont des instruments qui permettent de remplacer le baromètre pour la mesure des différences d'altitude. La pression exercée par l'atmosphère diminuant de plus en plus à mesure qu'on s'élève, la température d'ébullition de l'eau s'abaisse en même temps, et il suffit

de noter cette température, puis de chercher dans la
table la force élastique maxima correspondante pour avoir la pression qu'eût donnée
un baromètre placé à la même station.
L'hypsomètre de Regnault se compose de
plusieurs tuyaux cylindriques en cuivre qui
peuvent s'emboîter l'un dans l'autre (*fig.*
206); le tuyau supérieur porte un ajutage
latéral pour le dégagement de la vapeur
d'eau et soutient un thermomètre par un
bouchon; le tuyau inférieur est muni d'une
petite chaudière contenant de l'eau distillée qu'on fait bouillir à l'aide d'une lampe
à alcool.

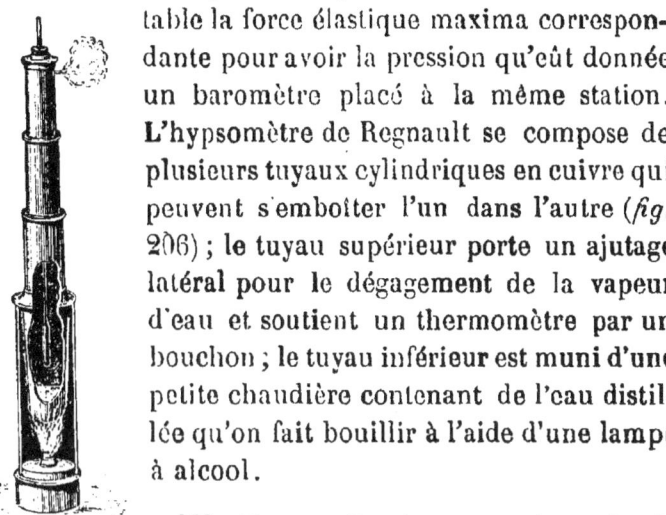

Fig. 206. — Hyp-
somètre de Re-
gnault.

**150. Forces élastiques maxima de la
vapeur des différents liquides.** — En appliquant aux liquides autres que l'eau les méthodes que nous avons exposées pour la détermination des forces élastiques maxima, on a trouvé qu'ils
émettent presque tous des vapeurs ayant une force élastique
plus ou moins grande. Cependant certains liquides, comme
l'acide sulfurique normal, la glycérine, ne se vaporisent pas
à la température ordinaire. Quant au mercure, la force élastique de sa vapeur ne commence guère à devenir sensible
qu'au-dessus de 100°; aussi peut-on sans inconvénient la
négliger dans les observations barométriques et manométriques faites à la température ordinaire.

Le tableau suivant donne quelques-uns des résultats obtenus par
Regnault pour divers liquides :

Températures	Alcool	Éther	Sulfure de carbone	Mercure
— 20°.	0cm,33	6cm,89	4cm,73	»
0	1 ,27	18 ,43	12 ,79	0cm,0020
20	4 ,45	43 ,28	29 ,80	0 ,0037
50	21 ,99	126 ,49	85 ,70	»
100	169 ,75	495 ,33	332 ,51	0 ,0746
150	731 ,84	»	909 ,60	0 ,4266

Application. — Quand on veut élever des liquides chauds
à l'aide de pompes il faut tenir compte de ce fait, que leurs
vapeurs exerçant une action analogue à celle de l'air, tendent
à réduire la valeur du vide qu'on cherche à produire pour
amorcer la pompe. Aussi, pour assurer d'une façon certaine
l'élévation de ces liquides, doit-on placer les réservoirs qui
les contiennent à un niveau supérieur à celui du clapet
d'aspiration. Ces liquides, par leur propre charge, ouvrent
le clapet d'aspiration et rentrent dans la pompe, qui ne
fonctionne plus alors qu'au refoulement : on dit que la
pompe travaille *en charge*.

151. Notions sommaires sur la densité des vapeurs. —
La densité d'une vapeur non saturante se définit, comme la densité
d'un gaz, *le rapport entre les masses de deux volumes égaux de
vapeur et d'air dans les mêmes conditions de température et de
pression.*

D'après cela, la masse M d'un volume V de vapeur dont la densité est *d*, la température *t* et la force élastique *f*, sera donnée
(127) par la formule

$$M = V \times 0,001293 \times d \times \frac{f}{76} \times \frac{1}{1 + \alpha t}.$$

L'expérience montre qu'en général la densité d'une vapeur varie
beaucoup plus que celle d'un gaz avec les conditions de température
et de pression. Si l'on prend une vapeur un peu au delà de son
point de saturation et si l'on détermine sa densité à des températures de plus en plus élevées, les conditions de pression restant les
mêmes, on constate que cette densité décroît progressivement jusqu'à une certaine température au-dessus de laquelle elle devient
sensiblement constante. Ainsi la densité de la vapeur de soufre,
par exemple, a pour valeur 6,6 un peu au delà de 450°, sous la
pression atmosphérique, tandis qu'à partir de 860°, sous la même
pression, elle est sensiblement constante et égale à 2,23. Cette
valeur limite vers laquelle tend la densité d'une vapeur à mesure
qu'elle s'éloigne de son point de saturation est celle qu'on inscrit
dans les tables de densités des vapeurs. A partir de la température
où la densité d'une vapeur conserve la même valeur, la vapeur suit
les lois de Mariotte et de Gay-Lussac.

Le tableau suivant donne les densités limites de quelques vapeurs :

Densités	
Eau	0,622 ou sensiblement $\frac{5}{8}$.
Alcool	1,61
Ether ordinaire.	2,59
Chloroforme	4,20
Soufre.	2,23
Iode	8,73
Mercure	6,98

152. Mélange des gaz et des vapeurs. — Lorsqu'un liquide est introduit dans une enceinte renfermant un gaz,

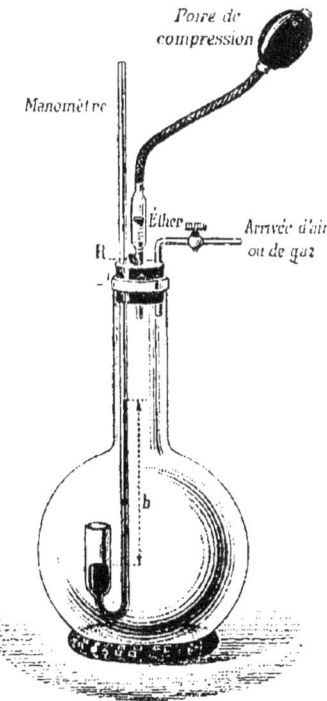

Poire de compression

Manomètre

Éther *Arrivée d'air ou de gaz*

R

b

Fig. 207. — Appareil de Dalton.

il émet également des vapeurs, mais cette vaporisation n'est plus instantanée ; elle se produit *lentement*.

Pour étudier le mélange des gaz et des vapeurs, on se sert d'un grand ballon (*fig.* 207) muni d'un manomètre à air libre, d'un tube permettant l'arrivée de l'air ou d'un gaz, et d'un petit entonnoir à robinet.

Supposons le ballon plein d'air sec sous la pression atmosphérique : le mercure est au même niveau dans les deux branches du manomètre. On met le liquide à vaporiser, de l'éther par exemple, dans l'entonnoir ; on ferme celui-ci avec un tube en caoutchouc terminé par une poire, puis on comprime légèrement la poire et on ouvre en même temps le robinet R de manière à faire pénétrer dans le ballon quelques gouttes d'éther. Le mercure monte lentement dans la grande branche du tube manométrique et finit par devenir stationnaire ; la vaporisation est alors complète et la force élastique de la vapeur d'éther est mesurée par la différence de niveau du mercure dans les deux branches. On introduit de nouveau de l'éther jusqu'à ce qu'il en reste un excès liquide au fond du ballon ; quand l'équilibre du mercure est établi, on mesure la distance h des niveaux du mercure. Or si l'on introduit de l'éther en excès dans un baromètre à la même température, on trouve précisément que la dépression du mercure est h ; donc la vapeur d'éther acquiert dans l'air la même force élastique que dans le vide à la même température.

De cette expérience on déduit la loi suivante, applicable à une vapeur saturante :

La force élastique maxima d'une vapeur saturante formée dans un gaz est la même que celle qu'elle posséderait dans le vide à la même température.

Application. — Soit à déterminer *la masse* M *d'un volume* V *d'air saturé de vapeur d'eau à* $t°$.

Cette masse se compose de la masse m de l'air supposé sec, plus la masse m' de la vapeur d'eau. Soit F la force élastique maxima de la vapeur d'eau à $t°$. D'après la loi de Dalton, la force élastique de l'air supposé sec est $H - F$; on a donc

$$m = V \times 0{,}001\,293 \times \frac{H - F}{76} \times \frac{1}{1 + \alpha t} .$$

D'autre part, la masse m' de la vapeur d'eau est donnée par la formule

$$m' = V \times 0{,}001\,293 \times \frac{5}{8} \times \frac{F}{76} \times \frac{1}{1 + \alpha t} .$$

Faisons la somme de ces deux quantités ; il vient

$$M = V \times 0{,}001\,293 \times \frac{H - F + \frac{5}{8}F}{76} \times \frac{1}{1 + \alpha t} ,$$

ou $\quad M = V \times 0{,}001\,293 \times \dfrac{H - \frac{3}{8}F}{76} \times \dfrac{1}{1 + \alpha t}$

RÉSUMÉ DU CHAPITRE XIX

On dit qu'un liquide, ou même un solide, se vaporisent quand ils se transforment en un gaz, qu'on appelle alors vapeur. La vaporisation peut avoir lieu à toute température.

Dans le vide, la vaporisation est instantanée. Si l'on fait l'expérience dans une chambre barométrique, on voit le mercure se déprimer brusquement à chaque introduction du liquide ; à un moment donné, le mercure se recouvre d'une couche de liquide et son niveau ne varie plus : la vapeur est alors saturante et possède sa force élastique maxima.

La force élastique maxima d'une vapeur saturante varie avec la nature du liquide générateur. Pour un même liquide, elle augmente avec la température. Enfin elle est indépendante du volume occupé par la vapeur ; si ce volume augmente, une partie du liquide passe à l'état de vapeur : s'il diminue, une partie de la vapeur saturante passe à l'état liquide.

La force élastique maxima de la vapeur d'eau à différentes températures a été déterminée principalement par Regnault.

Il entourait un baromètre témoin et un baromètre à vapeur saturante d'une cuve contenant de l'eau ; celle-ci était portée à des températures croissantes jusqu'à 60°, et la différence de niveau du mercure dans les deux baromètres donnait la force élastique maxima pour chaque température. Pour des températures plus élevées, Regnault s'est appuyé sur ce que la force élastique de la vapeur d'un liquide en ébullition est égale à la pression qui s'exerce sur la surface libre du liquide. Il faisait varier la température d'ébullition en soumettant le liquide à des pressions connues au-dessous et au-dessus de 76^{cm} et il inscrivait en regard de chaque température la pression indiquée par un manomètre. Enfin au-dessous de 0° on s'appuie sur le principe de la paroi froide ; l'eau introduite dans le baromètre à vapeur distille dans une partie recourbée plongée dans un mélange réfrigérant, et la force élastique maxima au-dessus du mercure représente la force élastique correspondant à la température du mélange réfrigérant. Ces mesures ont montré que la force élastique maxima croît très vite avec la température ; elles ont amené la construction d'une table indiquant pour chaque température la force élastique maxima correspondante.

Quand un liquide est introduit dans un espace déjà occupé par un gaz, sa vaporisation est plus ou moins lente, et si la vapeur est saturante, la force élastique maxima qu'elle acquiert dans ces conditions est ce qu'elle serait dans le vide à la même température (loi de Dalton). Cette loi se démontre en introduisant peu à peu de l'éther dans un grand ballon contenant de l'air sec et un manomètre à air libre ; le mercure baisse lentement et, quand la vapeur est saturante, la différence de niveau du mercure dans les deux branches mesure la force élastique maxima de la vapeur du liquide introduit ; cette différence de niveau est égale à la dépression qui se produirait dans une chambre barométrique à la même température.

EXERCICES SUR LE CHAPITRE XIX

57. Un ballon contient 10^{m3} d'hydrogène sec à 15° dans un air dont la pression est $75^{cm},6$ de mercure et la température 15°. La force élastique de la vapeur d'eau de l'air est $6^{cm},5$ de mercure. Le ballon pèse $5^{kg},600$.

On demande quelle masse il faudra attacher au ballon pour qu'il se tienne en équilibre.

58. Une chambre de 120^{m3} de capacité est remplie d'air saturé d'humidité à 15°. Calculer la masse de l'eau qui se déposera quand la température s'abaissera à 0°. Force élastique maxima de la vapeur d'eau à 15°, $1^{cm},27$; à 0°, $0^{cm},47$. Densité de la vapeur d'eau $\frac{5}{8}$.

Masse d'un litre d'air à 0° et 76^{cm}, $1^{g},293$.

59. Une éprouvette contient 1 décigramme d'air sec sous la pression extérieure, qui est équilibrée par 76^{cm} de mercure, et à la température extérieure, pour laquelle la force élastique maxima de la vapeur d'eau est $7^{cm},6$. On place cette éprouvette au-dessus d'une cuve à eau de manière que ses bords n'enfoncent dans l'eau que d'une quantité négligeable. Quand l'air sera arrivé à saturation, quelles seront, en grammes, les masses d'air et de vapeur contenues dans l'éprouvette ? Densité de la vapeur d'eau $\frac{5}{8}$.

60. Dans la chambre d'un baromètre on introduit $0^{g},1$ d'un liquide qui se vaporise entièrement. A ce moment, la longueur totale du tube au-dessus du niveau du mercure dans la cuvette est de 1 mètre, la hauteur du mercure soulevé de 66^{cm}. La pression de l'air extérieur est de 76^{cm} de mercure. On demande la densité de la vapeur de ce liquide par rapport à l'air.

La section du tube est de 4 centimètres carrés ; la température 27°,3 ; la masse de 1^l d'air dans les conditions normales est $1^g,3$.

CHAPITRE XX
ÉVAPORATION

153. Phénomène de l'évaporation. — On donne le nom d'évaporation à la formation *lente* de vapeur à la surface libre d'un liquide sans la production de bulles dans son intérieur. Cette vaporisation superficielle se produit à toute température.

Dans l'air, l'évaporation est continue ; la force élastique de la vapeur ne pouvant devenir maxima, la surface libre du liquide laisse dégager des vapeurs jusqu'à ce que tout le liquide ait disparu. La masse du liquide qui se transforme ainsi en vapeur pendant une seconde s'appelle la *vitesse d'évaporation*. La vitesse d'évaporation dépend essentiellement de la nature du liquide ; elle est proportionnelle à la force élastique maxima de la vapeur qu'il émet.

154. Causes qui influent sur l'évaporation. — Pour un même liquide, plusieurs causes influent sur l'évaporation ; elle est d'autant plus active :

1° *Que la température de l'air ambiant est plus élevée* ; une élévation de température entraîne en effet une augmentation de la force élastique de la vapeur et active par suite l'évaporation ;

2° *Que la surface libre du liquide est plus grande.* C'est pour cela que l'on choisit des récipients larges et peu profonds pour faire évaporer des liquides à l'air libre, par exemple des dissolutions salines que l'on veut amener à cristalliser. Les marais salants, où l'eau de mer s'étale sur une vaste étendue, sont une autre application de ce principe. On augmente aussi la surface d'évaporation par la division de l'eau tombant d'étage en étage sur les bâtiments dits de graduation ; l'évaporation spontanée réalisée ainsi refroidit l'eau ; de là l'emploi de ces bâtiments pour refroidir l'eau chaude ;

3° *Que la différence entre la force élastique maxima et la force élastique que la vapeur possède déjà dans l'atmosphère ambiante est plus grande.* L'évaporation doit en effet être très faible dans une atmosphère près d'être saturée, et rapide dans une atmosphère sèche.

4° *Que la pression atmosphérique est plus faible.* Dans le vide, l'évaporation a lieu avec une très grande rapidité. Dans l'air elle est plus lente et la vitesse d'évaporation est inversement proportionnelle à la pression atmosphérique ; de là la création d'appareils à concentrer ou à évaporer dans le vide, par opposition à ceux qui travaillent à air libre ;

5° *Que l'air est plus agité.* L'agitation de l'air renouvelle plus rapidement les couches chargées de vapeurs qui sont en contact avec le liquide. Chacun sait que le linge mouillé sèche plus vite quand il fait du vent. Dans les séchoirs à air libre on pratique de nombreuses ouvertures sur tout le pourtour, afin de faciliter la circulation rapide de l'air à l'intérieur.

Ces différentes causes sont résumées dans la formule suivante :
$$M = kS \frac{F - f}{H},$$
M représentant la masse du liquide évaporé par seconde, k un coefficient dépendant de la nature du liquide, S sa surface, F la force élastique maxima de la vapeur du liquide à la température où il se trouve, f la force élastique de cette vapeur dans l'air ambiant, H la pression atmosphérique.

155. Froid produit par l'évaporation. — La formation d'une vapeur exige de la chaleur aussi bien que le passage de l'état solide à l'état liquide. Par suite, si un liquide s'évapore sans l'intervention d'une source de chaleur, ce qui est le cas ordinaire, il ne peut emprunter qu'à lui-même et aux corps voisins la chaleur nécessaire pour produire le changement d'état ; il en résulte un abaissement de température.

De nombreux exemples mettent en évidence le froid produit par l'évaporation. On peut citer la sensation de

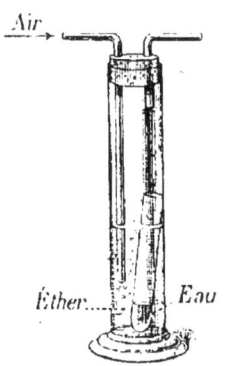

froid qu'on éprouve en sortant d'un bain froid, bien que la température extérieure soit plus élevée que celle de l'eau. Si l'on verse quelques gouttes d'éther sur le ballon qui sert à démontrer la dilatation des gaz (*fig.* 155), on remarque que le liquide coloré descend rapidement dans le tube vertical.

Fig. 208. — Expérience montrant le froid produit par évaporation.

On met encore en évidence le froid produit par évaporation en insufflant de l'air à travers de l'éther pour activer sa vaporisation ; de l'eau placée dans un tube (*fig.* 208) baigné par l'éther se congèle rapidement.

156. Applications. — Dans les pays chauds, on refroidit l'eau à l'aide de vases en terre poreuse (*alcarazas*), que l'on place dans un courant d'air ; l'eau contenue dans ces vases filtre lentement à travers leurs parois, s'évapore à la surface et produit un abaissement de température d'autant plus grand que l'évaporation est plus active.

Les *congélateurs de Carré* produisent la congélation de l'eau par l'évaporation dans le vide sec. La pompe pneumatique (88) fait le vide dans une ou plusieurs carafes contenant de l'eau (*fig.* 209). Un gros réservoir intermédiaire en plomb contient de l'acide sulfurique à 66° B. destiné

à absorber la vapeur d'eau au fur et à **mesure** de sa formation. Ces appareils amènent en trois minutes une carafe d'eau de 30° à 0°, et la congélation commence dans
la minute qui suit ; ils servent à produire de l'eau froide,

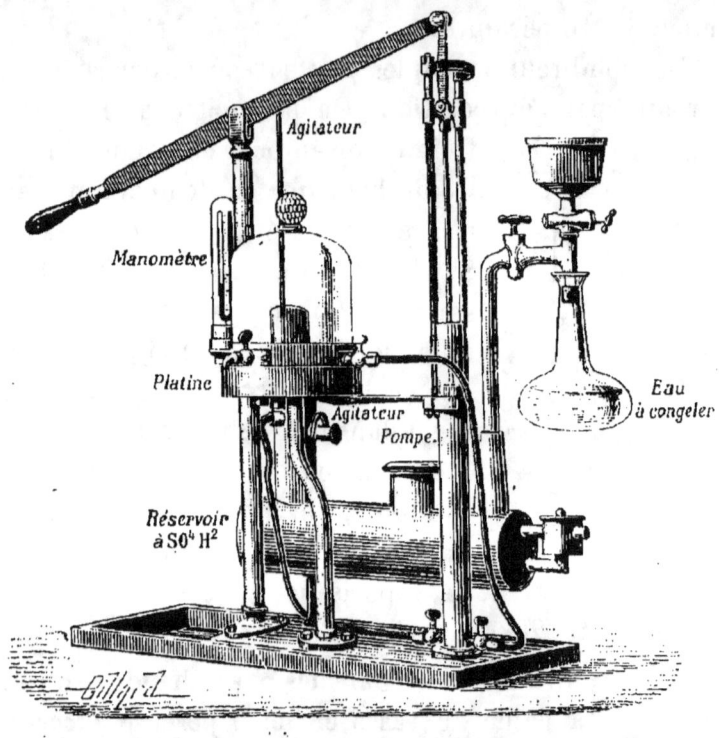

Fig. 209. — Congélateur Carré.

des carafes frappées, des crèmes et des sorbets glacés, de
la glace brute. La glace ainsi obtenue revient de 7 à 10 centimes le kilogramme.

Pour fabriquer de la glace en grand, on utilise le froid
produit par l'évaporation de certains gaz liquéfiés, comme
le gaz ammoniac, l'anhydride sulfureux, l'anhydride carbonique.

Dans les laboratoires, on obtient de *basses températures* par l'évaporation à l'air libre ou dans le vide des liquides provenant de corps qui sont gazeux aux températures ordinaires ; il suffit par exemple d'évaporer rapidement de l'anhydride sulfureux liquide autour d'un tube à essais contenant du mercure pour solidifier ce métal (V. *Chimie*). Le chlorure de

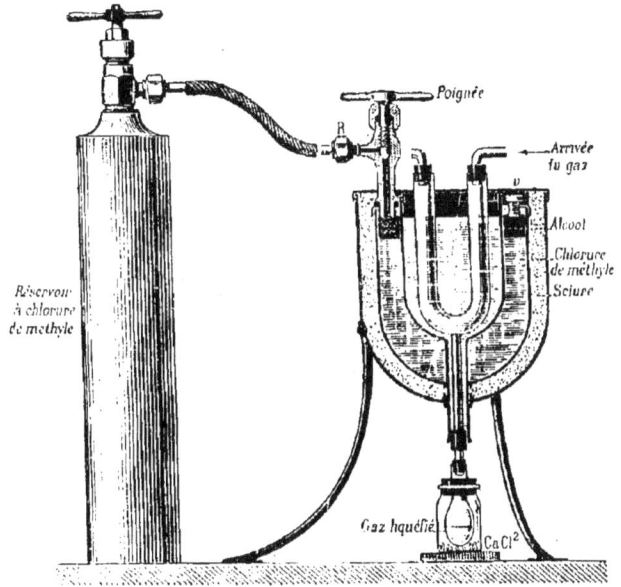

Fig. 210. — Frigorifère de laboratoire de M. Vincent.

méthyle liquéfié constitue l'agent frigorifique dans le *frigorifère de M. Vincent* (*fig.* 210); l'évaporation de ce liquide produit un froid de — 82° sous la pression ordinaire. L'appareil se compose essentiellement d'un vase de cuivre à double paroi, entre les deux enveloppes duquel se précipite le chlorure de méthyle lorsqu'on ouvre le **robinet R** du frigorifère et qu'on desserre en même temps une vis *v* servant à la sortie de l'air. Ce vase est entouré d'une enveloppe métallique contenant une couche de sciure de bois pour préserver l'appareil de l'échauffement par l'air ; il entoure lui-même un vase rempli d'alcool dans lequel on place les corps que l'on veut refroidir. Un tube en U, fourni avec l'appareil, permet d'effectuer la liquéfaction du chlore, du gaz ammoniac, du **gaz sulfureux**.

Avec les gaz difficilement liquéfiables, comme l'oxygène, l'air, etc., on obtient des températures encore plus basses; c'est ainsi que l'air liquide abaisse la température à — 192° environ en s'évaporant sous la pression atmosphérique. Les basses températures ainsi obtenues sont utilisées pour liquéfier certains gaz, comme nous le verrons plus loin.

RÉSUMÉ DU CHAPITRE XX

L'*évaporation* est la formation lente de vapeurs à la surface d'un liquide. A l'air libre, elle est continue, la force élastique de la vapeur ne pouvant devenir maxima. La vitesse d'évaporation à l'air libre dépend de la nature du liquide. Pour un même liquide, l'évaporation est d'autant plus active que la surface d'évaporation est plus grande et que l'air ambiant est à une température plus élevée, à une pression plus faible, dans un état d'agitation plus grand et qu'il contient déjà moins de vapeur du même liquide.

L'évaporation est accompagnée d'un abaissement de température, car la chaleur exigée pour la formation de la vapeur ne peut être empruntée qu'au liquide qui s'évapore. Le froid produit par l'évaporation peut être mis en évidence en se versant de l'éther sur la main : on utilise ce froid pour fabriquer de la glace (congélateurs de Carré), pour obtenir de basses températures, etc.

CHAPITRE XXI

ÉBULLITION

157. **Phénomène de l'ébullition.** — L'ébullition est une vaporisation qui, au lieu d'être lente et presque invisible, est violente et s'accompagne de la production rapide de bulles de vapeur dans la masse même du liquide.

Mettons de l'eau dans un ballon de verre et chauffons-le (*fig.* 211); nous verrons d'abord se dégager de toute la masse de petites bulles très fines, constituées par l'air qui était dissous dans l'eau. Un peu plus tard, des bulles de vapeur se forment au contact de la paroi chauffée, s'élèvent en imprimant à tout le liquide un bouillonnement continu, et viennent finalement crever à la surface. On dit alors que l'eau *bout*. Si l'on continue de chauffer, l'ébullition persiste tant qu'il reste de l'eau dans le ballon.

Fig. 211. — Ébullition de l'eau.

158. Lois de l'ébullition. — 1re **Loi.** — Pour obtenir l'ébullition d'un liquide, il faut le porter à une température telle que la force élastique maxima de la vapeur soit égale à la pression qui s'exerce à la surface du liquide (149).

On appelle point d'ébullition *normal* d'un liquide la température la plus basse à laquelle peut se produire l'ébullition de ce liquide sous la pression normale de 76^{cm} de mercure.

Points d'ébullition normaux des liquides usuels.

Liquides	Point d'ébullition	Liquides	Point d'ébullition
Éther ordinaire . .	35	Acide azotique pur.	86°
Sulfure de carbone.	46	» » ordinaire.	123
Brome.	59	Phosphore fondu. .	290
Alcool méthylique.	66	Acide sulfuriq. normal.	326
» ordinaire absolu.	78,3	Mercure	357
Benzine.	80,4	Soufre fondu. . . .	448

Quand on veut déterminer rapidement le point d'ébullition normal d'un liquide ordinaire, on le place dans un ballon dont le col présente deux comparti- ments afin de pré- server le thermo- mètre de tout re- froidissement (*fig.* 212) ; celui-ci est terminé à sa partie supérieure par un bout de verre plein, ce qui permet de faire baigner dans la vapeur toute la partie graduée. On note la température stationnaire au mo- ment où se produit l'ébullition.

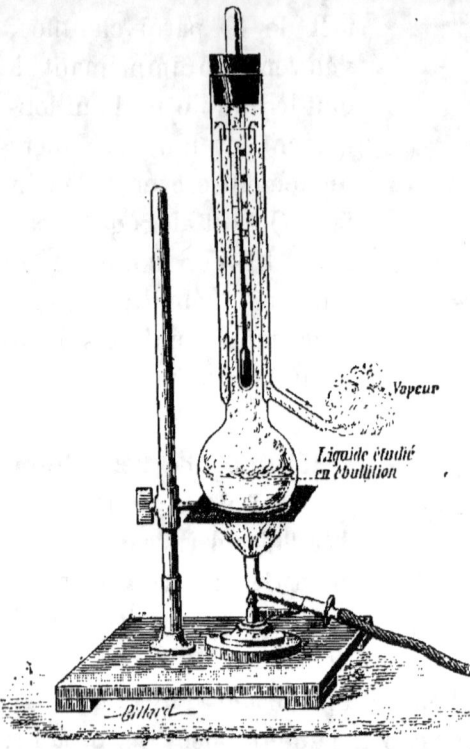

Vapeur

Liquide étudié en ébullition

Fig. 212. — Détermination du point d'ébullition d'un liquide ordinaire.

2° Loi. — La pression extérieure ne variant pas, la température reste constante pendant toute la durée de l'ébullition.

C'est sur cette loi qu'est fondée, comme nous l'avons vu, la détermination du point 100 du thermomètre.

La chaleur cédée par le foyer pendant toute la durée de l'ébullition est employée uniquement, comme dans la fu- sion, à produire le travail interne nécessaire pour obtenir le changement d'état sans élévation de température.

159. **Chaleur de vaporisation**. — On appelle chaleur de vaporisation d'un liquide, à une température déterminée, la quantité de chaleur qu'il faut céder à 1^g de ce liquide pour le transformer en vapeur saturante à la même température. Ainsi pour transformer 1ᵍ d'eau, déjà chauffé à 100°, en vapeur saturante également à 100°, il faut 537ᶜᵃˡ. La chaleur de vaporisation de l'eau à 100° est donc 537ᶜᵃˡ.

On détermine les chaleurs de vaporisation de l'eau et de la plupart des liquides à l'aide d'un appareil très simple imaginé par M. Berthelot. Cet appareil est tout en verre. Il se compose d'une fiole de forme spéciale (*fig.* 213), pouvant être ajustée à l'émeri sur un serpentin plongé dans un calorimètre à enceinte protectrice. Celui-ci est recouvert d'un écran de carton *c* et d'une plaque de bois métallisée *b*, qui la protègent contre le rayonnement de la flamme d'une rampe à gaz servant à chauffer la fiole.

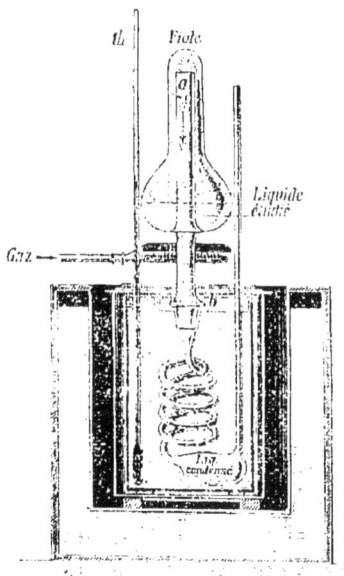

Fig. 213. — Appareil de Berthelot pour les chaleurs de vaporisation.

Pour faire une expérience, on introduit dans la fiole, préalablement tarée, 20 à 30ᵍ du liquide à étudier et on le porte à l'ébullition; la vapeur formée s'engage dans le tube central de la fiole et se rend sans se refroidir dans le serpentin, où elle se condense; le liquide condensé se rassemble dans un récipient qui fait suite au serpentin. Quand le thermomètre accuse une augmentation de température de 4 à 5°, on enlève la fiole, on la bouche et on la laisse refroidir. En même temps, on note la température maxima θ de l'eau du calorimètre.

La diminution de masse de la fiole et de son contenu donne la masse M de la vapeur qui s'est condensée dans le serpentin. Appelons t la température initiale de l'eau du calorimètre, M' sa masse, C l'équivalent en eau du calorimètre, x la chaleur de vaporisation du liquide, T sa température d'ébullition sous la pression atmosphérique actuelle. La vapeur a cédé Mx^{cal} pour se liquéfier, plus, sensiblement $M\left(T - \dfrac{t+\theta}{2}\right)^{ca}$ pour se refroidir de T à $\theta°$. On a donc l'équation

$$Mx + M\left(T - \frac{t+\theta}{2}\right) = (M' + C)(\theta - t).$$

Résultats. — Voici les chaleurs de vaporisation correspondant au point d'ébullition normal de quelques liquides usuels :

Alcool ordinaire.	208^{cal}	Essence de térébenthine.	69^{cal}
Eau.	537	Ether ordinaire.	91

Variations de la chaleur de vaporisation avec la température. — Pour un même liquide, la chaleur de vaporisation diminue quand la température s'élève. Pour l'eau, par exemple, la chaleur de vaporisation à différentes températures est représentée par la formule empirique

$$Q = 606,5 - 0,695\,T.$$

Si l'on fait T = 100 dans cette formule, il vient

$$Q = 606,5 - 69,5 = 537^{cal}.$$

Cherchons enfin la quantité de chaleur Q' qu'il faut céder à 1^g d'eau liquide à 0° pour la transformer complètement en vapeur saturante à $t°$; il suffit d'ajouter T^{cal} à la chaleur de vaporisation Q, ce qui donne

$$Q' = 606,5 - 0,695\,T + T$$
$$= 606,5 + 0,305\,T.$$

Cette quantité Q' s'appelle la *chaleur de vaporisation totale* de l'eau à la température T.

160. Influence de l'air et des gaz sur l'ébullition. —

Quand une masse liquide a été entièrement **purgée** d'air ou de gaz, elle ne bout que difficilement et à une température supérieure à la température dite *normale*.

Ce retard de l'ébullition est bien mis en évidence par l'*expérience de Donny*. Dans un tube de verre recourbé, préalablement lavé à l'alcool et à l'acide sulfurique, on introduit de l'eau distillée que l'on fait bouillir pendant longtemps avant de fermer le tube à la lampe ; de cette manière, la surface de l'eau contenue dans la branche recourbée ne supporte que la force élastique très faible de la vapeur d'eau qui occupe le reste du tube. Or, si l'on plonge cette branche recourbée dans une solution de chlorure de calcium et si l'on chauffe graduellement

(*fig.* 214), on peut élever la température jusque vers 135° sans qu'il y ait ébullition. A ce moment, la colonne liquide se rompt brusquement et une partie est projetée violemment dans les boules, qui sont quelquefois brisées, bien qu'elles soient séparées par des étranglements destinés à amortir le choc.

Fig. 214. — Expérience de Donny.

M. Gernez a montré que, dans un liquide en ébullition la vapeur se forme toujours à la surface de petites bulles d'air préexistant en certains points des parois du vase qui renferme le liquide. Chaque bulle se sature de vapeur d'eau, augmente de volume à mesure que la température s'élève et donne naissance à une série de bulles de vapeur qui se dégagent en n'entraînant avec elles qu'une portion insignifiante de l'air. Pour faire l'expérience, on introduit au milieu d'une masse d'eau une petite cloche contenant de l'air (*fig.* 215) et l'on chauffe progressivement; à un moment donné, des **bulles** de vapeur s'échappent de la cloche. Ce dégage-m̲e̲n̲t̲ ̲p̲e̲u̲t̲ persister presque in-définiment si la t̲e̲m̲p̲é̲r̲a̲t̲u̲r̲e̲ ̲e̲s̲t̲ maintenue constante.

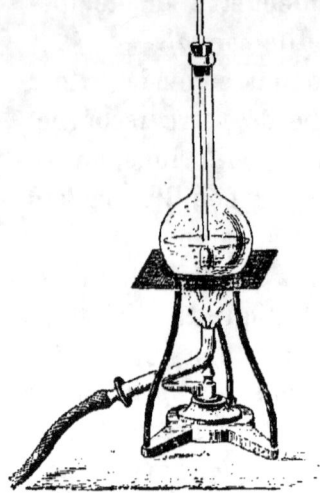

Fig. 215. — Expérience de Gernez.

161. **Influence de la pression extérieure.** — La tem-pérature d'ébullition d'un li-quide dépend essentiellement de la pression supportée par sa surface libre; elle s'élève quand la pression augmente et s'a-baisse quand la pression dimi-nue. En particulier, l'eau pure ne bout exactement à 100° en vase **ouvert** que si la pression atmosphérique est de 76^{cm}.

Pressions inférieures à 76^{cm}. — Sous des pressions infé-rieures à 76^{cm}, l'eau bout à une température inférieure à 100°. Il en est ainsi dans les hautes régions, la pression exercée par l'atmosphère diminuant à mesure qu'on s'élève. Sur le sommet du Mont-Blanc, par exemple, l'eau bout à 84°,5.

Dans les laboratoires, on met facilement en évidence cet abaissement du point d'ébullition sous des pressions ré-duites.

On se sert d'un ballon contenant de l'eau tiède et relié à une trompe par un tube de verre recourbé et par un tube de caoutchouc (*fig.* 216); l'ébullition se produit dès que l'air est suffisamment raréfié.

L'expérience suivante, due à Franklin, permet de se

passer de trompe. On fait bouillir de l'eau dans un
ballon à long col afin de chasser l'air du ballon ;
puis on le bouche hermétiquement et on le retourne en

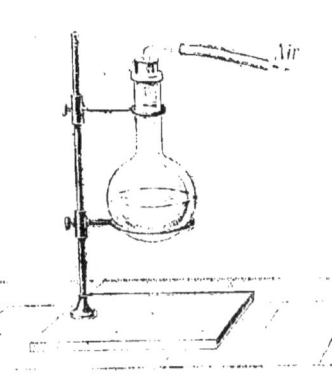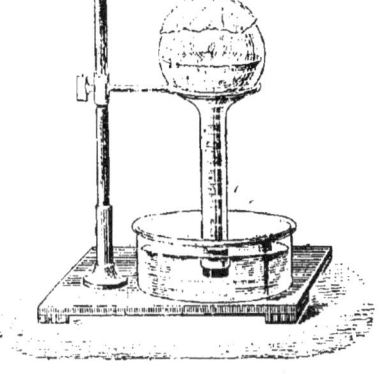

Fig. 216. — Ébullition de l'eau   Fig. 217. — Expérience de Franklin.
       dans de l'air raréfié.

faisant plonger le col dans un vase plein d'eau (*fig.* 217).

L'eau a alors cessé de bouillir ; mais si l'on applique sur
la partie supérieure du ballon un linge imbibé d'eau
froide, une vive ébullition se manifeste aussitôt. Cela tient
à ce que le refroidissement a produit une condensation de
la vapeur d'eau et par suite une diminution de force élastique intérieure.

Enfin les congélateurs Carré (156) montrent que l'eau
peut entrer en ébullition à 0° au milieu de la glace qui se
forme alors par suite du froid produit par l'évaporation.

Dans l'industrie, on évapore sous pression réduite les
liquides comme les jus sucrés de betterave, les bouillons de
gélatine, les sirops pour confiserie, les jus de viande pour
conserves alimentaires, qui pourraient s'altérer si on n'abaissait pas leur point d'ébullition normal.

Pressions supérieures à 76cm. — On étudie l'action de
la chaleur sur l'eau sous des pressions supérieures à 76cm

avec la *marmite de Papin*. C'est une chaudière à parois épaisses, dont le couvercle, maintenu fortement par une vis de pression (*fig.* 218), porte un orifice fermé par une soupape de sûreté. On place la chaudière sur un foyer ; la vapeur qui se dégage, ajoutant sans cesse sa force élastique maxima à la force élastique de l'air contenu dans la chaudière, la pression exercée par l'atmosphère confinée au-dessus de l'eau va constamment en augmentant, de sorte que

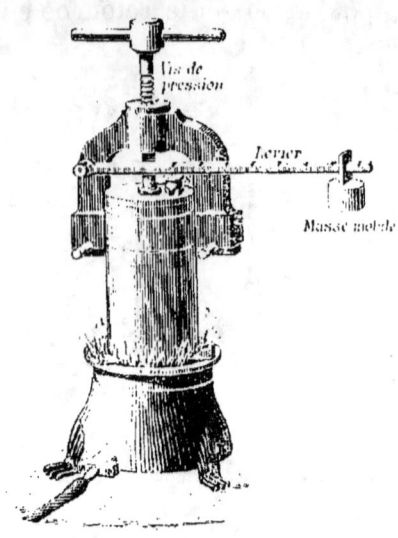

Fig. 218. — Marmite de Papin.

la température d'ébullition s'élève à mesure qu'on chauffe, sans être jamais atteinte. Mais si l'on soulève le levier qui charge la soupape de sûreté, c'est la pression atmosphérique qui agit alors sur l'eau ; celle-ci entre aussitôt en ébullition, un jet puissant de vapeur s'échappe par l'orifice et la température s'abaisse rapidement aux environs de 100°.

La possibilité de porter des liquides en vase clos à des températures supérieures à leur point d'ébullition normal est utilisée dans les *autoclaves*. Ce sont des récipients résistants qui servent pour les recherches de laboratoire, pour la stérilisation des boîtes de conserves alimentaires (viandes, fruits, légumes, lait, etc.), pour la saponification des corps gras, la préparation de certaines couleurs d'aniline, l'injection des traverses de chemin de fer, le traitement de la paille et du bois par la soude pour obtenir la pâte à papier, etc.

La figure 219 donne une vue d'ensemble d'un autoclave à conserves à feu nu. Il se compose d'un cylindre en tôle très forte, muni d'un couvercle mobile pouvant être fixé par de solides boulons à serrage rapide.

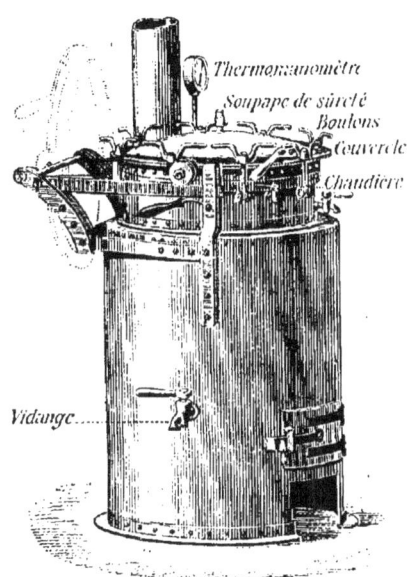

Thermomanomètre
Soupape de sûreté
Boulons
Couvercle
Chaudière

Vidange

Fig. 219. — Autoclave à conserves à feu nu.

Ce cylindre porte une soupape de sûreté placée sur le couvercle, un robinet de vidange, un robinet d'échappement et un manomètre spécial, appelé *thermomanomètre*, indiquant à la fois la température et la pression.

Les boites ou flacons contenant la matière à conserver sont placés dans un panier en fer qu'on introduit dans l'autoclave au moyen d'un appareil de levage. L'autoclave est suffisamment rempli d'eau pour que toutes les boites soient immergées. Le couvercle étant mis en place, on porte l'eau à l'ébullition, et, la soupape étant réglée à une pression pouvant varier de 1ᵏᵍ à 1ᵏᵍ 1/2, les boites sont soumises à un chauffage au bain-marie dont la température, pour une pression de 1ᵏᵍ 1/2, par exemple, serait de 127°.

162. Influence des sels dissous sur l'ébullition. — A l'inverse des gaz, les sels dissous retardent l'ébullition. Si les dissolutions sont saturées, leur ébullition a lieu à une température constante pour un même sel : une dissolution saturée de sel marin bout à 108°,4 ; une dissolution saturée de chlorure de calcium, à 179°,5. Dans tous les cas et quel que soit le point d'ébullition, la vapeur dégagée reprend instantanément la température de 100° (pourvu que la pression extérieure soit égale à 76ᶜᵐ). L'influence des sels dissous est utilisée pour porter et maintenir à des températures déterminées des substances chauffées au bain-marie par des liqui-

des salins, de composition telle que la température voulue
soit atteinte.

163. Phénomène de la caléfaction. — *La caléfaction est
une exception apparente aux lois de l'ébullition présentée par les
liquides lorsqu'ils sont versés sur des surfaces chauffées à une haute
température.*

Si l'on chauffe au rouge une plaque métallique et qu'on y projette un peu d'eau, le liquide ne s'étale pas comme il le ferait à la
température ordinaire; il se sépare en petits globules arrondis, qui
roulent continuellement à la surface de la plaque sans entrer en
ébullition et disparaissent au bout de quelques minutes par une
évaporation successive.

On peut faire deux remarques importantes au sujet de la caléfaction :

1° *Il n'y a pas contact entre le liquide caléfié et la plaque chaude
qui le supporte.* Pour le démontrer, on projette un peu d'eau colorée en noir sur une plaque bien horizontale, préalablement portée
au rouge, et on maintient en repos un des globules formés en y
faisant pénétrer un fil de platine. En disposant alors la flamme
d'une bougie sur le prolongement de la plaque, on aperçoit très
nettement la lumière en-
tre la plaque et le globule
(fig. 220).

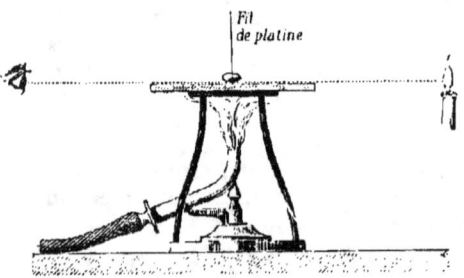

Fil
de platine

Si la plaque est en cui-
vre et que l'on projette
à sa surface quelques
gouttes d'acide azotique,
on constate qu'elle n'est
pas attaquée.

2° *La température d'un
liquide caléfié est cons-
tamment inférieure à son
point d'ébullition normal.*

Fig. 220. — Phénomène de la caléfaction.

On le vérifie facilement
en maintenant dans un globule d'eau en caléfaction un petit thermomètre à réservoir plat : on trouve que la température n'est guère
supérieure à 97°.

Dans les cours, on s'appuie sur cette remarque pour congeler de
l'eau dans une capsule incandescente. On chauffe au rouge blanc
une capsule de platine, puis on y projette un peu d'anhydride sulfureux liquéfié; ce liquide reste en caléfaction dans la capsule à une
température un peu inférieure à — 8°, qui est son point d'ébullition
normal. On ajoute alors quelques gouttes d'eau; celle-ci se congèle
instantanément au contact de l'anhydride et, si l'on retourne brusquement la capsule, il en sort un petit morceau de glace.

Explication de la caléfaction. — Le phénomène de la caléfaction s'explique en admettant que le liquide caléfié est maintenu à distance de la surface chauffée par une petite couche de vapeur dont la force élastique est relativement considérable. Cette vapeur se produit d'une façon continue et provoque, par son dégagement, l'agitation des globules. Si la température de la surface chauffée s'abaisse, il arrive un moment où la vapeur interposée n'a plus une force élastique suffisante pour supporter les globules; dès que ceux-ci arrivent au contact du métal, une vive ébullition se produit et amène la disparition presque instantanée du liquide.

Remarque. — Le phénomène de la caléfaction explique pourquoi on peut, avec la main mouillée, toucher un barre de fer rougie ou couper rapidement un jet de plomb fondu sans éprouver aucune sensation de brûlure.

Dans les chaudières à vapeur, certaines explosions sont dues au fait de la caléfaction. Si les incrustations calcaires provenant de l'eau d'alimentation viennent à se détacher en certains points lorsque les parois sont fortement chauffées, l'eau ne se met pas en contact immédiat avec ces parois, mais dès que la température s'abaisse suffisamment, il se produit brusquement une grande quantité de vapeur qui peut amener l'explosion de la chaudière.

RÉSUMÉ DU CHAPITRE XXI

L'*ébullition* est la formation brusque de vapeurs dans la masse même d'un liquide. Elle se produit à une température telle que la force élastique maxima de la vapeur soit égale à la pression qui s'exerce à la surface du liquide. Si cette pression ne varie pas, la température reste constante pendant toute la durée de l'ébullition. La chaleur de vaporisation d'un liquide est la quantité de chaleur qu'il faut céder à 1ᵍ de ce liquide pour le transformer en vapeur saturante à la même température. On détermine les chaleurs de vaporisation en faisant arriver la vapeur du liquide dans un serpentin contenu dans un calorimètre.

Lorsque le liquide a été entièrement privé d'air et de gaz, l'ébullition est difficile et se produit à une température supérieure à la température normale d'ébullition. (Expérience de Donny.)

La température d'ébullition d'un liquide dépend essentiellement de la pression que supporte sa surface libre; elle s'abaisse quand la pression diminue (eau tiède sous le récipient d'une machine pneumatique, expérience du bouillant de Franklin) et s'élève quand la pression augmente (marmite de Papin, autoclaves).

EXERCICES SUR LE CHAPITRE XXI

61. **Dans** 2^{cm3} d'eau à 20°, on condense de la vapeur d'eau à 100° et sous la pression de 76^{cm} ; la température s'élève à 80° ; quel est le nombre de litres de vapeur d'eau qu'on a condensés ?

On prendra 537 pour la chaleur de vaporisation de l'eau à 100° et $\dfrac{5}{8}$ pour la densité de la vapeur d'eau.

62. **Étant** donné un gaz combustible de densité 0,39, qui dégage en brûlant 11 000 calories par kilogramme et qui coûte 0,20 le mètre cube, combien coûterait, à l'aide d'un brûleur alimenté par ce gaz, la production de 100 000 calories, et quelle masse d'eau à 10° pourrait-on transformer en vapeur à 100° en utilisant 65 °/₀ de cette quantité de chaleur ?

CHAPITRE XXII

LIQUÉFACTION DES VAPEURS ET DES GAZ

---

164. **Température critique.** — Au point de vue physique, il n'existe aucune différence essentielle entre les vapeurs et les gaz : tous les gaz ayant été liquéfiés, on peut les considérer comme la vapeur d'un certain liquide ; d'un autre côté, l'étude des vapeurs montre que, plus elles s'éloignent de leur point de saturation, soit par élévation de température, soit par diminution de pression, plus leurs propriétés se rapprochent de celles des gaz parfaits.

Les procédés par lesquels on liquéfie les gaz et les vapeurs doivent donc être analogues en principe.

La première condition requise pour que la liquéfaction soit possible est que la température du gaz ou de la vapeur soit inférieure à sa *température critique*. On appelle ainsi une température au-dessus de laquelle le fluide ne peut affecter que l'état gazeux, quelle que soit la pression qu'on exerce sur lui.

Pour démontrer l'existence de cette température pour le gaz carbonique par exemple, on prend un tube de

verre épais, qui a été scellé à la lampe après avoir été rempli aux 3/4 d'anhydride carbonique liquide (*fig.* 221), et on le plonge dans de l'eau dont on élève peu à peu la température : le liquide se dilate d'abord considérablement; à 31° (température critique de l'anhydride carbonique), la surface de séparation entre le liquide et la vapeur qu'il émet, qui était d'abord très nette, devient indécise puis disparaît complètement; on ne distingue plus que des stries qui ondoient à travers la masse, et le tube tout entier paraît rempli par un même fluide.

Fig. 221. — Tube servant à montrer l'existence de la température critique du gaz carbonique.

En laissant la température s'abaisser au-dessous de 31°, on voit réapparaître le liquide.

La température critique des vapeurs ordinaires est relativement élevée ; elle est de 365° pour la vapeur d'eau, 230° pour la vapeur d'alcool, 190° pour la vapeur d'éther. Pour la plupart des gaz, au contraire, la température critique est plus ou moins basse ; elle est inférieure à — 100° pour l'hydrogène, l'azote et l'oxygène.

Andrews s'est basé sur la considération des températures critiques pour préciser la notion de gaz et de vapeur : un

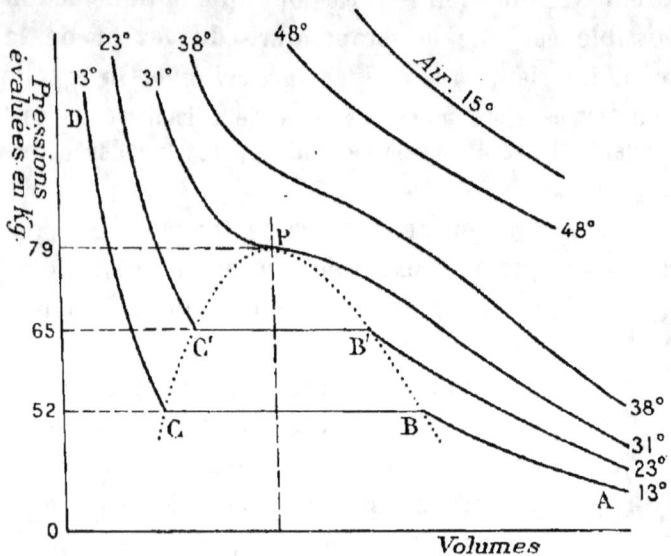

Fig. 222. — Courbes d'Andrews pour le gaz carbonique.

fluide élastique doit s'appeler une *vapeur* au-dessous de la température critique, un *gaz* au-dessus. Ainsi l'anhydride carbonique est une vapeur liquéfiable à toute température inférieure à 31º ; au-dessus de 31º, c'est un gaz résistant aux pressions les plus considérables que l'on puisse produire (*fig.* 222).

165. Liquéfaction des vapeurs. — Distillation. — *Une vapeur se liquéfie dès que la pression qu'elle supporte devient supérieure à sa force élastique maxima.* Pour liquéfier une vapeur, il faut donc, soit la refroidir au-dessous de la température où sa force élastique maxima est égale à la pression extérieure, soit la comprimer de manière à rendre cette pression supérieure à sa force élastique maxima.

Le premier procédé est le plus ordinairement employé. On condense les vapeurs d'acide azotique, de sulfure de carbone, etc. en les recevant dans des récipients **entourés d'eau froide**. (V. *Chimie*).

Quand on veut séparer d'un liquide les matières **solides** ou volatiles qu'il peut contenir, on le *distille*. Pour cela, on le porte à l'ébullition et l'on fait passer ses vapeurs dans un serpentin entouré d'eau froide. Nous verrons en Chimie de nombreux exemples de distillation (distillation de l'eau, des liquides alcooliques, etc.).

166. Liquéfaction des gaz facilement liquéfiables. — Nous appellerons ainsi les gaz dont la température **critique** est supérieure aux températures ordinaires; **tels sont**

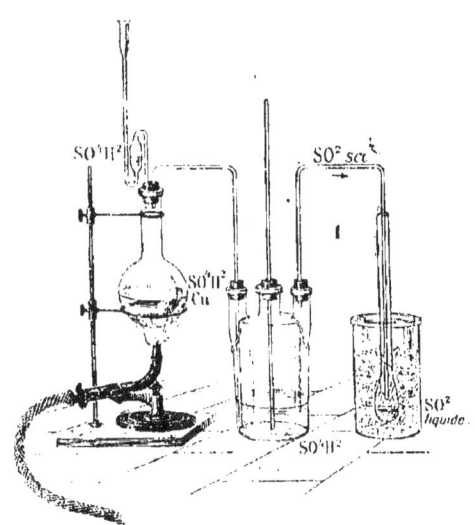

Fig. 223. — Liquéfaction du gaz sulfureux.

l'anhydride sulfureux (155°), l'oxyde azoteux (36°), le gaz

carbonique (31°). Pour liquéfier ces gaz, il suffit de les refroidir ou de les comprimer de manière à amener leur force élastique maxima à devenir inférieure à la pression qu'il supportent.

Soit par exemple le gaz sulfureux, dont la force élastique maxima est 76cm à — 8°. On fait arriver le gaz pur et sec au fond d'un matras entouré d'un mélange de glace et de sel (*fig.* 223); ce mélange refroidit le gaz au-dessous de — 8° et amène sa liquéfaction.

Les gaz dont la force élastique maxima à la température ordinaire est relativement peu élevée, comme le chlore, le gaz ammoniac, sont liquéfiés à l'aide du tube de Faraday (*fig.* 224). On introduit la matière destinée à produire le gaz dans l'une des branches du tube, puis on ferme ce tube à la lampe. La branche contenant la matière est alors plongée dans de l'eau tiède pendant que l'autre branche est entourée de glace. Dès que la force élastique du gaz qui se dégage devient

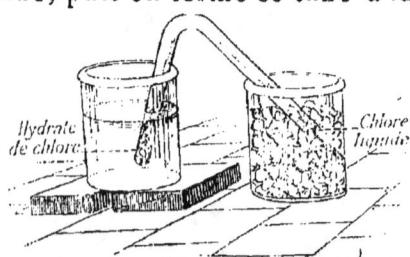

Fig. 224. — Liquéfaction du chlore.

égale à la force élastique maxima à la température de la branche froide, il se produit une véritable distillation de la branche chaude vers la branche froide, dans laquelle le liquide se rassemble rapidement.

Enfin quand les gaz exigent des pressions de 30 à 40kg, comme le gaz carbonique, on les refoule par une pompe de compression dans des réservoirs en fer entourés de glace où ils se liquéfient.

167. Liquéfaction des gaz difficilement liquéfiables. —
Six gaz, dont la température critique est plus ou moins
basse, résistèrent pendant longtemps à toutes les tentatives
faites pour les liquéfier ; ce sont l'oxygène, l'hydrogène,
l'azote, l'oxyde de carbone, l'oxyde azotique et le méthane.
On les appela des gaz *permanents*. Les expériences d'Andrews sur les températures critiques vinrent expliquer
l'insuccès de ces tentatives : les gaz n'avaient pas été
refroidis au-dessous de leur température critique et n'é-
taient pas, dans ces conditions, des vapeurs liquéfiables.

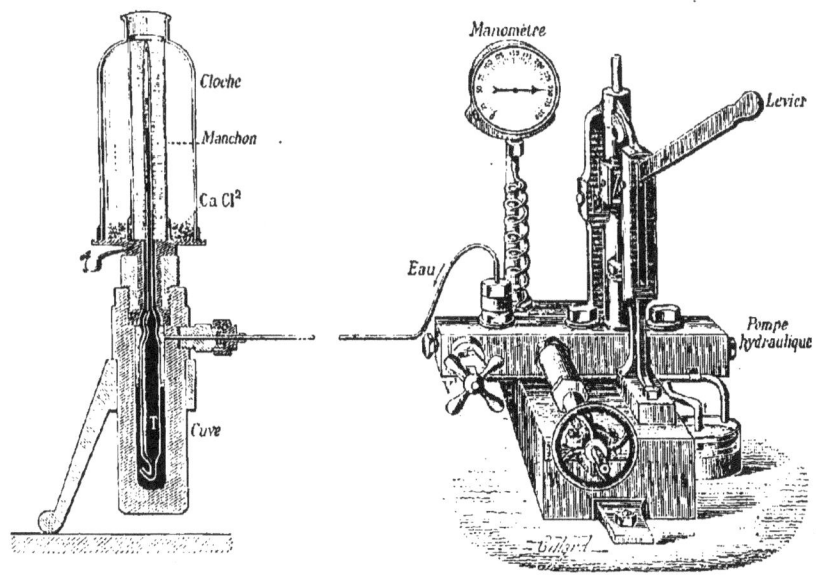

Fig. 225. — Appareil de M. Cailletet.

En 1877, M. Cailletet parvint à les liquéfier par une méthode consistant en principe à comprimer fortement le gaz
dans un espace clos, puis, quand il a repris la température
ordinaire, à lui faire subir une diminution brusque de pression. Cette *détente* (48) produit un abaissement de température assez considérable pour que le gaz se liquéfie, malgré
la diminution de pression.

Le gaz à liquéfier est contenu dans un tube en verre épais T, dont la partie inférieure, large et ouverte, plonge dans une cuve en fonte à demi remplie de mercure et dont la partie supérieure, étroite et fermée, reste visible (*fig.* 225). Cette dernière est entourée à la fois d'un manchon cylindrique dans lequel on peut introduire un mélange réfrigérant liquide ou de l'eau, et d'une cloche de sûreté, destinée à arrêter les éclats de verre dans le cas où l'extrémité du tube viendrait à se briser. — La pression est produite par une pompe hydraulique à levier qui aspire de l'eau dans un réservoir extérieur et la refoule au-dessus du mercure contenu dans la cuve en fonte ; le jeu du levier permet d'obtenir facilement une pression de 200^{kg}. Lorsqu'on veut atteindre des pressions plus élevées, on enfonce lentement un piston plongeur commandé par le volant V. Enfin un robinet à vis V′ est destiné à produire la détente.

Quand le gaz comprimé n'occupe plus que quelques centimètres dans le tube étroit, on ouvre le robinet V′ : la force élastique considérable qui régnait dans l'appareil cesse brusquement, et le gaz reprend son volume primitif en se refroidissant. On voit alors le tube se remplir pendant quelques instants d'un brouillard épais indiquant que la liquéfaction s'est produite.

Ce brouillard est très apparent avec l'oxyde azotique et le méthane, l'oxyde de carbone et l'oxygène ; l'hydrogène et l'azote ne montrent qu'une très légère buée dans les mêmes conditions.

L'appareil de M. Cailletet permet de démontrer nettement l'existence de la température critique. Le tube étant rempli de gaz carbonique pur et sec, on introduit successivement dans le manchon de l'eau à différentes températures et on constate que la pression qui amène la liquéfaction croît d'abord avec la température ; elle est, environ, de 35^{kg} à 0°, 60^{kg} à 22°, et 75^{kg} à 30°. Vers 31° on voit apparaître les stries, et la liquéfaction est dès lors impossible, même sous une pression de 300^{kg}.

Expériences de MM. Wroblewski et Olzewski. — En 1883, deux savants russes, MM. Wroblewski et Olzewski, en utilisant le froid produit par l'évaporation de l'éthylène liquide, parvinrent à obtenir à l'état de liquide permanent l'oxygène, l'azote et l'oxyde de carbone, qu'on n'avait vus jusque-là qu'à l'état de brouillard au moment de la détente.

Le tube contenant le gaz était **deux fois** recourbé (*fig.* 226) ; la branche descendante plongeait dans une éprouvette contenant de l'éthylène liquide que l'on faisait bouillir dans le vide à l'aide d'une machine pneumatique, ce qui donnait un froid d'environ — 136°. En même temps le gaz était plus ou moins comprimé à l'aide d'une pompe hydraulique. MM. Wroblewski et Olzewski obtinrent facilement l'oxygène liquide en exerçant une pression de 22ᵏ⁹ (la température critique de l'oxygène est — 113°), mais pour l'azote et l'oxyde de carbone ils durent employer la détente.

Dans une deuxième série d'expériences, ces mêmes savants, en utilisant le froid produit par l'évaporation de l'oxygène liquide, qui

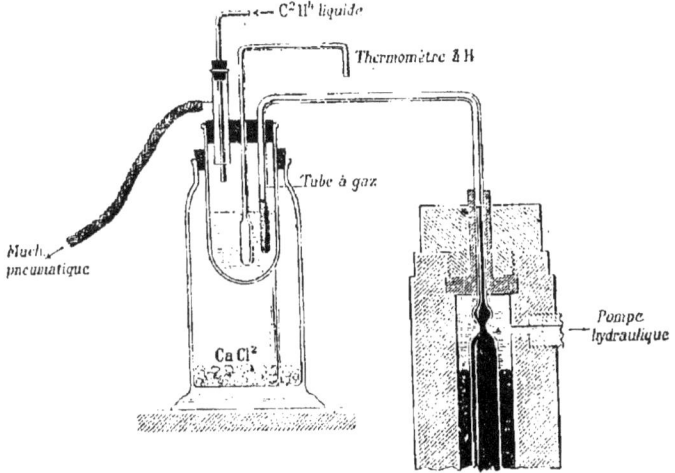

Fig. 226. — Disposition théorique de l'appareil de MM. Wroblewski et Olzewski.

bout à — 184°, réussirent à conserver plus longtemps l'azote à l'état liquide et à liquéfier l'hydrogène.

En détendant l'azote liquéfié sous une pression de 100ᵏ, ils obtinrent des cristaux d'aspect neigeux et de dimensions remarquables. Enfin l'hydrogène comprimé à 100ᵏ dans un bain d'azote liquide à — 213° et détendu brusquement, donna un liquide transparent et incolore.

168. Air liquide. — Les appareils employés pour liquéfier l'air sont basés généralement sur le froid résultant d'une détente continue de l'air. Nous décrirons comme exemple l'appareil de M. Linde (*fig.* 227).

Cet appareil se compose essentiellement d'un compresseur à deux cylindres C, C' et d'un triple serpentin S composé de tubes concentriques en cuivre. L'air extérieur, comprimé à 16ᵏᵍ dans le cylindre C passe dans le cylindre C' où sa pression est portée à 200ᵏᵍ, puis traverse un serpentin en fer S' refroidi au moyen d'un mélange de glace et de chlorure de calcium. L'air ainsi refroidi parcourt de haut en bas le serpentin intérieur, se détend à 16ᵏᵍ en traversant un robinet à pointeau R, et retourne par le serpentin

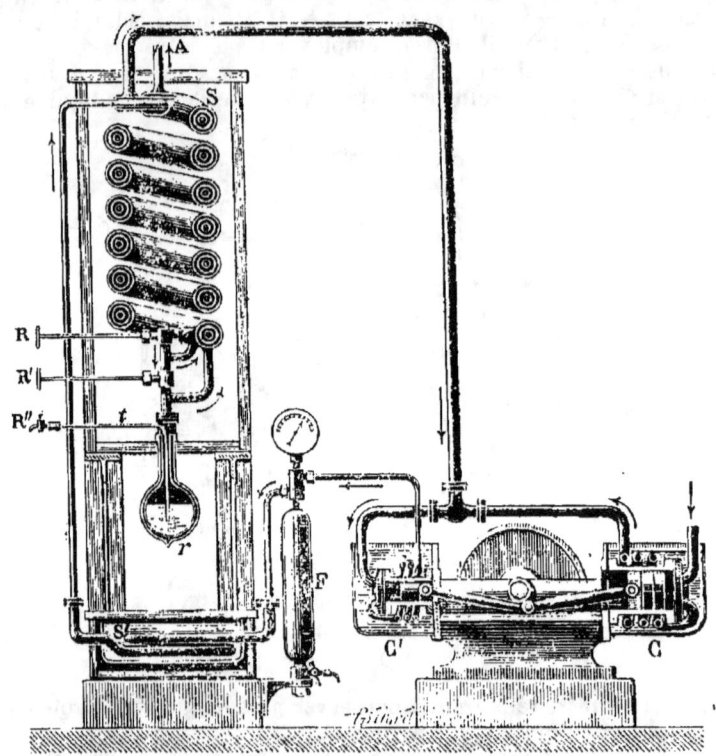

Fig. 227. — Appareil de M. Linde pour la liquéfaction de l'air
(Disposition schématique).

qui entoure le premier au cylindre C' qui le comprime de nouveau à 200ᵏᵍ pour lui faire parcourir le même cycle. Une partie de l'air, 5 °/₀ environ, se liquéfie par le fait de la détente.

On ouvre le robinet R' et l'air liquide se rassemble dans un récipient r à doubles parois entre lesquelles existe le vide de Crookes, et d'où on peut faire écouler le liquide par un tube t et un robinet R''. La portion d'air qui ne se liquéfie pas à la sortie du robinet R'' s'échappe dans l'atmosphère en A par le troisième serpentin. Enfin un réservoir F, dit *séparateur d'eau*, retient l'eau que l'on injecte

constamment dans la pompe du cylindre C dans le but de réduire
l'influence des espaces nuisibles et d'abaisser la température finale
de la compression ; on évite ainsi la formation de la glace qui obs-
truerait le serpentin intérieur.

M. Linde a établi des appareils de laboratoire qui ne pèsent que
quelques kilogrammes et qui donnent de l'air liquide 8 à 12 minutes
après la mise en marche.

169. Solidification des gaz. — La plupart des gaz liquéfiés ont
pu être amenés à l'état solide. Le refroidissement nécessaire pour
produire ce changement d'état s'obtient ordinairement soit en
projetant un jet du liquide contre une paroi solide, soit en
évaporant le liquide dans le vide : le froid résultant de l'évapo-

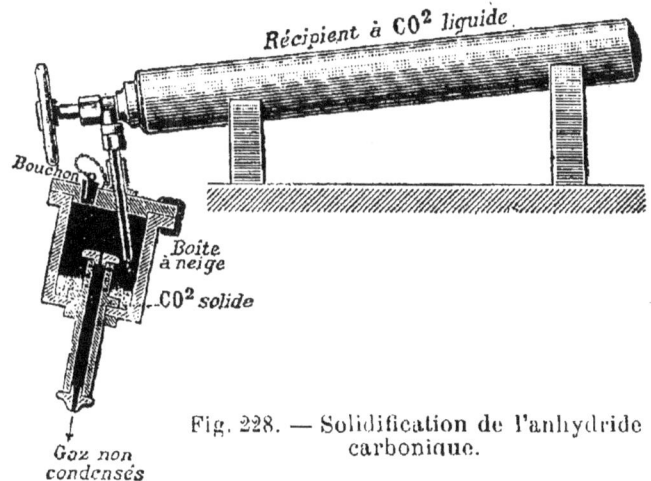

Fig. 228. — Solidification de l'anhydride
carbonique.

ration d'une partie du liquide détermine la solidification du reste.
Nous citerons comme exemple la solidification du gaz carbonique.

L'anhydride carbonique liquide est livré au commerce dans des
récipients en fer forgé terminés par une vis qu'il suffit de tourner
pour faire échapper le liquide par un ajutage latéral. Un de ces
récipients étant légèrement incliné sur un support (*fig.* 228), on
adapte l'ajutage à un tube oblique qui traverse le couvercle d'un
appareil en ébonite (*boîte à neige*) et on laisse écouler lentement le
liquide. Cinq à six minutes suffisent pour avoir une certaine
quantité de neige. Cette neige, en s'évaporant lentement dans l'air,
produit un froid de —78° ; on peut en mettre impunément sur
la main : le dégagement de vapeurs empêche le contact et la peau
est protégée par suite d'un effet de caléfaction. Mais si l'on établit

le contact réel par une pression, on éprouve la sensation d'une brûlure.

La neige carbonique est employée pour obtenir des froids intenses ; on la mélange avec de l'éther ou du chlorure de méthyle pour produire un contact parfait Sèche, elle peut être comprimée et moulée en bâtons (crayons de neige) ; ces crayons, tenus avec un porte-crayon en ébonite, sont utilisés pour l'application thérapeutique du froid.

RÉSUMÉ DU CHAPITRE XXII

Les gaz ont été tous liquéfiés ; on peut donc considérer chacun d'eux comme la vapeur d'un certain liquide. Les lois de la liquéfaction des gaz et des vapeurs sont inverses de celles de la vaporisation : un fluide élastique se liquéfie dès que sa force élastique maxima devient inférieure à la pression à laquelle il est soumis (pourvu toutefois que sa température soit inférieure à sa température critique). On appelle température critique d'un fluide élastique (gaz ou vapeur), une température au-dessus de laquelle il ne peut être liquéfié quelle que soit la pression qu'on exerce sur lui.

On liquéfie ordinairement les vapeurs par simple refroidissement (distillation de l'eau). Les gaz dont la température critique est plus élevée que les températures ordinaires sont liquéfiés soit par simple refroidissement sous la pression atmosphérique (gaz sulfureux), soit par compression à l'aide du tube de Faraday (chlore, acide sulfhydrique) ou d'une pompe de compression (gaz carbonique). Pour les autres gaz (anciens gaz permanents), il faut d'abord amener leur température à être inférieure à leur température critique ; on a recours pour cela à la détente ou diminution brusque de pression ou à l'évaporation dans le vide de gaz liquéfiés.

CHAPITRE XXIII

HYGROMÉTRIE

170. Vapeur d'eau dans l'atmosphère. — État hygrométrique. — L'air étant en contact avec l'eau par des surfaces considérables, n'est jamais complètement sec ; il suffit pour s'en assurer, d'exposer à l'air une carafe contenant de l'eau froide : la vapeur d'eau contenue dans la couche d'air qui entoure la carafe se condense et recouvre cette dernière d'un dépôt de rosée. On peut aussi abandonner à l'air des substances avides d'eau, comme le chlorure de calcium fondu, l'anhydride phosphorique, etc. ; elles tombent bientôt en déliquescence par suite de l'absorption de la vapeur d'eau.

La quantité de vapeur d'eau contenue dans l'air est très variable suivant le temps et suivant le lieu. Quant au *degré d'humidité* de l'air à un moment donné, il ne dépend pas seulement de cette quantité de vapeur d'eau, mais aussi et surtout de la quantité totale de vapeur d'eau que l'air contiendrait s'il était complètement saturé. Passé cette limite, la condensation de l'excédent de vapeur se produirait. Or la quantité d'eau que l'air peut conserver à l'état de vapeur augmente beaucoup à mesure que la température s'élève. Ainsi 1 mètre cube à 0° est saturé par 4^g,9 de vapeur d'eau, tandis que pour le saturer à 20° il en faut 17^g,2.

Si l'air renferme par exemple 17^g de vapeur d'eau par mètre cube à la température de 20°, il est très humide, parce qu'il est presque à la limite de ce qu'il peut contenir et qu'il suffirait d'un très léger abaissement de température pour amener une condensation. Au contraire, avec cette même quantité de vapeur d'eau, mais une température de 30°, par exemple, l'air est très sec, parce qu'il en pourrait contenir beaucoup plus (30^g,2 par mètre cube).

L'air contient en général moins de vapeur d'eau l'hiver que l'été, et cependant il paraît plus humide parce que, la température étant plus basse, la vapeur est plus voisine de

son point de condensation. De même, lorsqu'on chauffe une
salle, on ne diminue pas la quantité de vapeur d'eau qu'elle
contient ; mais à mesure que la température s'élève, l'air
devient de plus en plus sec parce que le point de condensation
de la vapeur s'élève de plus en plus.

On appelle état hygrométrique de l'air le rapport $\dfrac{f}{F}$ qui

existe entre la force élastique actuelle de la vapeur d'eau et la
force élastique maxima à la même température.

Désignons par e ce rapport ; on a

$$e = \frac{f}{F}.$$

Appelons m la masse de la vapeur d'eau contenue dans
Vᶜᶜ d'air, f sa force élastique, M la masse de la vapeur que
contiendrait le même volume d'air s'il était saturé. On
a (152)

$$m = V \times 0{,}001293 \times \frac{5}{8} \times \frac{f}{76} \times \frac{1}{1 + \alpha t},$$

$$M = V \times 0{,}001293 \times \frac{5}{8} \times \frac{F}{76} \times \frac{1}{1 + \alpha t}.$$

Divisant ces deux relations l'une par l'autre, il vient

$$\frac{m}{M} = \frac{f}{F}.$$

De là une autre définition de l'*état hygrométrique* : *c'est le
rapport entre la quantité de vapeur d'eau contenue dans un
volume déterminé d'air et la quantité que contiendrait le même
volume s'il était saturé à la même température.*

HYGROMÈTRES

171. Définition. — On appelle hygromètres les instruments
qui servent à déterminer expérimentalement l'état hygrométrique
de l'air.

En réalité, ils ne font connaître que f ; F est donné à
toutes les températures par les tables des forces élastiques
maxima de la vapeur d'eau.

172. Hygromètres à condensation. — *Principe*. Lorsqu'on refroidit progressivement une surface solide entourée d'une masse d'air plus ou moins humide, celle-ci se refroidit également, mais sans que la force élastique *f* de la vapeur d'eau qu'elle contient soit modifiée. Comme la force élastique maxima que doit avoir la vapeur d'eau pour saturer l'air est d'autant plus faible que la température est moins élevée, la force élastique *f*, tout en ne changeant pas de valeur, devient maxima à une température *t* plus ou moins basse, et la vapeur sature alors la masse d'air humide refroidie. Dès que la température s'abaisse au-dessous de *t°*, une partie de la vapeur se condense sur la surface froide sous forme d'un dépôt de rosée ; dès que la température remonte au-dessus de *t°*, ce dépôt disparaît. Connaissant la température *t* ou *point de rosée*, on cherche dans les tables la force élastique maxima F′ correspondante, laquelle représente la force élastique actuelle *f* de la vapeur d'eau dans l'air, puis on divise F′ par la force élastique maxima correspondant à la température de l'atmosphère pour avoir l'état hygrométrique. Exemple : la température de l'atmosphère étant 12°, on a observé le point de rosée à 3° ; la force élastique *f* est représentée par la force élastique maxima à 3°, soit par 0cm,569 ; la force élastique maxima à 12° est 1cm,246 ; on a donc, pour valeur de l'état hygrométrique,

$$\frac{0,569}{1,246} = 0,45.$$

Nous donnerons comme exemple d'hygromètres à condensation les *hygromètres d'Alluard et de Sire*, qui permettent d'apprécier très facilement le moment où commence le dépôt de rosée.

Hygromètre d'Alluard. — La partie essentielle de cet

instrument est un réservoir à éther ayant la forme d'un prisme à base carrée (*fig.* 229). La face antérieure, sur laquelle le dépôt de rosée doit être observé, est en argent ou en laiton doré ; elle est encadrée dans une lame de même métal, mais qui ne la touche pas et qui, ne subissant pas le refroidissement, reste toujours brillante. Le couvercle du prisme est traversé à la fois par une tubulure laissant passer un thermomètre très sensible T′ destiné à donner le point de rosée et par trois petits tubes de cuivre : le premier de ces tubes pénètre jus-

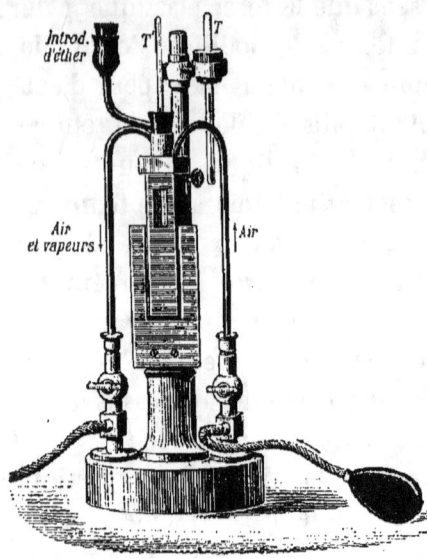

Fig. 229. — Hygromètre d'Alluard.

qu'au fond et sert à refouler de l'air dans l'éther ; le second sert à l'introduction de l'éther ; le troisième donne issue aux vapeurs. Deux petites fenêtres permettent de juger de l'agitation que produit le refoulement de l'air dans l'éther. Enfin la température ambiante est donnée par un thermomètre T fixé à une colonne verticale.

Pour faire fonctionner l'appareil, on verse de l'éther dans le prisme et on y refoule de l'air ; celui-ci barbote dans l'éther, qui s'évapore et se refroidit rapidement. A un moment donné, la face antérieure du prisme apparaît mate : elle s'est recouverte d'un dépôt de rosée, dépôt qui est d'autant plus facile à saisir que la lame entourant le prisme est restée brillante. On arrête l'opération et, à l'aide d'une petite lunette placée à une certaine distance, on note la température t du thermomètre T' : cette température est un peu inférieure au point de rosée. On laisse disparaître le dépôt de rosée par réchauffement du prisme au contact de l'air, puis on note aussitôt la nouvelle indication t' du thermomètre T', laquelle est un peu supérieure au point de rosée. Ce dernier a sensiblement pour valeur la moyenne $\dfrac{t + t'}{2}$. Il ne reste plus qu'à chercher dans les tables : 1° la force élastique maxima correspondant à $\dfrac{t + t'}{2}$: elle représente f ; 2° la force élastique maxima à la température ambiante donnée par le thermomètre T.

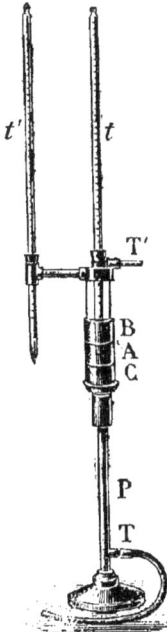

Fig. 230. — Hygromètre de Sire.

Hygromètre de Sire. — Cet hygromètre se compose d'un réservoir cylindrique A (*fig.* 230) en laiton mince recouvert de palladium et parfaitement poli à l'extérieur. On y verse de l'éther dont on abaisse lentement la température en y faisant passer un courant d'air par aspiration. On relie pour cela la tubulure T à un aspirateur quelconque par un tube de caoutchouc ; la rentrée d'air s'effectue par la tubulure T'. Au-dessus et au-dessous du cylindre A sont deux autres pièces semblables B et C de même diamètre, mais isolées de l'appareil par l'interposition de velours de soie. Ces pièces ne subissent donc pas l'action refroidissante de l'éther et leur surface reste brillante.

Lorsque le point de rosée est atteint et que le dépôt se

produit en **A**, le contraste entre les surfaces voisines rend
très nette l'apparition du phénomène. La température du
point de rosée est donnée par le thermomètre t, et la température de l'air ambiant par le thermomètre t'. On
détermine l'état hygrométrique comme avec l'hygromètre
d'Alluard.

Le palladium a sur l'or l'avantage de résister plus longtemps aux
frottements que réclame l'entretien du polissage ; de plus, sa teinte
noirâtre rend plus visible le dépôt de rosée.

Le cylindre **A** et la pièce qui le porte sont montés sur un bloc
d'ébonite terminé à sa partie inférieure
par un cône à l'aide duquel on place
l'instrument sur le pied P.

Un second type d'hygromètre de Sire
permet de déterminer l'état hygrométrique dans une enceinte close comme
celle d'une cloche (*fig.* 231). Il ne diffère
du précédent que par la suppression du
pied et la suspension par la partie supérieure.

Hygromètre de M. Crova. —
Dans cet hygromètre, la condensation
se produit à l'intérieur, ce qui rend
les indications indépendantes du vent
et permet d'opérer en plein air.

L'appareil se compose d'une boîte
en laiton remplie d'éther et munie
de deux tubulures à robinet, l'une pour
l'insufflation, l'autre pour le dégagement
de l'air chargé de vapeur (*fig.* 232). Un
tube en laiton mince, nickelé et soigneusement poli à l'intérieur, est fixé
dans l'axe de cette boîte ; il est fermé
d'un côté par un verre dépoli, de
l'autre par une loupe qui permet d'observer commodément l'intérieur du
tube ; enfin à ses extrémités sont

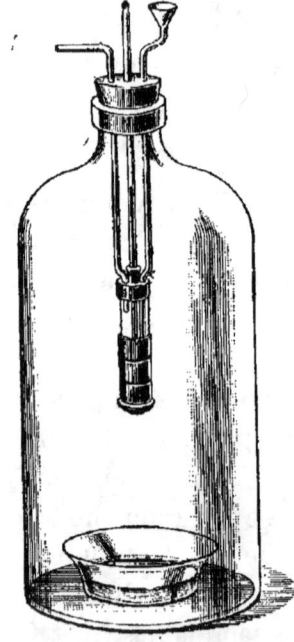

Fig. 231. — Hygromètre
à cloche.

adaptées deux tubulures, dont l'une se termine par une poire en
caoutchouc.

Pour déterminer un état hygrométrique, on comprime la poire
de manière à faire passer par aspiration un courant d'air très lent
dans l'intérieur du tube, puis on insufle de l'air à travers le liquide.
Dès que le point de rosée est atteint, on voit apparaître des taches

sombres. On arrête alors l'insufflation afin de les faire disparaître.

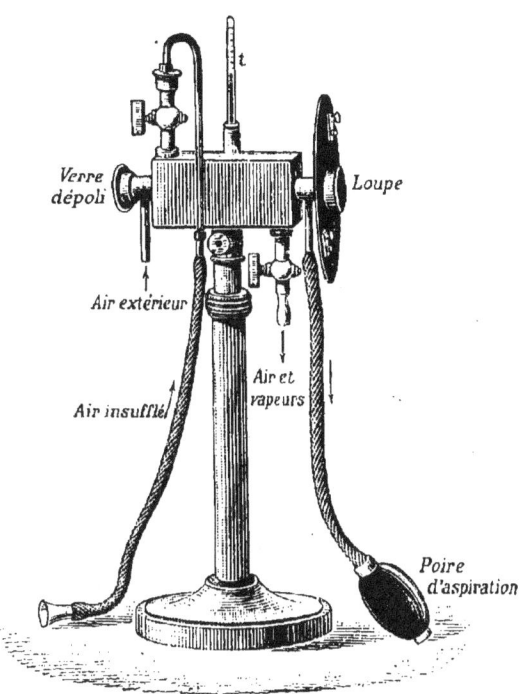

Fig. 232. — Hygromètre à condensation intérieure de M. Crova.

Un thermomètre plongé dans le liquide fait connaître les températures correspondant au dépôt et à la disparition de la rosée.

173. Hygromètres à absorption. — Les hygromètres à absorption reposent sur la propriété que possèdent certaines matières organiques, comme le bois, les cordes à boyau, les fanons de baleine, les cheveux, etc., de s'allonger quand l'air est humide et de se raccourcir quand l'air est sec.

L'hygromètre *à cheveu* est le premier hygromètre précis qui fut imaginé. Il se compose d'un cadre en cuivre

(*fig.* 233), sur lequel est tendu un cheveu qui a été préalablement dégraissé dans de l'éther. Le
cheveu est maintenu à son extrémité supérieure par une pince serrée par une vis de
pression ; sa partie inférieure s'attache sur
l'une des gorges d'une double poulie dont
l'axe porte une aiguille mobile sur un
cadran divisé. Enfin sur la deuxième gorge
s'enroule un fil de soie qui supporte une
petite masse, assez forte pour tendre le
cheveu et trop faible pour l'allonger.

L'hygromètre à cheveu se gradue par
comparaison avec un hygromètre à condensation.

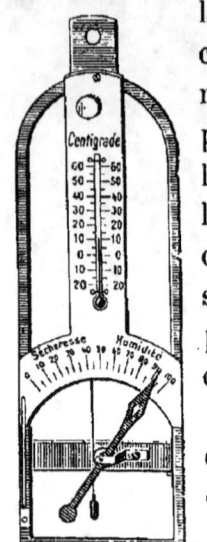

Fig. 233. — Hy-
gromètre à che-
veu de Saus-
sure.

Hygromètre enregistreur. — L'hygromètre à cheveu a été rendu enregistreur par
Richard. L'instrument est formé d'un faisceau de cheveux qui est fixé par une de ses
extrémités et transmet ses indications à la plume enregis-

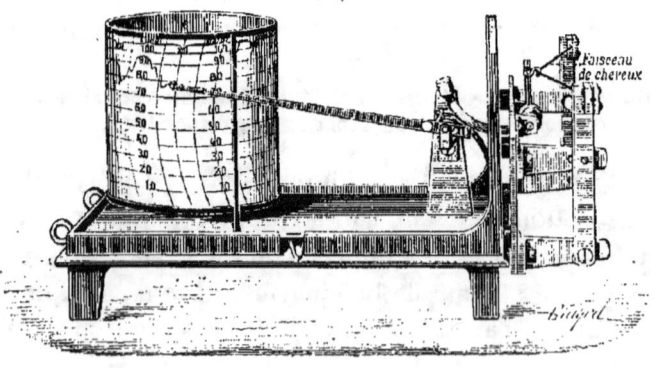

Fig. 234. — Hygromètre à cheveux (enregistreur) de Richard.

trante au moyen de deux cames correctrices agissant l'une

sur l'autre (*fig*. 234). Il se comporte beaucoup plus régulièrement que l'hygromètre à un seul cheveu.

On emploie ces hygromètres enregistreurs dans les obser-
vatoires, les stations météorologiques, les étuves-séchoirs des
ateliers de tissages, etc. ; ils sont également très utiles pour
les serres et les appartements.

174. Psychromètres. — Les psychromètres sont des instruments
qui font connaître la force élastique de la
vapeur d'eau contenue dans l'air par la vitesse
de l'évaporation sur une surface mouillée qui
y est exposée.

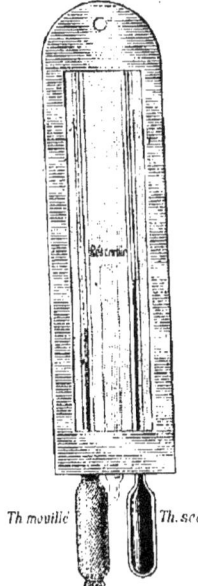

Th mouillé   Th. sec

Fig. 235. — Psychro-
mètre d'August.

La figure 235 représente le psychromètre
d'August. Il se compose de deux thermomètres
appliqués parallèlement sur une plaque émaillée qui se fixe dans une guérite. Le réservoir
de l'un de ces thermomètres est entouré d'une
mousseline maintenue toujours humectée par
une mèche de coton qui plonge dans l'eau
d'un tube réservoir placé derrière la guérite.
Les deux thermomètres sont faits en verre
vert et recuit pour éviter le déplacement du
zéro ; ils sont émaillés et chaque tube porte sur
lui-même sa division.

Par suite de l'évaporation qui se produit
à la surface du réservoir mouillé, les deux
instruments indiquent constamment une différence de températures, différence d'autant plus
grande que l'évaporation est plus rapide, c'est-
à-dire que l'air extérieur est moins humide.
La force élastique f de la vapeur d'eau dans
l'atmosphère à un moment donné s'obtient
en appliquant la formule empirique

$$f = F - AH(t - t'),$$

dans laquelle F est la force élastique maxima
pour la température t' indiquée par le thermomètre à réservoir
mouillé, A une constante qui dépend de l'instrument et de son mode
d'exposition, H la hauteur barométrique, enfin t la température
indiquée par le thermomètre sec. La constante A se détermine une
fois pour toutes pour chaque installation en mesurant f directement
à l'aide d'un hygromètre à condensation.

Remarque. — L'emploi des psychromètres, comme celui des
hygromètres à condensation, entraîne l'usage de la table des forces
élastiques maxima de la vapeur d'eau établie par Regnault et le
calcul du rapport $\dfrac{f}{F}$. On peut remplacer la table et le calcul en

utilisant une règle à calculer spéciale, à double face, portant des graduations des deux côtés (fig. 236).

Pour connaître la force élastique de la vapeur, on fait usage du côté de la règle portant les trois lettres M, S, T. La division M représente l'échelle du thermomètre mouillé exprimée en cinquièmes de degrés ; la division S, celle du thermomètre sec, exprimée en degrés ; enfin l'échelle T donne la force élastique de la vapeur d'eau. En faisant mouvoir la coulisse S, on amène le degré du thermomètre sec devant le degré du thermomètre humide, et on lit la division de l'échelle T qui se trouve sur la même ligne. Cette division indique la force élastique de la vapeur d'eau contenue dans l'air.

Pour connaître la fraction de saturation, on fait usage de l'autre côté de la règle, marqué S', T', F. La division S' correspond à l'échelle du thermomètre sec, la division T' à la force élastique de la vapeur et l'échelle F à la fraction de saturation. On amène la force élastique de la vapeur trouvée précédemment devant le degré du thermomètre sec et la division qui se trouve en ligne droite avec la force élastique et le degré du thermomètre sec donne la fraction de saturation.

EXEMPLE. — Le thermomètre sec marque 28°, le thermomètre humide 22°. On se sert du côté M, S, T ; on amène 28 de l'échelle S devant 22 de l'échelle M et on lit sur l'échelle T, 26^{mm}, ce qui indique que la force élastique de la vapeur d'eau est 26^{mm}. On retourne la règle et on amène 26 de l'échelle T' devant 28 de l'échelle S', on trouve sur la même ligne et sur l'échelle F la division 67. L'état hygrométrique est donc $\frac{67}{100}$.

Fig. 236.
Règle psychro-
métrique.

175. Application. — Soit à calculer la masse d'un volume V d'air humide dont l'état hygrométrique est e et la température t. Si f est la force élastique de la vapeur d'eau qui occupe ce volume V en même temps que l'air, la masse totale de l'air humide est donnée (152) par la formule

$$M = V \times 0,001\,293 \times \frac{H - \frac{3}{8}f}{76} \times \frac{1}{1 + at}.$$

Mais $f = Fe$; il vient donc

$$M = V \times 0{,}001\,293 \times \frac{H - \frac{3}{8}Fe}{76} \times \frac{1}{1 + \alpha t}.$$

MÉTÉORES AQUEUX

176. Principaux météores aqueux. — Les météores aqueux sont ceux qui ont pour cause la *condensation* et la *précipitation* de la vapeur d'eau contenue dans l'atmosphère. Lorsqu'une masse d'air humide se refroidit par une cause quelconque, la vapeur qu'elle renferme s'approche peu à peu du point où elle va être saturante ; si le refroidissement est suffisant pour que cette température soit dépassée, une partie de la vapeur se condense à l'état liquide ou à l'état solide ; le reste se maintient dans la masse d'air qui reste saturée. Les principaux météores aqueux sont les brouillards, les nuages et la rosée.

177. Brouillards. — Les brouillards sont des amas de très fines gouttelettes d'eau qui proviennent de la condensation de la vapeur d'eau au voisinage du sol et qui communiquent à l'air une opacité plus ou moins grande.

Ces gouttelettes ont en moyenne $\frac{1}{50}$ de millimètre de diamètre, ce qui fait qu'elles sont soulevées par la moindre agitation de l'air ; dans un air calme elles tombent très lentement. Si le refroidissement qui leur a donné naissance s'accentue, elles grossissent et leur chute devient plus rapide : on dit que le brouillard *tombe* ; si au contraire la température s'élève, le brouillard se dissipe par évaporation.

Les brouillards se produisent le plus souvent lorsqu'une étendue d'eau quelconque est plus chaude que l'air qui la surmonte. Les vapeurs dégagées par l'eau arrivent dans la masse d'air plus froide ; comme ces vapeurs sont en quantité plus que suffisante pour saturer l'air, l'excédent se condense et forme du brouillard. On rencontre fréquemment ces brouillards le soir, dans les vallées des rivières, les prés humides, parce que l'air se refroidit plus vite que l'eau.

Par suite d'un phénomène de surfusion (141), les gouttelettes qui constituent un brouillard peuvent rester sans se congeler dans une atmosphère au-dessous de 0° ; mais si elles viennent à rencontrer des corps refroidis au-dessous de 0°, elles les recouvrent, en se solidifiant, de glace cristallisée ayant l'apparence de feuilles de fougère. Ce dépôt constitue le *givre*.

178. Nuages. — Les nuages ne sont autre chose que des brouillards suspendus à une hauteur plus ou moins grande. Ils sont constitués également par de fines gouttelettes d'eau qui, en même temps qu'elles se meuvent horizontalement sous l'influence du vent, tombent lentement. Cette chute est ralentie par la résistance de l'air et surtout par les courants d'air chaud qui s'élèvent du sol ; d'ailleurs, à mesure que les gouttelettes descendent, elles arrivent dans des couches d'air de plus en plus chaudes, où elles se vaporisent ; la vapeur ainsi produite s'élève au-dessus du nuage et reforme de nouvelles gouttelettes, de sorte que la partie inférieure d'un nuage se dissipe continuellement, tandis que sa partie supérieure s'accroît sans cesse par la condensation de nouvelles vapeurs. On s'explique ainsi pourquoi les nuages paraissent conserver une hauteur constante et pourquoi ils présentent continuellement des variations dans leur forme.

La plupart des nuages doivent leur origine à la condensation directe des vapeurs qui s'élèvent de la terre. L'air qui est au contact du sol, s'échauffant pendant une partie de la journée, devient plus léger et s'élève, chargé d'une quantité plus ou moins grande de vapeur d'eau. A mesure qu'il s'élève, il rencontre des régions de l'atmosphère de plus en plus froides, et comme en même temps sa propre température s'abaisse par suite de la dilatation que lui fait éprouver la diminution de pression, il arrive bientôt à être saturé. La condensation commence alors, et il se forme un amas de gouttelettes très petites, véritable brouillard qui constitue un nuage. La condensation de la vapeur dans l'atmosphère peut encore se produire par la rencontre de deux masses d'air, l'une froide, l'autre chaude et humide ; lorsque ces masses arrivent à être en contact, elles prennent une température commune, et, si la force élastique maxima de la vapeur d'eau correspondant à cette température est inférieure à la force élastique moyenne de la vapeur d'eau contenue dans les deux masses, il y a condensation et formation d'un nuage.

Les nuages peuvent affecter une infinité de formes, que l'on rapporte à trois types principaux : ce sont les cirrus, les cumulus et les nimbus (*fig.* 237).

1º Les *cirrus*, appelés *queues de chat* par les marins, sont de petits nuages blancs, très déliés, ressemblant à de la laine cardée ou à des barbes de plume ; ils s'étendent fréquemment sur le ciel en longues séries régulières. Ce sont les nuages les plus élevés. A cause de la basse température des régions qu'ils occupent (8 à 10^{km} d'altitude), ils sont formés de flocons de neige ou de fines aiguilles de glace. L'apparition des cirrus dans nos régions est due au retour des vents du S-0 et présage souvent la pluie.

2º Les *cumulus* ou *balles de coton* des marins sont de gros nuages, constitués ordinairement par une base plane et sombre sur laquelle se groupent des monceaux de nuages dont les contours blancs et arrondis brillent fortement sous l'influence des rayons solaires. Ils se produisent ordinairement à des températures relativement élevées et sont par conséquent l'espèce de nuages la plus fréquente en été dans nos régions. Quand ces nuages formés le matin, au lieu de s'être dissipés le soir, sont devenus plus nombreux dans la journée et qu'ils sont surmontés de cirrus, il y a probabilité de pluie ou d'orage.

On donne le nom particulier de *stratus* à des nuages bas, ayant la forme de longues bandes horizontales qui apparaissent au coucher du soleil et disparaissent à son lever. Ces

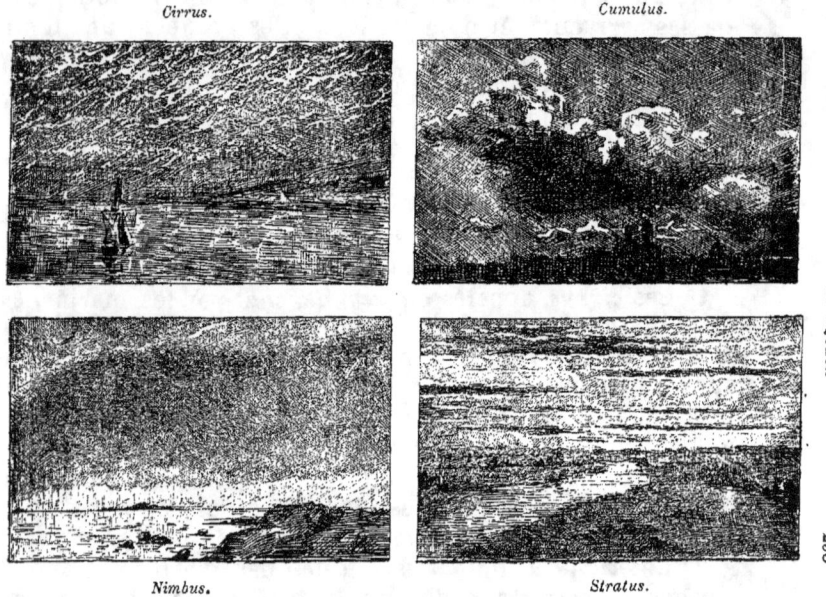

Cirrus. *Cumulus.*

Nimbus. *Stratus.*

Fig. 237. — Principaux types de nuages.

nuages ne constituent pas un type distinct ; ce sont le plus souvent des cumulus que l'on aperçoit par la tranche.

3° Les *nimbus* sont des nuages pluvieux, reconnaissables à leur teinte d'un gris uniforme et à leurs bords frangés ; ils descendent généralement très bas et prennent parfois une étendue considérable.

Pluie. — La pluie a pour cause une condensation qui s'effectue très rapidement dans une couche de nuages ; les gouttelettes, se soudant alors les unes aux autres dans leur chute, forment des gouttes plus ou moins volumineuses, dont la masse est suffisante pour leur permettre d'arriver à la surface du sol. Lorsque ces gouttes, en tombant, traversent des couches d'air qui sont loin d'être saturées, elles s'évaporent partiellement et ne donnent lieu qu'à une pluie très fine ; si, au contraire, les couches traversées sont

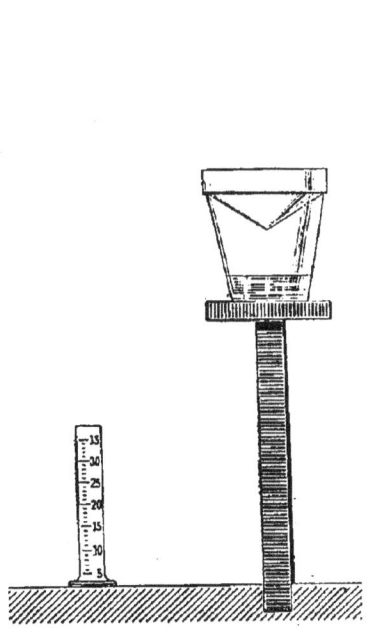

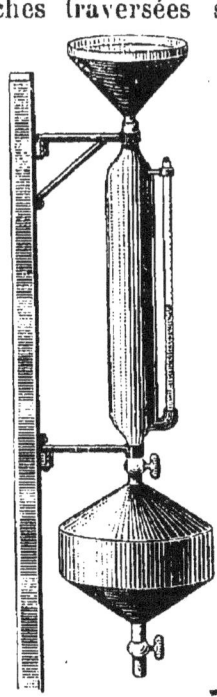

Fig. 238. — Pluviomètre ordinaire.   Fig. 239. — Pluviomètre totalisateur.

saturées, les gouttes de pluie croissent en volume par la condensation de nouvelles vapeurs et deviennent d'autant plus grosses qu'elles tombent d'une plus grande hauteur (pluies d'orage).

La quantité de pluie qui tombe actuellement dans une région déterminée s'évalue à l'aide d'instruments appelés *pluviomètres*. Le plus simple se compose d'un seau sur lequel repose un entonnoir terminé par une bague à bord presque tranchant délimitant ainsi une surface bien déterminée (*fig*. 238). Pour mesurer la quantité d'eau contenue dans le pluviomètre, on enlève l'entonnoir et on transvase le liquide dans une éprouvette graduée. Citons encore le pluviomètre totalisateur d'Hervé-Mangon (*fig*. 239). L'eau de pluie est reçue dans un entonnoir et s'écoule dans un cylindre muni d'un tube gradué qui permet l'observation de chaque jour : de là on peut la faire passer, en ouvrant un robinet, dans un réservoir inférieur, ce qui permet de totaliser un certain nombre d'observations.

Les pluviomètres doivent toujours être placés dans des endroits bien découverts et à 1m,50 environ au-dessus du sol.

La distribution de la pluie à la surface du globe varie considérablement avec la latitude, l'altitude, la corrélation entre les vents dominants et la situation locale, etc. Les pluies sont très abondantes dans les régions tropicales ; il tombe annuellement 140cm d'eau aux îles Sandwich, 455cm à la Vera-Cruz (Mexique), 711cm à Maranhoa (Brésil). Dans les régions tempérées, la quantité de pluie est moindre : à Paris, la hauteur moyenne annuelle est 56cm ; elle est environ 110cm à Cherbourg, 130cm à Nantes, etc.

Verglas. — On donne le nom de verglas à une couche uniforme de glace lisse et transparente qui recouvre le sol lorsque, à la suite d'un temps très froid, des gouttes de pluie traversent les couches d'air dont la température est inférieure à 0° et ne s'y congèlent pas ; cette pluie à l'état de surfusion, tombant sur un sol très froid, s'y solidifie immédiatement, à condition toutefois qu'elle ne soit pas trop abondante, car, dans ce cas, le sol se réchauffe et le verglas ne se produit pas.

Neige. — La neige n'est autre chose que de la pluie congelée ; elle se présente en flocons qui sont des groupements de petits cristaux étoilés, de formes très variées, semblables aux cristaux constituant la glace (143). Pour étudier ces cristaux, on reçoit les flocons de neige sur un corps noir préalablement refroidi au-dessous de 0° (étoffe de laine noire, plaque de verre enduite de noir de fumée), et on les observe immédiatement à la loupe.

La neige se forme lorsque la température des gouttelettes qui constituent les nuages devient égale ou inférieure à 0° ; aussi prédomine-t-elle dans la quantité totale de précipitation qui se produit dans les zones glaciales et sur le sommet des hautes montagnes, où elle persiste à partir d'une certaine limite (limite des neiges éternelles).

Grêle. — La grêle est formée de fragments de glace ou *grêlons*, constitués par un noyau entouré de plusieurs couches sphériques de transparences diverses. Dans nos climats la grêle tombe en grande partie avec les pluies que produisent les orages d'été et aussi au **printemps**, à l'époque des giboulées.

Pour expliquer la formation des grêlons, on admet généralement que des cumulus, s'élevant rapidement par l'effet d'un courant d'air chaud, peuvent atteindre la région froide des cirrus et y rester en surfusion jusqu'à ce que les gouttelettes qui les constituent soient en contact avec les aiguilles de glace des cirrus; chaque aiguille devient en quelque sorte le noyau d'un grêlon et se recouvre de couches successives d'eau en surfusion qui, se congelant instantanément, donnent des couches sphériques de glace non cristallisée.

179. Rosée. — On donne le nom de rosée aux gouttelettes d'eau qui se déposent pendant les nuits calmes et sereines à la surface de la plupart des corps placés à découvert sur le sol.

Le phénomène de la rosée est analogue à celui qui se produit dans les hygromètres à condensation, ou quand on expose à l'air une carafe contenant de l'eau froide. Après les journées chaudes, lorsque le ciel est serein, le sol et l'atmosphère se refroidissent en rayonnant vers les espaces célestes. Il en résulte un abaissement de température, abaissement qui est plus grand pour le sol que pour l'air,

celui-ci ayant un pouvoir émissif (185) beaucoup plus
faible. A un moment donné, les couches d'air qui sont en
contact immédiat avec la surface du sol et ont sensiblement la même température, sont suffisamment refroidies
pour que la vapeur qu'elles contiennent devienne saturante ; si le refroidissement continue, cette vapeur se condense partiellement sous forme de petites gouttelettes
d'eau qui constituent la rosée.

Les différentes causes qui influent sur la production de la
rosée sont : le *pouvoir émissif des corps, l'agitation de l'air
et l'état du ciel.*

Les corps dont le pouvoir émissif est considérable, comme
le bois, le verre, les plantes, sont ceux qui se refroidissent
le plus rapidement ; aussi la rosée s'y dépose-t-elle en plus
grande abondance. Sur les corps dont le pouvoir émissif
est faible, comme les objets brillants, les métaux polis, la
rosée ne se dépose pas ou ne forme qu'un dépôt peu abon-
dant.

Lorsque le vent est faible, il augmente le dépôt de rosée
en renouvelant les couches d'air qui ont abondonné une partie de leur vapeur d'eau. S'il est fort au contraire, les couches d'air sont renouvelées trop rapidement pour pouvoir se
saturer et la rosée ne se dépose pas.

Enfin si le ciel est couvert de nuages, il n'y a pas de dépôt
de rosée car les nuages étant à une température beaucoup
moins basse que les espaces célestes, renvoient de la chaleur
vers le sol, dont le refroidissement est alors peu considérable. Pour la même raison, les corps placés sous des abris ou
dans le voisinage d'arbres, d'habitations, etc., qui cachent
une partie du ciel, se recouvrent très difficilement de rosée.

La *gelée blanche* est un dépôt de petits cristaux de glace
que l'on observe surtout au printemps après les nuits claires,
sur les plantes et sur les corps qui rayonnent beaucoup. Ce
n'est qu'une forme particulière de la rosée se produisant
lorsque la surface du sol se refroidit à quelques degrés au-
dessous de 0°.

180. Mouvements généraux de l'atmosphère. — Vents. —
Les vents sont des courants aériens. Ces mouvements de

l'atmosphère sont déterminés le plus souvent par des différences de température, et par suite de densité, entre une
masse d'air et celles qui se trouvent dans son voisinage,
quelquefois aussi par des différences de pression entre
deux régions également éloignées du sol.

Lorsqu'un sol est fortement chauffé, la masse d'air qui
en est voisine devient plus légère, s'élève, et se trouve
aussitôt remplacée par une autre qui afflue des régions
voisines plus froides. De là un courant aérien qui rase à
peu près la surface du sol. Quant à l'air échauffé, il se
refroidit dans les régions supérieures, puis redescend. Ce
phénomène est analogue à celui qui se produit dans une
salle chauffée (187). D'un autre côté, si une différence
d'état hygrométrique se produit entre deux masses d'air
voisines, il en résulte encore un appel d'air, un mélange
de vapeur d'eau et d'air étant moins dense, dans les
mêmes conditions, que l'air sec.

Enfin si la pression diminue brusquement en un point
de l'atmosphère, l'air des régions voisines afflue aussitôt
pour rétablir l'équilibre.
Ainsi s'expliquent ces
coups de vent violents
qui résultent de la con-
densation brusque d'une
grande quantité de va-
peur d'eau dans une ré-
gion peu étendue, comme
cela a lieu dans les ora-
ges.

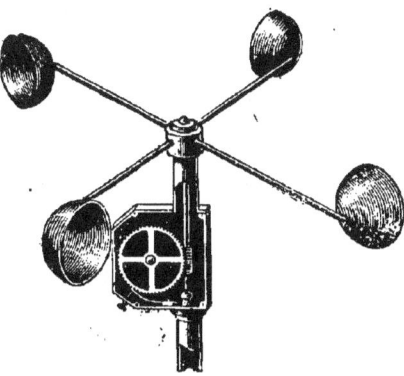

Fig. 240. — Anémomètre.

La direction des vents
qui soufflent dans les régions voisines du sol se détermine
à l'aide de girouettes. Leur vitesse se mesure à l'aide d'*a*-

némomètres (*fig.* 240). Ce sont de petits moulinets que le vent fait tourner. Les ailettes sont constituées par des demi-sphères en aluminium. Un compteur indique le nombre de tours accomplis en un temps donné et on en déduit la vitesse du vent.

Vents réguliers. — Les vents réguliers sont ceux qui règnent toute l'année dans une direction fixe. On les observe dans le voisinage de l'équateur où leur direction est à peu près celle du Nord-Est au Sud-Ouest dans l'hémisphère boréal, celle du Sud-Est au Nord-Ouest dans l'hémisphère austral. Ces vents ont été appelés vents *alizés* (ce qui veut dire vents réguliers).

Il est facile de se rendre compte de la production des vents alizés. L'air étant plus chaud dans la région équatoriale que sous les autres latitudes, s'élève et est remplacé par de l'air venant des régions tempérées. C'est ce dernier qui constitue les vents alizés. Si la Terre était immobile, les vents alizés iraient des pôles à l'équateur en suivant le méridien ; mais par suite de la rotation de la Terre, ceux qui soufflent dans l'hémisphère boréal prennent une direction intermédiaire entre le Nord-Sud et l'Est-Ouest, tandis que ceux qui soufflent dans l'hémisphère austral prennent, pour la même raison, la direction du Sud-Est au Nord-Ouest.

D'un autre côté, l'air chaud qui monte à l'équateur se refroidit à mesure qu'il s'élève, finit par s'étaler comme une nappe et s'avance par suite vers les pôles. Mais toujours par suite de la rotation de la Terre, ces courants s'inclinent respectivement vers l'Est et vers l'Ouest en prenant une direction inverse des alizés. Ces courants, appelés courants *contre-alizés*, ont pu être constatés par la direction suivant laquelle ils transportent des nuages élevés.

Dans nos régions, les vents soufflant du Sud-Ouest amènent un temps humide et une température élevée : ce sont des contre-alizés qui se sont abaissés jusqu'à terre. Les vents du Nord-Est, froids et secs, sont des vents alizés qui se produisent accidentellement dans le voisinage du pôle Nord.

Vents périodiques. — Les principaux vents périodiques sont les *brises* et les *moussons*.

Les brises soufflent en été sur les rivages maritimes. Pendant le jour, le sol s'échauffant plus vite que l'eau de mer, l'air s'élève au-dessus du sol et est remplacé par l'air plus froid venant du large : c'est la *brise de mer*. La brise de mer cesse au coucher du soleil. Un phénomène inverse se produit alors, parce que la terre se refroidit plus vite que l'eau ; l'air s'élève au-dessus de la mer, appelant ainsi un afflux d'air des côtes : c'est la *brise de terre*, qui dure jusqu'au lever du soleil.

Les moussons soufflent six mois dans un sens et six mois en sens contraire. On les observe surtout dans l'Océan Indien. La mousson de printemps, qui commence au mois d'avril, a pour cause la haute température qui règne alors dans les régions méridionales des contrées asiatiques ; l'air chaud qui s'élève alors provoque un afflux d'air venant de la mer, de sorte que la mousson souffle vers les côtes. Vers le mois d'octobre, survient la mousson d'automne, qui souffle de la terre dans la direction Nord-Est ; elle est due à ce que pendant l'hiver le continent se refroidit plus que la mer.

Cyclones. — Trombes. — Les terribles rafales qu'on nomme *cyclones* ou *typhons*, suivant les pays, sont des tourbillons constitués par des masses considérables d'air qui tournent avec une grande vitesse autour d'un axe vertical et sont animées en outre d'un mouvement de translation extrê-

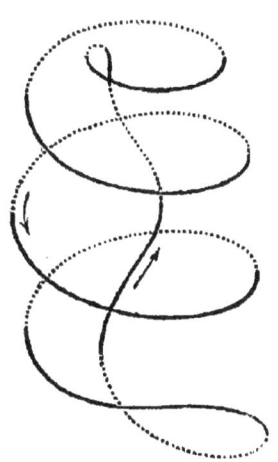

Fig. 241. — Marche de l'air dans un tourbillon.

mement rapide. L'air s'élève rapidement dans la partie centrale en spirales allongées et, parvenu à une certaine hauteur, gagne, toujours en tournant, la périphérie, pour redescendre en spirale vers la base (*fig*. 241). Les cyclones se forment dans les régions équatoriales et s'avancent parfois dans les régions tempérées.

Les *trombes* sont des tourbillons de peu d'étendue (quelques mètres de diamètre seulement), mais animés d'un mouvement giratoire souvent assez rapide pour pouvoir déraciner des arbres et renverser des édifices. Les trombes n'ont généralement qu'un parcours de quelques kilomètres.

Les *orages*, qui se produisent surtout en été dans nos

régions, sont aussi de petits tourbillons, mais ayant déjà quelques kilomètres de diamètre. Ils sont accompagnés de nuages lançant la foudre, la pluie ou la grêle. En France, les orages se forment ordinairement par des vents du Sud-Ouest et sont entraînés dans la direction du Nord-Est.

RÉSUMÉ DU CHAPITRE XXIII

L'air contient toujours de la vapeur d'eau. Suivant que le rapport entre la force élastique actuelle f de cette vapeur et la force élastique maxima F à la même température est plus ou moins voisin de l'unité, l'air paraît plus ou moins humide. Ce rapport s'appelle l'état hygrométrique.

Les hygromètres sont des instruments qui font connaître directement f; les tables donnent F; on a ainsi les deux termes du rapport $\dfrac{f}{F}$.

Dans les hygromètres à condensation, on refroidit progressivement une surface solide placée dans une atmosphère non saturée; l'air humide qui est en contact avec cette surface se refroidit en même temps et finit par atteindre la température à laquelle la vapeur d'eau qu'il contient devient saturante. Dès qu'on est au-dessous de cette température, appelée *point de rosée*, une partie de la vapeur se condense sous forme d'un dépôt de rosée. L'état hygrométrique est donné par le rapport entre les forces élastiques maxima correspondant au point de rosée et à la température de l'atmosphère. On applique cette méthode avec l'hygromètre d'Alluard. Le dépôt de rosée se forme sur une surface plane en laiton doré, encadrée dans une lame en laiton doré qui ne la touche pas et reste toujours brillante.

Les hygromètres à absorption ont pour type l'hygromètre à cheveu. Un cheveu préalablement dégraissé est fixé par une extrémité et transmet ses mouvements à une aiguille mobile sur un cadran. On le gradue par comparaison avec un hygromètre à condensation.

Les météores aqueux ont pour origine un abaissement de température, abaissement qui amène la vapeur d'eau contenue dans l'air à dépasser son point de saturation et à se condenser ou se précipiter en partie. La condensation se fait en très petites gouttelettes d'eau qui restent pour ainsi dire en suspension dans l'air, soit à la surface du sol (brouillards), soit dans les couches élevées de l'atmosphère (nuages).

La rosée est une condensation qui se produit à la surface du sol après les journées chaudes, lorsque le ciel est serein. Le sol se refroidissant plus vite que l'atmosphère, abaisse la température des

couches d'air en contact avec lui, de sorte qu'il arrive un moment
où la vapeur qui y est contenue dépasse son point de condensation :
il se produit alors un dépôt de rosée.

Les vents sont des courants aériens produits par des différences
de température ou des différences de pression. Dans le voisinage de
l'équateur, il y a des vents réguliers (vents alizés) qui soufflent toute
l'année du N-E au S-O dans l'hémisphère boréal, et du S-E au
N-O dans l'hémisphère austral. Les principaux vents périodiques
sont les brises, qui soufflent de la mer pendant le jour, et de la
terre pendant la nuit.

EXERCICES SUR LE CHAPITRE XXIII

63. Un récipient de 10^l de capacité est rempli d'air sec à 0^l et
76^{cm}. On y introduit par un robinet à gouttes 3^l d'eau, et on chauffe
le tout à 100°. On demande :
1° Quel sera alors l'état hygrométrique de l'air ;
2° Quelle sera la pression totale de cet air humide.

64. Dans un ballon de 10^l de capacité on mélange 5^l d'air dont
l'état hygrométrique est 1/4 et 5^l de gaz carbonique dont l'état hygrométrique est 1/3. On demande l'état hygrométrique du mélange
La température est 10° et la force élastique maxima correspondante
de la vapeur d'eau est 9^{mm},16.

65. On a un certain volume d'air dont la température est 10° et
dont l'état hygrométrique est 0,75. On demande quel est le volume
de cet air, sachant qu'il renferme 2^l de vapeur d'eau.
La force élastique maxima de la vapeur d'eau à 10° est 9^{mm},2.

66. L'air emprisonné dans un espace de 20^{m3} a un état hygrométrique égal à 0,80, la température étant 25°. Quelle est la masse
d'eau qui se condensera si la température s'abaisse à 15°, le volume de l'air restant invariable ?
Forces élastiques maxima de la vapeur d'eau à 25° : 2^{cm},35 ; à
15° : 1^{cm},26.

67. Dans l'amphithéâtre de physique, un thermomètre indique
+ 10°, un hygromètre 0,6, un baromètre ordinaire 76^{cm}, et un
autre baromètre contenant quelques gouttes d'eau 750^{mm},9. On demande : 1° la masse de la vapeur d'eau contenue dans la salle ; 2° ce
qui se produirait si, brusquement, la température s'abaissait à 0°.
On supposera que la force élastique maxima de la vapeur d'eau
double de 0° à 10°.

CHAPITRE XXIV

CONDUCTION, ÉMISSION ET ABSORPTION
DE LA CHALEUR

TRANSMISSION PAR CONDUCTIBILITÉ

181. Conductibilité des solides. — Disons d'abord que la *conductibilité* est la propriété que possèdent la plupart des corps de transmettre la chaleur *lentement* et de proche en proche à l'intérieur de leur masse. Si l'on tient à la main l'extrémité d'une tige de fer et qu'on place l'autre extrémité dans un foyer, on éprouve au bout de quelque temps une sensation de chaleur au contact de la portion de tige que l'on tient, et cette sensation devient de plus en plus forte : on exprime ce fait en disant que le fer est *bon conducteur* de la chaleur. Une tige de bois, placée dans les mêmes conditions que la barre de fer, n'aurait donné à la main aucune sensation de chaleur : le bois est donc *mauvais conducteur* de la chaleur.

Une expérience très simple permet de comparer la conductibilité de deux corps quelconques. On prend par exemple une tige de cuivre et une tige de fer ayant même longueur et même section ; on les enduit de paraffine et on fixe leurs extrémités du même côté à un disque de liège (*fig.* 242). Les deux tiges étant disposées

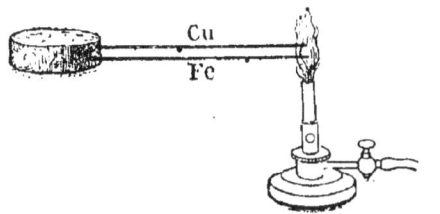

Fig. 242. — Appareil pour comparer les con-
ductibilités du fer et du cuivre.

horizontalement, on chauffe les autres extrémités avec un brûleur Bunsen ; la paraffine fond progressivement et on remarque que la gouttelette qui se déplace le long de la tige de cuivre est plus éloignée de la flamme que celle qui se déplace le long de la tige de fer. On voit ainsi que le cuivre conduit mieux la chaleur que le fer.

En général, de tous les solides ce sont les métaux qui conduisent le mieux la chaleur ; mais cette conductibilité varie beaucoup d'un métal à l'autre. En représentant par 100 la conductibilité de l'argent pour la chaleur, celle du cuivre est exprimée par le nombre 73,5 et celle du fer par 11,9 ; aussi le cuivre est-il employé de préférence au fer pour faire les appareils distillatoires. Au contraire, le bois, le verre, la laine, conduisent fort mal la chaleur.

Par exemple, si l'on applique un morceau de charbon rouge sur une boule de bois qui a été préalablement recouverte de mousseline, l'étoffe est brûlée, parce que la chaleur transmise à l'endroit touché ne se propage pas dans les régions voisines. Au contraire, si l'on fait la même expérience avec une boule de cuivre recouverte de même de mousseline, l'étoffe ne brûle pas, parce que la chaleur émise par le charbon se répandant dans toute la boule de cuivre, la température aux points touchés ne s'élève que lentement.

Applications du pouvoir conducteur des métaux. — On utilise le pouvoir conducteur des métaux dans les *toiles* *métalliques*. Si l'on écrase la flamme d'un brûleur avec une semblable toile (*fig.* 243), on constate que celle-ci n'est pas traversée par la flamme. Cela est dû à ce que la toile métallique, à cause de sa grande conductibilité, refroidit les gaz qui la traversent et les amène à une température assez basse pour qu'ils ne puissent rester enflammés. — Les toiles métalliques ont de nombreux emplois; on s'en sert dans les laboratoires pour préserver les vases de verre, les capsules de porcelaine, etc. du contact direct de la flamme et les empêcher de s'échauffer trop rapidement; dans les théâtres on fait des rideaux qui ont pour but de s'opposer à la propagation des incendies; enfin, dans les mines de houille, on évite les explosions que produirait le méthane ou grisou en

Fig. 243. — Effet d'une toile
métallique sur la flamme.

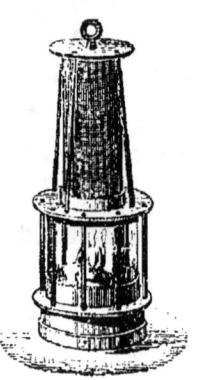

Fig. 244. — Lampe
de sûreté.

munissant les ouvriers de *lampes de sûreté*. Ces lampes se composent d'une petite lampe à huile surmontée d'une cheminée en verre et d'un cylindre de toile métallique (*fig.* 244). Si un mélange de grisou et d'air vient à s'enflammer dans la lampe, la combustion ne peut se propager à l'extérieur, à cause du refroidissement des produits de la combustion par la toile métallique. Pour plus de précautions, les lampes de sûreté sont construites de manière à ne pouvoir être ouvertes sans produire l'extinction de la flamme.

Nous étudierons plus loin les applications des corps mauvais conducteurs (193).

182. Conductibilité des liquides et des gaz. — Les liquides conduisent très mal la chaleur, à l'exception du mercure. C'est ainsi que l'on peut faire bouillir à sa partie supérieure de l'eau contenue dans un tube à essais incliné, sans modifier sensiblement la température des couches situées au fond du tube.

Quand on chauffe un liquide par le fond, comme on le fait habituellement, ce n'est pas par conductibilité qu'il s'échauffe ; les couches inférieures s'échauffent directement et s'élèvent par suite de la diminution de leur masse spécifique ; elles sont remplacées par des couches froides qui s'échauffent à leur tour, et ainsi de suite. Il en résulte une circulation continue qui finit par rendre la température à peu près uniforme dans toute la masse du liquide.

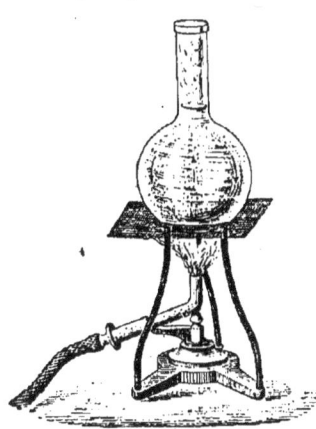

Fig. 245. — Convection dans les liquides.

Ce mode de propagation de la chaleur, dit par *convection*, peut être constaté facilement en mêlant préalablement au liquide de la sciure de bois ; les particules de bois entraînées par les mouvements de l'eau (*fig.* 245) accusent nettement l'existence des courants ascendants de liquide chaud et des courants descendants de liquide froid.

Les *gaz*, sauf l'hydrogène, ont une conductibilité à peu près nulle ; aussi la propagation de la chaleur s'y fait-elle le plus souvent par des courants, comme dans les liquides.

PROPAGATION PAR RAYONNEMENT

- **183. Chaleur rayonnante.** — La chaleur peut aussi se transmettre par rayonnement. Cette transmission se produit *rapidement* et dans toutes les directions, sans qu'il y ait échauffement sensible des milieux traversés. La chaleur du soleil se propage jusqu'à nous par rayonnement ; il en est de même de la chaleur d'un poêle, d'une **cheminée**, etc.

184. Absorption de la chaleur. — Quand de la chaleur tombe sur un corps, elle se divise en plusieurs parties : une partie est réfléchie dans des directions déterminées, une autre partie est *diffusée* dans toutes les directions ; une autre partie encore traverse le corps si celui-ci est transparent pour la chaleur, ou, comme on dit, *diathermane* ; le reste est absorbé. C'est la chaleur absorbée par le corps qui élève sa température.

Les métaux polis absorbent relativement peu de chaleur ; le noir de fumée, au contraire, ne diffuse ni ne réfléchit sensiblement la chaleur qu'il reçoit et absorbe toute cette chaleur. Il en résulte que si l'on exposait au soleil un thermomètre dont le réservoir serait enduit de noir de fumée, il marquerait une température plus élevée qu'un thermomètre identique dont le réservoir serait recouvert d'une feuille d'argent. On appelle **pouvoir absorbant** *d'un corps* **le rapport entre la quantité de chaleur absorbée par ce corps et celle qu'absorberait dans les mêmes circonstances un corps de surface égale enduit de noir de fumée.**

Applications. — Pour hâter la fusion de la neige, on peut la recouvrir de poussière de charbon, qui a un pouvoir absorbant plus considérable. Les vases métalliques où l'on fait chauffer les liquides s'échauffent lentement quand ils sont polis et bien nettoyés ; ils s'échaufferaient beaucoup plus vite s'ils étaient dépolis ou recouverts de noir de fumée. Enfin les vêtements blancs sont employés dans les régions chaudes parce que leur pouvoir absorbant étant très faible, ils s'échauffent peu sous l'action des rayons du soleil.

185. Émission de la chaleur. — Les différents corps émettent, à température et à surfaces égales, des quantités de chaleur plus ou moins grandes, mais les corps qui absorbent relativement beaucoup de chaleur sont aussi ceux qui, à la même température, émettent la plus grande quantité de chaleur. Le noir de fumée, par exemple, a un très grand pouvoir émissif; les métaux polis n'en possèdent qu'un très faible.

Comme le noir de fumée est la substance qui, à une

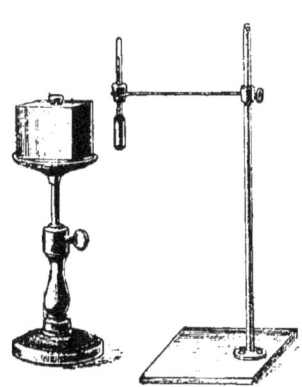

Fig. 246. — Émission de la chaleur.

même température, émet la plus grande quantité de chaleur, on est convenu d'appeler *pouvoir émissif* d'une substance quelconque *le rapport de la quantité de chaleur émise par cette substance à celle qui est émise par une surface égale de noir de fumée à la même température.*

On compare assez facilement les pouvoirs émissifs des corps en se servant d'un cube métallique dont les faces verticales ont été préalablement recouvertes chacune d'une substance particulière : noir de fumée, or ou argent en feuilles, etc. (*fig.* 246). Ce tube étant rempli d'eau bouillante, on fait rayonner successivement ses diverses faces sur un thermomètre sensible placé à quelques centimètres du cube ; on observe chaque fois une élévation de température différente.

Le tableau suivant donne les pouvoirs émissifs de quelques substances :

Substances	Pouvoir émissif
Noir de fumée.	1,00
Encre de Chine	0,85
Gomme laque .	0,72
Cuivre en feuilles.	0,049
Or en feuilles .	0,043
Argent en feuilles.	0,030

RÉSUMÉ DU CHAPITRE XXIV

On dit que la chaleur se propage par *conductibilité* quand elle se transmet lentement à travers un corps en échauffant successivement ses différentes parties. Le rayonnement de la chaleur est un mode de propagation qui se produit rapidement.

La conductibilité des solides est très variable : les uns, comme les métaux, sont plus ou moins bons conducteurs ; les autres, comme le verre, le bois, sont de mauvais conducteurs.

Les liquides conduisent mal la chaleur, à l'exception du mercure. Quand on les chauffe par la partie inférieure, leur température s'élève par *convection* : les couches chauffées directement deviennent de moins en moins denses et s'élèvent ; elles sont remplacées par d'autres qui s'échauffent à leur tour. et ainsi de suite. Les gaz, sauf l'hydrogène, ont une conductibilité à peu près nulle. Le rayonnement de la chaleur est un mode de propagation qui se produit rapidement, sans échauffement des milieux traversés.

La partie de la chaleur tombant sur un corps qui n'est ni réfléchie, ni diffusée, ni transmise à travers ce corps, est absorbée par le corps et l'échauffe. Le noir de fumée a un très grand pouvoir absorbant, les métaux polis n'en ont qu'un très faible. On hâte la fusion de la neige en la recouvrant de poussière de charbon.

Les différents corps, à température et surface égales, émettent plus ou moins de chaleur. Les métaux ont un pouvoir émissif très faible.

CHAPITRE XXV

PROCÉDÉS DE CHAUFFAGE ET D'ISOLEMENT THERMIQUE

186. Considérations générales. — Le chauffage a pour objet d'utiliser la chaleur produite par des combustions vives. Les combustibles employés sont : le bois, des charbons naturels (houille, anthracite, lignite, tourbe), des charbons artificiels (coke, charbon de bois), du gaz de ville, des huiles de pétrole et de schiste, etc.

Les appareils qui servent à la combustion peuvent être classés en trois groupes principaux : les *cheminées*, les *poêles* et les *calorifères*.

187. Cheminées. — Les cheminées d'appartement sont des foyers adossés à un mur et surmontés d'un conduit ordinairement ménagé dans l'épaisseur de ce mur.

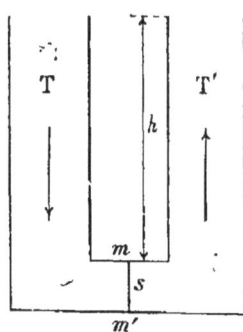

Fig. 247. — Principe du tirage des cheminées.

Tirage. — On entend par tirage d'une cheminée, l'appel d'air frais qui a lieu au *niveau de son foyer* et qui a pour effet d'entretenir la combustion et de rejeter ses produits dans l'atmosphère. Cet appel est déterminé par la légèreté de l'air chaud par rapport à l'air frais ambiant.

Considérons deux tuyaux verticaux T et T' contenant de l'air et communiquant à la partie inférieure (*fig.* 247); supposons que le tuyau T' soit à une température plus élevée que le tuyau T. Une tranche verticale *mm'*, de section *s*, commune aux deux tuyaux, supporte sur ses deux faces des pressions inégales, car l'air frais est plus dense que l'air chaud. La différence des pressions a donc pour valeur $shd - shd'$ ou $sh(d - d')$, h désignant la hauteur commune des tuyaux, d la densité de l'air frais, d' celle de l'air chaud. La pression étant plus forte de T vers T', il y aura production d'un courant descendant dans le tuyau T et d'un courant ascendant ou *appel* dans le tuyau T'. Dans le cas d'une *cheminée*, l'air extérieur s'échauffe en traversant un foyer placé à la partie inférieure du tuyau T'; de plus, le tuyau T est supprimé et remplacé par l'air ambiant, mais l'air ambiant et l'air du tuyau T' se comportent comme s'ils étaient contenus dans deux tuyaux en communication.

Si le courant ascendant qui se produit dans le tuyau T' est continu et rapide, on dit que la cheminée *tire* bien, que le tirage est bon.

Fig. 248. — Expérience montrant le tirage d'une cheminée.

On peut montrer le fonctionnement d'une cheminée en plaçant une bougie allumée à l'extrémité inférieure d'un tube incliné (*fig.* 248). Si l'on promène un brûleur le long du tube, la flamme de la bougie s'incline. Cela est dû à ce que l'air chaud contenu dans le tube s'échappe par l'ouverture supérieure pendant que l'air extérieur aspiré pénètre par l'ouverture inférieure.

La formule que nous venons d'établir montre que le tirage d'une cheminée sera d'autant plus fort que sa hauteur sera plus grande et que l'air contenu dans la cheminée sera plus chaud. Dans la pratique, on ne peut, sous prétexte d'avoir un bon tirage, laisser échapper les produits de la combustion à trop haute température, car la chaleur qu'ils emportent ainsi est une perte nette de combustible. Il faut en outre tenir compte d'un certain nombre de causes qui peuvent rendre le tirage insuffisant. Si le tuyau a une trop grande section, des courants descendants d'air frais peuvent s'établir en même temps que le courant ascendant d'air chaud ; on dit que la cheminée *fume*. Dans un appartement hermétiquement clos, l'air extérieur ne rentre pas en quantité suffisante, ce qui ralentit la combustion. Enfin si la cheminée est dominée par un mur voisin, le vent se rabat le long du mur et s'engouffre dans la cheminée, supprimant ainsi tout tirage.

Construction des cheminées. — Les cheminées sont en briques ordinaires ou en poteries ; le foyer seul est en briques réfractaires. Le sommet est terminé par un tuyau en briques ou en tôle, couronné par un champignon ayant pour but d'éviter la rentrée des eaux pluviales.

Dans les cheminées ordinaires, la pièce à chauffer ne reçoit guère que la chaleur fournie par le rayonnement direct. Pour mieux utiliser la chaleur, on place quelquefois dans le foyer des dispositifs permettant de chauffer l'air extérieur, qui peut ensuite se répandre dans l'appartement. Dans la *cheminée Joly*, par exemple, la plaque

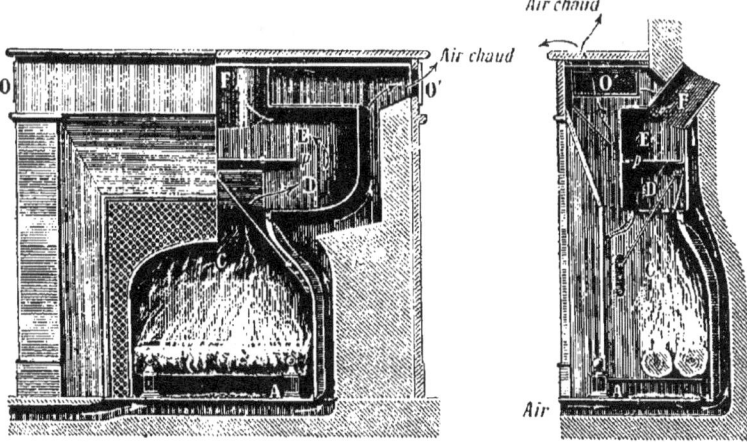

Fig. 249. — Cheminée Joly.

de fonte A qui forme l'âtre (*fig*. 249) est surmontée d'une coquille en fonte C, dont la partie extérieure est recouverte de nervures et d'ondulations destinées à augmenter les surfaces de transmission. L'air extérieur passe au-dessous de la plaque A, et s'échauffe au contact de la coquille nervée et des conduits D, E, F, par où sortent les gaz du foyer ; l'air chaud est déversé dans la salle par des bouches de chaleur à réglage O, O'. Une plaque *p* oblige les gaz du foyer à faire un plus long parcours et augmente ainsi la surface de chauffe.

Avantages et inconvénients. — Les cheminées constituent un mode de chauffage sain et agréable. En revanche, ces appareils sont peu économiques, car ils n'envoient dans l'appartement que 10 à 15 °/₀ au plus de la chaleur produite, le reste est entraîné au dehors par le courant d'air que nécessite la combustion.

188. Poêles. — Les poêles sont des foyers fermés, amovibles, entourés complètement par la masse d'air que l'on vent chauffer. Le foyer est surmonté d'une enveloppe ou cloche qui est portée à une température plus ou moins élevée par les gaz de la combustion, et d'un ou plusieurs tuyaux permettant l'évacuation des gaz.

Fig. 250. — Poêle à socle.   Fig. 251. — Poêle de la Compagnie parisienne du Gaz.

Construction des poêles. — Les poêles se construisent en terre cuite ou en faïence avec surface émaillée, le plus souvent en tôle et fonte ou tout en fonte. On leur donne des formes très variées, parmi lesquelles nous citerons le *poêle à socle* (*fig.* 250), le *poêle de cuisine* avec four. Quelquefois le poêle proprement dit est pourvu d'une enveloppe (*fig.* 251), ce qui garantit contre le rayonnement quelquefois excessif de la cloche du poêle et aussi contre l'émission de gaz dangereux, tout en permettant à l'air de circuler en s'échauffant autour de l'appareil.

Enfin, dans les poêles *mobiles* ou à combustion lente du genre Choubersky, on rend le chauffage continu en disposant d'un seul coup dans l'appareil la quantité de combustible nécessaire pour la marche de toute une journée ; la combustion est réglée à l'aide d'une clef, de manière à réduire l'appel d'air au minimum. De plus, l'appareil peut être transporté successivement dans les différentes pièces composant un appartement.

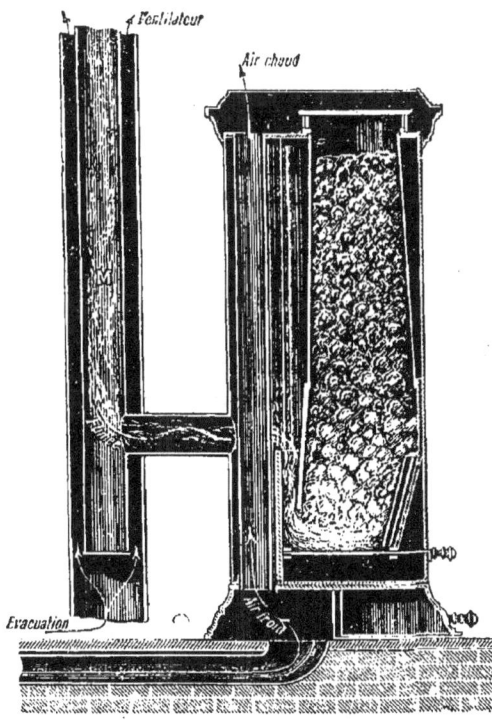

Fig. 252. — Poêle Besson.

Poêle Besson.— C'est une modification heureuse du Choubersky, car il peut être, comme ce dernier, mobile sur roulettes. La cloche de combustion est excentrée par rapport à son axe vertical (*fig.* 252), ce qui donne l'emplacement nécessaire pour loger des tubes verticaux chauffés extérieurement par les gaz ; ces gaz se rendent ensuite au tuyau M, qui est disposé à l'intérieur d'un autre tuyau de ventilation concentrique au premier. Les gaz viciés de l'appartement sont évacués par ce tuyau, dans lequel, par l'échauffement, on fait un fort appel d'air. L'air frais arrive du dehors par un carneau ouvert dans le plancher ; il s'échauffe dans les tubes et autour de la cloche de combustion, puis se rend dans la pièce.

Avantages et inconvénients. — Le chauffage par les poêles est *économique*, car leur rendement oscille entre 70 et 80 %, mais ils sont en général *peu hygiéniques*. Le tirage, étant réduit au strict nécessaire, ne contribue guère à la ventilation. De plus, l'air ambiant, chauffé souvent plus qu'il ne faudrait, devient trop sec et trouble la respiration (on remédie en partie à cet inconvénient en plaçant sur le poêle un large vase contenant de l'eau qui, en s'évaporant, fournit à l'air de la vapeur d'eau).

Les poêles en fonte s'échauffent plus rapidement que les poêles en faïence, mais ils se refroidissent plus vite. Il faut éviter que la paroi des poêles en fonte ne soit portée au rouge, car la fonte rougie est très perméable aux gaz et particulièrement à l'oxyde de carbone, gaz très toxique.

Quant aux poêles mobiles, fonctionnant avec excès de combustible et conséquemment avec insuffisance d'air, ils dégagent une forte proportion d'oxyde de carbone, ce qui les rend particulièrement dangereux si la cheminée n'a pas un excellent tirage. Le danger existe surtout lorsqu'on transporte un de ces poêles d'une salle dans une salle contiguë. La cheminée de la salle d'où provient le poêle est chaude et produit un tirage de bas en haut; la cheminée dans laquelle on l'introduit est froide et est parcourue par un courant descendant; le tirage ne peut donc s'établir et l'oxyde de carbone s'accumule dans la pièce à chauffer. En revanche, les poêles mobiles présentent, au point de vue de l'économie du combustible, un avantage réel sur les autres poêles. Malgré cela, en raison du danger qu'ils présentent, on doit en proscrire l'usage.

189. Calorifères. — Lorsqu'il s'agit de chauffer des maisons entières, des ateliers, des amphithéâtres, des édifices publics, etc., il est plus économique d'établir un foyer unique disposé pour chauffer tout l'immeuble, que de se servir de cheminées ou de poêles pour chaque pièce. Les appareils construits dans ce but se nomment des *calorifères*.

Les calorifères se divisent en trois classes, suivant l'agent intermédiaire qui sert à transmettre la chaleur : 1° calorifères à air chaud ; 2° calorifères à eau chaude ; 3° calorifères à vapeur.

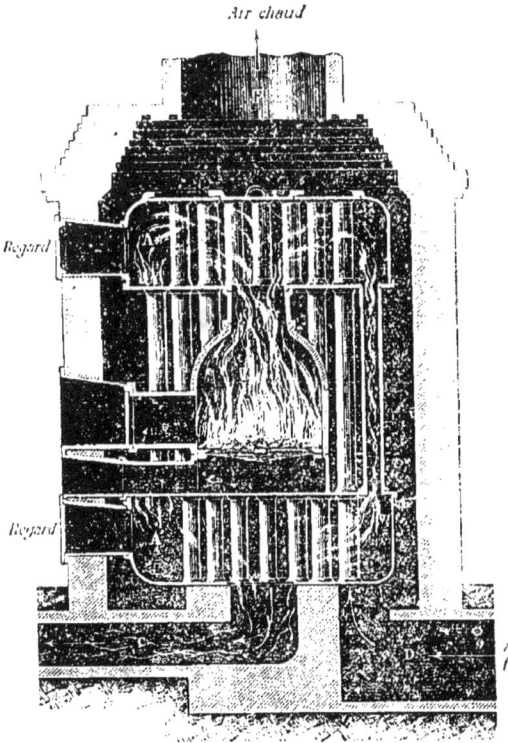

Fig. 253. — Calorifère Chaussenot.

I. Chauffage par l'air chaud. — Le chauffage par l'air chaud consiste en principe à faire passer l'air frais sur un calorifère où sa température s'élève progressivement au contact de surfaces métalliques ou autres chauffées directement par un combustible et portées à une température élevée ; cet air ainsi chauffé est ensuite amené par des conduites dans les locaux à chauffer

Les calorifères à air chaud sont très nombreux; nous ne décrirons que les types les plus connus.

CALORIFÈRE CHAUSSENOT. — Il se compose d'un foyer comprenant une cloche de combustion avec grille et cendrier (*fig*. 253), d'une chambre supérieure A et d'une chambre inférieure A' munies de regards de nettoyage, et enfin d'un faisceau de tubes verticaux qui, traversant ces chambres, les font communiquer entre elles.

Les gaz de la combustion passent de la cloche de combustion dans la chambre A, puis dans la chambre A' pour aller retrouver la cheminée par le carneau C. L'air venant du dehors arrive par D et circule à l'intérieur des tubes de bas en haut ; l'air chaud s'échappe en F, d'où il est distribué aux appartements.

On peut remarquer que, dans ce calorifère, la circulation des gaz est méthodique, car l'air frais venant du dehors passe d'abord dans les tubes les moins chauds relativement, pour achever son échauffement dans les tubes de la chambre supérieure A directement exposés au rayonnement du foyer.

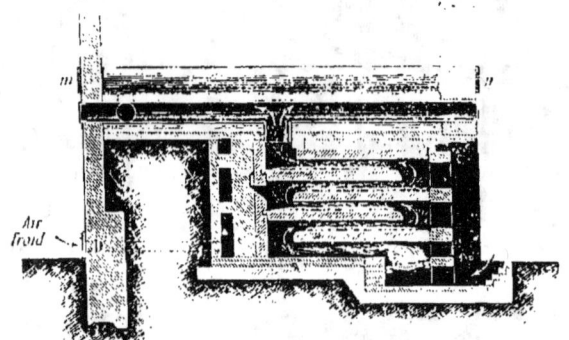

Air
froid

Fig. 254. — Calorifère Michel Perret (Coupe).

CALORIFÈRE MICHEL PERRET. — Ce calorifère permet de brûler méthodiquement des combustibles pauvres et très divisés comme les poussières de charbons maigres, de coke et de houilles pauvres, la tourbe menue, la sciure de bois, la tannée (débris de tan), les suies des locomotives, etc.

Le combustible étant étalé sur une série d'étages superposés (*fig*. 254), on met en marche avec un feu allumé sur la grille, après quoi le calorifère s'entretient seul. De temps à autre, à l'aide de râcloirs introduits par les regards, on fait tomber dans le cendrier le combustible de l'étage inférieur, qu'on remplace par la charge de l'étage situé au-dessus, et ainsi de suite jusqu'à l'étage supérieur, sur lequel on étale une couche de combustible frais. Les gaz chauds suivent le chemin indiqué par les flèches et traversent ensuite l'intérieur d'un faisceau tubulaire qui achève d'échauffer l'air en contact avec les tubes. Cet air, entré froid en D, a subi un premier échauffement en traversant l'épaisseur du massif et en circulant entre les étages. Après son passage à travers le faisceau tubulaire, il est dirigé sur les points à échauffer. Des regards *m* et *n* permettent le nettoyage des tubes.

La figure 255 représente le calorifère Perret appliqué au chauffage d'une étuve de buanderie. Le linge à sécher est étendu sur un gril roulant sur galets et rails aériens; ce gril est introduit ensuite

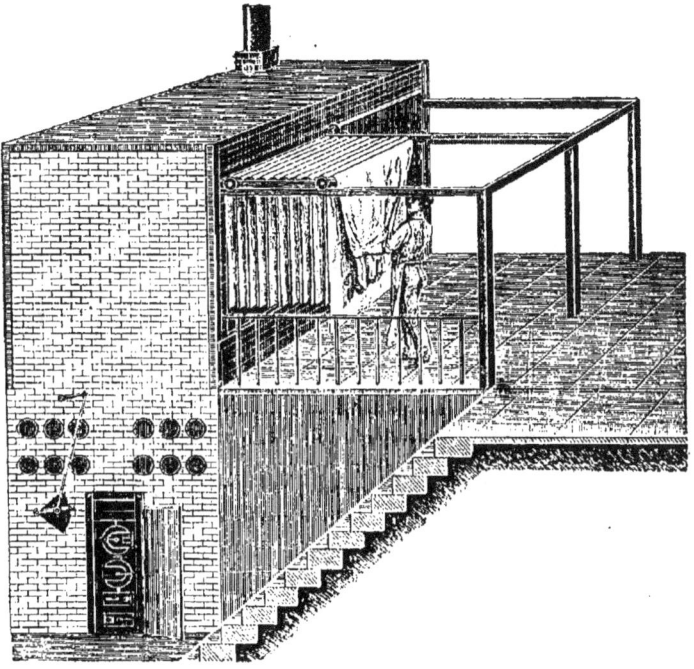

Fig. 255. — Calorifère Perret appliqué dans une buanderie.

d'un seul coup dans l'étuve, puis retiré de même après séchage.

Appareil automatique à sécher (système **Montupet**). — C'est un calorifère spécial disposé pour sécher les matières solides. La matière à sécher arrive à la partie supérieure et circule de haut en bas dans une série de compartiments communiquant par des tubes latéraux (*fig.* 256). Dans chaque compartiment tourne un agitateur à palettes qui divise la matière et la fait passer d'un compartiment à l'autre. L'appareil fonctionne donc automatiquement et méthodiquement, car les gaz les plus chauds émanés directement du foyer agissent sur les matières déjà à peu près sèches et les gaz plus froids sur les matières plus humides.

Cet appareil s'emploie pour le séchage des viandes, du sang, des vidanges, boues et immondices, des drèches de brasseries et de distilleries, des grains et maïs, des pâtes à papier, des blancs minéraux, etc.

Inconvénients du chauffage par l'air chaud. — Les calorifères à air chaud présentent les mêmes inconvé-

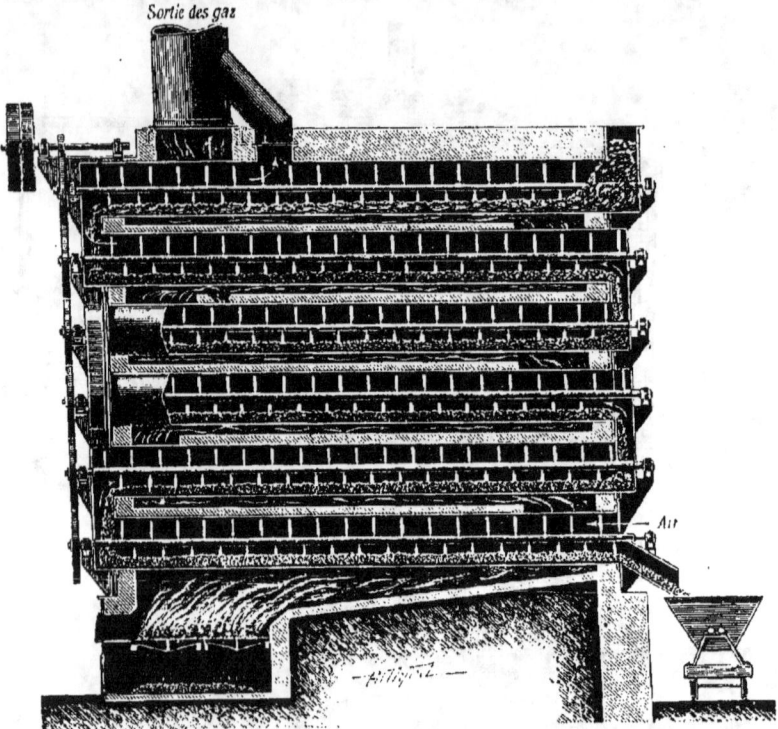

Fig. 256. — Appareil automatique pour séchage.

nients que les poêles : trop grande dessiccation de l'air, accidents par l'oxyde de carbone, etc. De plus, on ne peut guère, avec ces appareils, transporter la chaleur à des distances supérieures à 15ᵐ (comptées horizontalement).

II. Chauffage par l'eau chaude. — L'eau chaude a l'avantage de dessécher moins l'air ambiant que l'air chaud. On l'utilise *sans pression* ou *avec pression*.

CALORIFÈRES A EAU CHAUDE SANS PRESSION. — Ces appareils comprennent une chaudière communiquant avec une tuyauterie d'*émission* qui s'élève dans les étages à chauffer et se prolonge par une tuyauterie de *retour*. La chaudière et les tuyauteries sont *pleines* d'eau. L'eau la plus chaude monte en vertu de sa faible masse spécifique, se refroidit peu à peu, puis retourne à la chaudière par son propre poids. Il s'établit ainsi une circulation *de bas en haut* pour l'eau chaude et *de haut en bas* pour l'eau froide.

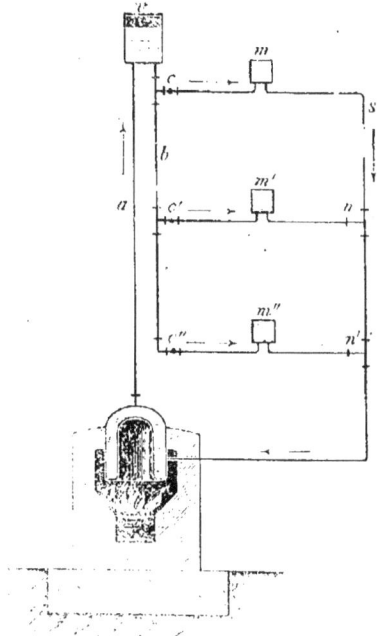

L'eau est portée à une température de 90 à 95° seulement. Comme elle peut se dilater plus ou moins, il faut tenir compte de ces variations de volume pour éviter tout éclatement dans un appareil complètement clos. On emploie dans ce but un vase d'*expansion*, ouvert à l'air libre. Le volume de ce vase doit être théoriquement les 45/1000 du volume total ; mais dans la pratique on double cette capacité afin de parer à toute éventualité.

La figure 257 représente une installation schématique de chauffage par l'eau chaude : *a*, colonne d'eau montante ; *b*, colonne de distribution aux divers

Fig. 257. — Schéma d'une installation de chauffage par l'eau chaude.

étages avec robinets en *c*, *c'*, *c"* pour régler la température ; *m*, *m'*, *m"*, poêles à eau pour augmenter la surface de chauffe ; *v*, vase d'expansion ; *s*, conduite de retour avec clapets de retenue en *n* et *n* pour éviter le mélange des eaux de retour refroidies avec les eaux d'émission chaudes. Quant aux poêles à eau chaude (*fig.* 258), ils sont généralement tubulaires ; l'air à échauffer circule dans les tubes, et l'eau entre les tubes.

CALORIFÈRES A EAU CHAUDE AVEC PRESSION. — Ce mode de chauffage exige la même installation que le précédent, avec cette différence que les tuyaux sont de plus faible section, mais plus résistants, que la chaudière est réduite à un simple serpentin, et que le vase d'expansion est clos.

L'eau est chauffée vers 200°, les retours ont lieu vers 100°.

Le chauffage par l'eau avec pression est très pratique et peu coûteux, à cause de la simplicité de l'installation.

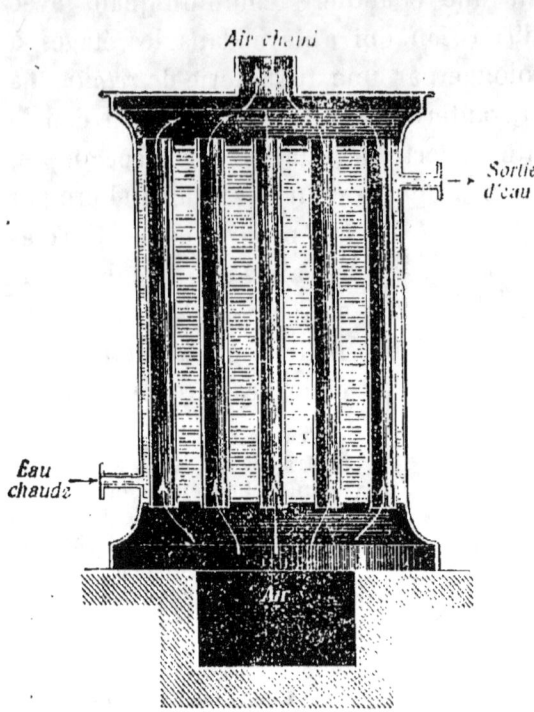

Fig. 268. — Disposition du poêle à eau chaude.

III. Chauffage par la vapeur. — Le chauffage par la vapeur peut aussi se faire à haute ou à basse pression. Les deux systèmes sont basés sur l'extrême facilité avec laquelle la vapeur se transporte d'elle-même dans les conduits qui lui sont ouverts. Dans son parcours, cette vapeur se condense en abandonnant sa chaleur de vaporisation, et l'eau de condensation est ramenée, à une température encore élevée, à la chaudière et s'y transforme de nouveau en vapeur.

On ne peut économiquement faire usage du chauffage *à haute pression* que dans des usines ou établissements utilisant déjà la vapeur ; dans les habitations particulières, on emploie le chauffage *à basse pression*, dans lequel la pression à la chaudière est de 100 grammes environ.

La tuyauterie est en fer ou en cuivre ; l'assemblage de deux tuyaux se fait au moyen de brides boulonnées entre lesquelles on intercale une rondelle de caoutchouc pour faire joint. Ces tuyaux de cana-

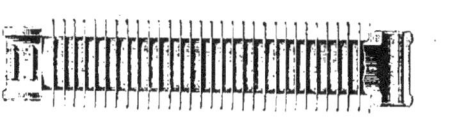

Fig. 259. — Tuyaux en fonte à ailettes.

lisation sont généralement de petit diamètre, et ils ne suffisent a chauffer par eux-mêmes que là où ils sont très ramifiés : ce sera le cas par exemple dans un sous-sol si l'on doit ensuite déboucher au

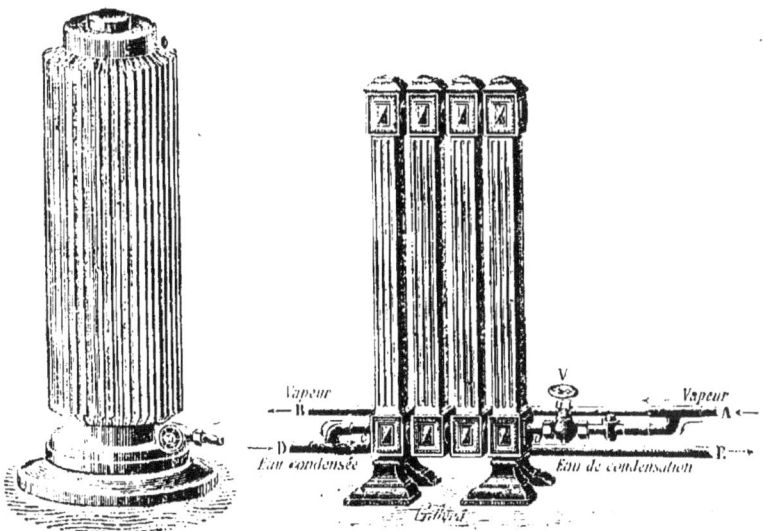

Fig. 260. — Poêle à vapeur.   Fig. 261. — Radiateur à vapeur.

rez-de-chaussée par un assez grand nombre de points. Mais en géné- ral cette simple tuyauterie n'offre pas à l'air environnant une surface de contact suffisante pour l'amener à la température voulue. On intercale donc de distance en distance, sur ces conduits, des *radia- teurs* destinés à augmenter la surface de contact avec l'air. Ils sont de forme très variée. La figure 259 représente des tuyaux à ailettes (circulaires ou rectangulaires) qu'on place horizontalement autour des pièces, de préférence aux parties les plus froides. L'air froid s'échauffe au contact de ces tuyaux et cède une partie de sa chaleur aux murs le long desquels il s'élève avant de se répandre dans la salle. Ces tuyaux conviennent dans les magasins, les ateliers, les salles de classe, les hôpitaux, etc. Quelquefois, on les dissimule sous des tôles ajourées et peintes. On se sert aussi de poêles verticaux (*fig.* 260). Lorsque la canalisation aboutit à des appartements, on distribue la chaleur au moyen de radiateurs plus élégants ; la figure 261 en donne un type. Pour ces derniers, le nombre des éléments de l'appareil, dans chaque pièce, est proportionné au volume de la pièce. La vapeur arrive par A, bifurque ; une partie suit la conduite AB pour aller chauffer les pièces voisines ; l'autre partie pénètre en *a* dans le radiateur, s'y propage, puis s'y condense, sort en *c* et fait retour à la chaudière par le tube DE, qui a une légère inclinaison. Si l'on ne veut pas qu'une pièce soit chauffée, on ferme la vis V, et la vapeur ne pénètre pas dans le radiateur : elle va chauffer plus loin.

Fig. 262. — Montage d'un radiateur avec bouche en plinthe.

La figure 262 représente un groupement formé de radiateurs horizontaux. Les boîtes de communication sont fixées aux extrémités des tubes. L'air à échauffer arrive du dehors, passe sur les tubes et se répand dans l'appartement par la plinthe au moyen d'une prise à grillage ; l'air chaud sortant autour du faisceau tubulaire passe aux étages supérieurs par des conduits verticaux ménagés dans l'épaisseur des murs et se répand dans les pièces à chauffer par des prises sous plinthes.

Le chauffage par la vapeur est très hygiénique ; il ne surchauffe ni ne dessèche l'air ; il n'engendre ni poussières ni gaz toxiques ; il met à l'abri des dangers d'incendie ; il est économique. Ce mode de chauffage commence seulement à se propager en France, mais il y a plus de trente ans qu'on l'utilise aux États-Unis, et c'est de là que nous sont venus les premiers types d'installations et d'appareils.

VENTILATION

190. Nécessité de la ventilation. -- L'étude de la ventilation est étroitement liée à celle du chauffage.

On sait que l'air contient normalement de 3 à $\frac{6}{10000}$
de gaz carbonique et qu'il devient insalubre quand cette
teneur s'élève à $\frac{2}{1000}$. Or l'expérience a établi qu'un adulte
rejette par heure 60ˢ de vapeur d'eau et 30ˢ de gaz carbonique; l'expiration vicie donc rapidement l'air ambiant.

L'air est également vicié par les appareils d'éclairage en
activité. D'un autre côté, la température de l'air tend à augmenter sensiblement par la respiration, l'éclairage et les combustions; c'est ainsi qu'un adulte dégage par heure 80 kilo-
calories; une bougie en dégage 100 pendant le même temps;
un bec de gaz consommant 50ˡ à l'heure, 353.

Il résulte de ce qui précède que l'air ambiant se vicie constamment et que s'il n'était renouvelé, il deviendrait bientôt
irrespirable; il faut donc pour vivre dans des conditions hygiéniques suffisantes renouveler l'air de nos habitations,
c'est-à-dire les *ventiler*.

Cette ventilation doit se faire évidemment en tenant compte
des résultats d'expériences. D'après Morin, les quantités d'air
à injecter par heure et par tête sont les suivantes en mètres
cubes: chambre ordinaire, 15 à 20; écoles, 15 à 30; écoles
d'adultes (le soir), 20 à 35; théâtres et salles de conférences,
50; usines, 60; écuries, 60 à 100; hôpitaux (maladies non
épidémiques), 100; hôpitaux (maladies épidémiques), 150.

L'air pur doit arriver avec une vitesse de translation qui
ne dépasse pas 1ᵐ par seconde, afin que le courant soit
imperceptible. De plus, il faut s'étudier à maintenir la température dans le voisinage de 17°, la plus salubre pour notre
climat.

191. Modes de ventilation. — On peut distinguer trois principaux modes de ventilation: la ventilation naturelle, la ventilation
par appel et la ventilation mécanique.

Ventilation naturelle. — Cette ventilation se produit par les
jointures des portes et des fenêtres, par la porosité très réelle des

matériaux qui forment les murs de nos habitations, par les ouver-
tures des vasistas, par les bouches ou autres baies pratiquées dans les murs, les plafonds et les toits des maisons, par les conduits des cheminées non allumées pendant la belle saison. L'habitude qu'ont certaines personnes de calfeutrer plus que de raison leurs fenêtres et leurs portes est nuisible à leur santé.

Fig. 263. — Expérience des deux bougies.

l'expérience des deux bougies (*fig.* 263).

Ventilation par appel. — Ce mode de ventilation se produit principalement par les cheminées et les poêles *en activité*. On met facilement en évidence, par l'existence des courants d'air dans une salle chauffée. On ouvre la porte de la salle, puis on tient vers le haut de la porte une bougie allumée: on voit alors la flamme s'incliner vers l'extérieur par suite du courant d'air chaud qui s'échappe par le haut de la porte. Au contraire, la flamme d'une bougie posée sur le sol s'incline vers l'intérieur; cet effet est dû au courant d'air froid et plus dense qui vient remplacer l'air chaud.

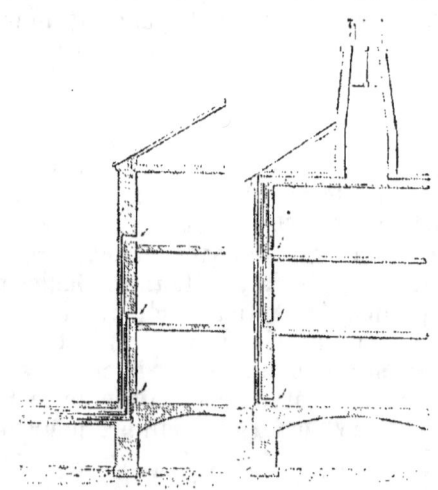

Fig. 264. — Ventilation par appel par cheminées et gaines.

La ventilation par appel peut être déterminée par un bec de gaz tenu allumé dans une cheminée communiquant avec l'extérieur par un registre dont on peut faire varier la section à volonté. Ce genre de ventilation se produit dans les cafés et salles de réunion, par les becs de gaz ou des lampes intensives.

Enfin on détermine une bonne ventilation à l'aide d'une cheminée surmontant l'édifice et communiquant avec les pièces par des gaines noyées dans les murs (*fig*. 264).

Ventilation mécanique. — C'est de beaucoup la plus efficace et la plus active.

L'aération des mines et des étuves se fait soit par des ventilateurs (83), soit par des appareils spéciaux (éjecteurs) que nous étudierons avec les applications de la vapeur,

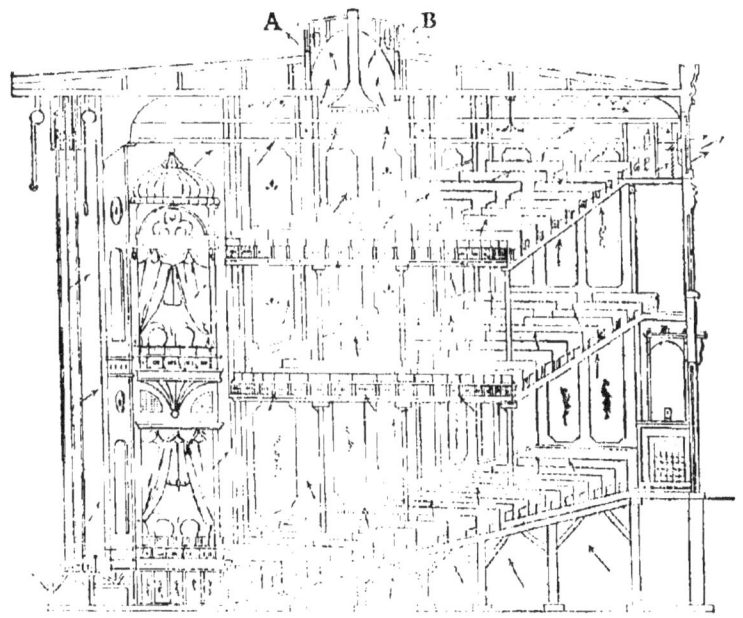

Fig. 265. — Ventilateur système Blackmann.

Enfin la figure 265 montre, en coupe longitudinale, une salle de spectacle dont l'air est renouvelé au moyen d'un ventilateur A installé dans un lanterneau. Le ventilateur aspire l'air frais dans les caves de l'établissement et refoule l'air chaud et vicié à l'extérieur. Le fonctionnement de ce ventilateur est tout à fait analogue à celui d'une pompe centrifuge (87).

PROCÉDÉS D'ISOLEMENT THERMIQUE

192. Considérations générales. — En étudiant la propagation de la chaleur, nous avons par là même étudié la

propagation du froid, car la Physique ne fait pas cette
distinction en chaud et froid : elle ne sait pas où commence le chaud et où finit le froid et ne connaît que des
températures.

Les procédés d'isolement thermique découlent des lois de
propagation de la chaleur et du froid que nous avons établies.

193. Protection contre la chaleur. — Si l'air est chaud
à l'extérieur, nous nous protégeons nous-mêmes : 1° en
faisant produire à notre corps le moins possible de chaleur. Nous ne pouvons éviter celle qui provient de notre
respiration — véritable combustion ; — mais nous pouvons limiter cette autre source de chaleur qu'est le mouvement ; 2° en portant des vêtements légers, amples et
blancs de préférence, parce qu'ils absorbent moins de
chaleur. La nature d'ailleurs nous protège elle-même, car
dès que la température ambiante s'élève, notre transpira-
tion est plus active et l'évaporation de la sueur aussi ; elle
se fait en enlevant de la chaleur au corps.

Nous protégeons nos habitations en leur donnant des
murs épais, que la chaleur du jour n'ait pas le temps de
traverser par conductibilité (dans la plupart des habita-
tations des grandes villes de nos pays tempérés, on fait
maintenant, par raison d'économie, des murs insuffisam-
ment épais) ; nous fermons leurs ouvertures pour ne pas y
laisser pénétrer les courants d'air chaud, et, s'il fait du
soleil (chaleur lumineuse), comme les vitres des fenêtres
ne nous protègent plus, nous les doublons d'un corps
athermane (store, volet, etc.). — En été, la plupart des
serres ne pourraient pas supporter toute l'ardeur du soleil ;
on les protège également par des corps athermanes (paillassons, rideaux, etc.).

11.

On rend quelquefois les murs difficiles à traverser par la chaleur, non pas en leur donnant beaucoup d'épaisseur, mais en les construisant avec des matériaux particulièrement mauvais conducteurs, comme les briques **creuses**, dont on bouche les trous avec des enduits ; outre qu'elles ont l'avantage d'être plus **légères** que les briques pleines, elles s'opposent mieux à la déperdition de la chaleur, à cause de l'air qu'elles maintiennent immobile.

Dans les pays chauds, on établit autour des habitations des galeries qui les protègent contre l'ardeur du soleil et permettent d'entretenir un courant d'air rafraîchissant. On construit des terrasses au lieu de toitures pour éviter les combles et empêcher ainsi la production d'un matelas d'air chaud. Les cours, les soubassements des murs sont souvent recouverts de carrelages blancs vernis pour arrêter la chaleur. Enfin les maisons sont généralement peintes en blanc.

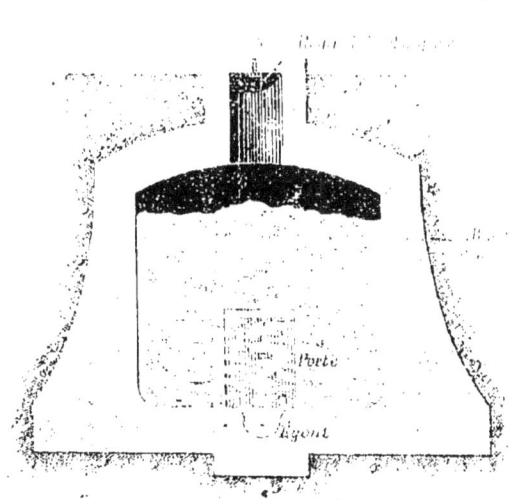

Fig. 266. — Coupe d'une glacière.

Nous pouvons avoir à lutter contre de la chaleur n'ayant plus sa source première immédiate dans le soleil, mais contre la chaleur provenant de combustions : respiration d'une agglomération de personnes, combustion de lampes allumées, etc. Dans ce cas, le foyer étant interne, on ne peut arrêter la chaleur au passage. On ne peut la combattre qu'avec du froid ou tout au moins de l'air plus frais, en ayant recours à la *ventilation* (190).

Dans l'économie domestique et dans l'industrie, on s'oppose à la transmission de la chaleur en utilisant la faible conductibilité du bois, de la paille, du verre. C'est ainsi que l'on adapte des manches de bois aux cafetières métalliques, aux outils qui doivent être introduits dans un foyer.

Enfin on fabrique aujourd'hui avec des petits fragments de liège agglomérés des briques isolantes qui servent à construire des glacières (*fig.* 266). On s'en sert aussi pour les glacières d'appartement ; pour l'aménagement des wagons-glacières employés au transport des bières ou de la marée ; pour la construction des chambres des entrepôts frigorifiques de la Guerre, de la Marine, etc.

194. Protection contre le froid. — La nature prévoyante protège l'homme contre le froid : elle active sa respiration dès que la température s'abaisse, ce qui fait produire à son corps plus de chaleur. Une nourriture plus abondante y contribue aussi.

Les animaux des pays froids sont généralement préservés du froid par des fourrures dont les poils sont fournis et soyeux (ou par d'épaisses couches de graisse, corps mauvais conducteur ; ex. : la baleine). L'homme dans ces mêmes pays, n'étant pas comme eux garanti naturellement, est dans l'obligation de se vêtir ; il a adapté à sa propre défense contre le froid les peaux couvertes de poils de ces animaux. Il utilise aussi la laine des moutons, le duvet de certains oiseaux, notamment de l'*eider* (nom qui a servi à former *édredon*), habitant des froides régions. Quand de l'air est emprisonné dans ces matières filamenteuses, la propagation de la chaleur interne ou du froid extérieur ne se fait plus que difficilement et l'ensemble

constitue une enveloppe très peu perméable à la chaleur
et au froid.

Les couvertures de laine, les vêtements ouatés, les édre-
dons, nous protègent de même par l'emprisonnement
d'une couche d'air non conductrice. — La paille qu'on
met dans ses sabots ou dont on s'enveloppe la nuit pour
dormir quand on n'a pas de lit, agit de la même façon,
chaque brin emprisonnant un long cylindre d'air. — Les
bouillottes enveloppées de laine ou de ouate conservent
longtemps leur chaleur pour la même raison. — Pour la
végétation, la neige est de même un manteau protecteur,
à cause de tout l'air qu'elle emprisonne : les grands
froids ne peuvent plus, au travers d'elle, atteindre la
terre.

S'il s'agit de la chaleur rayonnante, rappelons que les
serres reçoivent la chaleur lumineuse et emprisonnent la
chaleur obscure ; il en est de même des cloches et des
châssis. Quand de la végétation un peu délicate n'est pas
enclose dans un espace vitré, le rayonnement des nuits
les plus sereines est souvent à redouter pour elle : la terre
rayonnant de sa chaleur vers les espaces célestes se refroidit et les gelées sont à craindre. C'est pour les éviter
qu'on emploie des paillassons suspendus au-dessus de certaines plantes. On va même quelquefois plus loin : pour
avoir un vaste écran on crée des nuages artificiels en faisant brûler de la paille humide et des herbes.

Quant aux habitations, nous avons dit qu'on les proté-
geait contre les grandes variations de température par des
murs épais ou des murs à briques creuses. Dans beaucoup
de pays, en Russie notamment, on fait usage de doubles
fenêtres qui, emprisonnant entre elles une couche d'air,
atténuent considérablement la déperdition de la chaleur

des appartements. — Dans les pays très froids, les malheureux habitants se construisent des refuges en glace ou en neige durcie, corps très mauvais conducteurs de la chaleur.

Les moyens de protection dont nous avons parlé ne suffisent pas par les grands froids, et nous sommes d'ailleurs bien forcés, pour aérer nos habitations, de ne pas les laisser hermétiquement closes. Il faut donc les chauffer.

Dans l'économie domestique et dans l'industrie, on emploie également les corps mauvais conducteurs pour prévenir le refroidissement. C'est ainsi que l'on entoure les pompes avec de la paille en hiver pour éviter la congélation de l'eau qu'elles contiennent ; que l'on conserve la glace pendant un certain temps, en l'entourant de sciure de bois ou d'une étoffe de laine.

Les chaudières des locomobiles et locomotives exposées à l'air sont garnies de tôle mince ou de laiton ; la couche d'air renfermée ainsi entre l'enveloppe et les parois protégées forme un bon isolant. Les tuyauteries d'eau chaude, de vapeurs, de liquides froids ; les parties exposées à l'air des chaudières à vapeur sont enveloppées de liège, de mastics formés par de la terre glaise et des menues pailles hachées avec des crins, des poils, etc. Les cylindres des machines à vapeur et une foule d'appareils sont isolés avec des douves de bois ajustées et cerclées.

Enfin, le faible pouvoir émissif des métaux explique l'usage que l'on fait de vases en métal poli, comme les cafetières d'argent, pour maintenir les liquides longtemps chauds.

RÉSUMÉ DU CHAPITRE XXV

Les appareils qui servent aux combustions vives sont les cheminées, les poêles et les calorifères.

Les *cheminées* sont des foyers adossés à un mur et surmontés d'un conduit débouchant à l'extérieur. Le tirage ou appel d'air frais au niveau du foyer est déterminé par la légèreté de l'air chaud par rapport à l'air frais ambiant ; toutes choses égales d'ailleurs, il est d'autant plus énergique que la hauteur de la cheminée est plus grande et que l'air y est plus chaud. Les cheminées constituent un mode de chauffage sain et agréable, mais elles n'ont qu'un faible rendement.

Les *poêles* sont des foyers fermés, entourés par la masse d'air à échauffer. Ils comprennent un foyer, une enveloppe et un ou plusieurs tuyaux pour l'évacuation des gaz. Le chauffage par les poêles

est économique mais peu hygiénique, surtout à cause de la dessiccation de l'air et du dégagement fréquent d'oxyde de carbone.

Les *calorifères* sont disposés de manière à chauffer des immeubles
entiers; ce chauffage se fait par l'air chaud, l'eau chaude avec ou
sans pression, la vapeur avec ou sans pression. Dans le chauffage
par l'air chaud, l'air frais s'échauffe au contact du calorifère et est
amené ensuite par des conduites dans les locaux à chauffer. Le chauffage par l'eau chaude nécessite : une chaudière, une tuyauterie d'émission, un vase d'expansion et une tuyauterie de retour. Le chauffage
par la vapeur est celui qui présente le plus d'avantages ; la vapeur,
émise à basse pression dans les installations domestiques, est conduite
dans des radiateurs à grande surface où elle se condense en abandonnant sa chaleur latente.

Pour se protéger contre la chaleur, on limite ses mouvements de
manière à faire produire au corps le moins de chaleur possible, et
on porte des vêtements blancs, légers. On protège les habitations
en leur donnant des murs épais ou des murs formés de briques
creuses, en fermant les ouvertures On combat la chaleur provenant des combustions, de la respiration, par la ventilation.

Pour se protéger contre le froid, on prend une nourriture plus
abondante, et on porte des vêtements dans lesquels l'air peut être
emprisonné (laine, ouate). On protège les habitations contre les
grandes variations de température par des murs épais ou des murs
à briques creuses, par des doubles fenêtres, etc.

COMPLÉMENTS [1]

I. Conditions de sensibilité d'une balance (26). — Considérons une balance dont le fléau AOB est horizontal et en équilibre (*fig.* 267). Mettons dans l'un des plateaux la faible charge *p* pour laquelle la balance est sensible ; le fléau s'incline d'un certain angle α et prend une nouvelle position d'équilibre A'OB'. En effet, la verticale qui passe par le centre de gravité ne rencontrant plus le point O, le poids P du fléau, poids que l'on peut

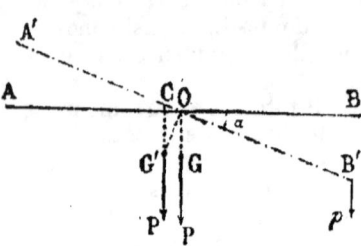

Fig. 267. — Sensibilité de la balance.

considérer comme appliqué en C, n'est plus détruit par la résistance de l'axe de rotation ; il tend dès lors à équilibrer la charge *p*. D'après la règle de composition des forces parallèles (8), cet équilibre est établi lorsqu'on a

$$\frac{OC}{OB'} = \frac{p}{P}, \qquad \text{d'où} \qquad p = P \cdot \frac{OC}{OB'}$$

On voit d'après cela que la charge *p* qui amène l'inclinaison du fléau est d'autant plus petite : 1° que le poids P du fléau est plus petit ; 2° que OC est plus petit et par suite que le centre de gravité est plus rapproché de C ; 3° que OB' est plus long. Dans la pratique, on mesure la sensibilité d'une balance par le déplacement de l'aiguille sur l'arc gradué pour une charge déterminée, par exemple le milligramme.

II. Emploi des aréomètres pour déterminer les masses spécifiques (44). — 1° PÈSE-ACIDES. — Appelons N le nombre des divisions qui seraient comprises entre le zéro (eau pure) et l'extrémité opposée de l'instrument, *v* le volume d'une division, *x* la masse spécifique d'un liquide dans lequel l'aréomètre affleure à la division *n*. L'eau salée qui sert à obtenir le degré 15 a une masse spécifique égale à 1ᵍ,116.

Les masses d'eau pure, d'eau salée et de liquide de masse spéci-

---

(1) Bien que ces compléments ne fassent pas essentiellement partie du cours, nous les donnons parce qu'ils seront utiles aux élèves pour la résolution de certains problèmes.

fique x sont respectivement égales à la masse de l'aréomètre et sont, par suite, égales entre elles. On a donc

$$Nv = (N - 15)v \times 1,116 = (N - n)vx.$$

On tire de ces égalités

$$N = \frac{15 \times 1,116}{1,116 - 1} = 144,3$$

et

$$x = \frac{N}{N - n} = \frac{144,3}{144,3 - n} \cdot$$

2° Pèse-liqueurs. — La masse spécifique de l'eau salée qui donne le zéro de la graduation est égale à 1ᵍ,0847. Les masses d'eau salée, d'eau pure et de liquide de masse spécifique x déplacées sont $Nv \times 1,0847$, $(N + 10)v$, $(N + n)vx$. Les équations sont donc

$$Nv \times 1,0847 = (N + 10)v = (N + n)vx,$$

d'où

$$N = \frac{10}{1,0847 - 1} = 118,2,$$

$$x = \frac{N + 10}{N + n} = \frac{128,2}{118,2 + n} \cdot$$

III. Calcul de la raréfaction pour une pompe de Carré (79). — Appelons V la capacité du récipient, v la capacité du corps de pompe, abstraction faite du volume du piston, v' la capacité de la chambre du fond (partie C), H_0 la force élastique de l'air dans le récipient à l'origine. Au début, l'air occupe le volume V du récipient et le volume v' de la chambre de fond. Quand on soulève le piston, son volume devient $V + v' + v$, sa force élastique diminue et prend une valeur H_1 donnée par la loi de Mariotte :

$$(V + v')H_0 = (V + v' + v)H_1,$$

d'où

$$H_1 = H_0 \frac{V + v'}{V + v' + v} \cdot$$

Quand le piston est revenu en bas de sa course, il reste dans la chambre C un volume $V + v'$ sous la pression H_1, lequel se partage de nouveau entre v et $V + v'$ lorsque le piston est, pour la seconde fois, en haut de sa course. La nouvelle force élastique H_2 est donnée par la relation

$$(V + v')H_1 = (V + v' + v)H_2,$$

d'où

$$H_2 = H_1 \frac{V + v'}{V + v' + v} = H_0 \left(\frac{V + v'}{V + v' + v} \right)^2 \cdot$$

D'après ce calcul, la force élastique dans le récipient au bout de n coups de piston serait

$$H_n = H_0 \left(\frac{V + v'}{V + v' + v} \right)^n \cdot$$

On voit donc que théoriquement la force élastique diminue à mesure que n augmente, sans pouvoir pour cela devenir nulle.

IV. Calcul de la force élastique de l'air comprimé (79). — Appelons v le volume du corps de pompe, V le volume du récipient dans lequel on comprime, H_0 la force élastique initiale du gaz dans ce récipient, H la force élastique, supposée *constante*, dans le récipient où l'on aspire. Au début, lorsqu'on soulève le piston, le corps de pompe se remplit de gaz sous la pression H. Lorsqu'on abaisse le piston, la masse gazeuse contenue dans le corps de pompe est refoulée dans le récipient de compression, où la force élastique du mélange gazeux devient $H_1 > H_0$. En appliquant la loi du mélange des gaz, on a

$$VH_0 + vH = VH_1,$$

d'où
$$H_1 = H_0 + H \frac{v}{V} \cdot$$

On trouverait de même, après deux coups de piston,

$$H_2 = H_1 + H \frac{v}{V} = H_0 + 2H \frac{v}{V},$$

et après n coups de piston,

$$H_n = H_0 + nH \frac{v}{V} \cdot$$

Si l'on tient compte de l'espace nuisible, on a

$$H_n = H \frac{v}{e},$$

limite théorique, toujours supérieure à la limite pratique, à cause des imperfections de la pompe.

V. Explication du fonctionnement du siphon. — Le liquide étant en mouvement dans le siphon, on ne peut faire usage *a priori* des principes d'hydrostatique applicables aux liquides en équilibre. Mais admettons, pour un instant, qu'il existe au sommet du siphon, en C (*fig.* 134), une petite cloison solide : l'écoulement se trouve ainsi arrêté et le liquide reste en équilibre de chaque côté de la cloison. Appelons H la hauteur d'une colonne de liquide à transvaser capable de faire équilibre à la pression atmosphérique (environ 1033^{cm} pour l'eau), h et h' les hauteurs verticales des branches du siphon au-dessus du niveau du liquide dans chaque vase. Du côté de la petite branche, une unité de surface prise sur la cloison supporte la pression $H - h$ (évaluée en hauteur de colonne liquide) ; du côté de la grande branche, cette même unité supporte la pression $H - h'$. Or, h' étant plus grand que h, la pression $H - h$ est supérieure à la pression $H - h'$ et l'unité de la surface considérée supporte du côté de la petite branche un excès de pression représenté par le poids d'une colonne de liquide ayant pour base cette unité et pour hauteur la différence $(H - h) - (H - h')$, c'est-à-dire $h' - h$. Comme il en est de même pour chaque unité de surface de la cloison, on comprend dès lors que si celle-ci devient libre, le mouvement du liquide ait lieu vers la grande branche.

L'explication que nous venons de donner suppose que h et h' sont tous deux inférieurs à H. Si h est plus grand que H, il en est de même à plus forte raison de h', et dans ce cas le siphon non seulement ne fonctionne pas, mais il ne peut rester amorcé : le liquide se divise en C et s'abaisse dans chaque branche à une hauteur H au-dessus de la surface libre du liquide dans le vase correspondant; on a ainsi un double baromètre avec chambre vide commune. On réalise facilement ce cas en amorçant avec du mercure un siphon dont la petite branche a au moins 80^{cm} de longueur. Enfin, dans le cas où l'on aurait $h < $ H, mais $h' > $ H, le siphon fonctionnerait comme un siphon ordinaire, quoique ne restant pas amorcé complètement, il se formerait un vide barométrique dans la grande branche ; mais comme la pression du côté de la petite branche existerait toujours, le liquide s'écoulerait à travers le vide barométrique.

TABLE DES MATIÈRES

ÉVREUX, IMPRIMERIE CH. HÉRISSEY

MANUELS DU BACCALAURÉAT

Volumes 16 Jcm.

Première partie.

Histoire ancienne. par L. HOMO . . . . 3 fr. 50
Histoire moderne, par H. HAUSER . . . . 1 fr. »
Géographie (*France et colonies*), par H. HAUSER . . . . . 1 fr. 50
Mathématiques (*Latin-sciences. Sciences-langues*). par
   MM. HUMBERT, GUICHARD et MINEUR. . . . . 3 fr. »
Physique (*Latin-sciences. Sciences-langues*), par L. BOI-
   SARD) . . . . 3 fr. »
Chimie (*Latin-sciences. Sciences-langues*). par P. RIVALS. 2 fr. 50

Deuxième partie.

Philosophie, *série Philosophie*, par P. JANET . . . . . . 3 fr. 50
Histoire contemporaine, par H. HAUSER . . . . 1 fr. »
Philosophie et Histoire, *série Philosophie*. par MM. JANET
   et HAUSER . . . . 4 fr. »
Physique, *série Philosophie*, par A. GALLOTTI . . . . . 3 fr. 50
Chimie, *série Philosophie*, par MM. RIVALS et DEVAUD. 2 fr. »
Histoire Naturelle. par E. CAUSTIER . . . . 4 fr. »
Mathématiques, *série Mathématiques*, par MM. HUMBERT,
   GUICHARD, MALUSKI, MINEUR et TARTINVILLE . . 4 fr. »
Physique, *série Mathématiques*, par L. BOISARD . . . . . 2 fr. 50
Chimie, *série Mathématiques* par MM. RIVALS et DEVAUD. 2 fr. »
Philosophie, *série Mathématiques*, par P. JANET . . . . . 1 fr. 50
Philosophie et Histoire, *série Mathématiques*, par MM. JA-
   NET et HAUSER . . . . 2 fr. 25
Géographie, par H. HAUSER . . . . 1 fr. 25

Journal de Mathématiques élémentaires

par H. VUIBERT (*10° année*).

Journal 28/22^{cm}, avec figures et épures dans le texte. paraissant le
   1er et le 15 de chaque mois, du 1er octobre au 15 juillet. Abonnement
   annuel remontant au 1er octobre : France et Colonies, 5 fr. ;
   Étranger . . . . 6 fr. »

  Ce journal s'adresse aux candidats aux écoles et aux baccalauréats d'ordre scientifique et aux élèves qui doivent plus tard étudier les sciences. Le journal propose
des problèmes de mathématiques, physique et chimie (notamment ceux qui ont
été posés dans les examens et concours); il publie les meilleures solutions
reçues, avec les noms de leurs auteurs; les autres bonnes copies sont signalées
à la suite.

www.ingramcontent.com/pod-product-compliance
Lightning Source LLC
Chambersburg PA
CBHW071438050526
44396CB00005BB/808